Du même auteur

Dévoile-moi

Catalogage avant publication de Bibliothèque et Archives nationales du Québec et Bibliothèque et Archives Canada

Day, Sylvia

       Dévoile-moi

       Traduction de : Bared to you.

       ISBN 978-2-89077-454-4

       I. Nabet, Agathe. II. Titre.

PS3604.A922B3714 2012   813'.6   C2012-942105-7

COUVERTURE

Photo : © Edwin Tse

Conception graphique : © Penguin Group

INTÉRIEUR

Composition : Nord Compo

Titre original : BARED TO YOU

Éditeur original : The Berkley Publishing Group,
filiale de Penguin Group (USA) Inc.

ISBN 978-2-89077-454-4

Dépôt légal BAnQ : 4ᵉ trimestre 2012

Imprimé au Canada

www.flammarion.qc.ca

Sylvia Day

Dévoile-moi

CROSSFIRE – Tome 1

Traduit de l'anglais (États-Unis)
par Agathe Nabet

Flammarion
Québec

Je dédie ce livre au Dr David Allen Goodwin.
Avec toute mon affection et ma reconnaissance.
Merci, Dave. Vous m'avez sauvé la vie.

1

— Il faut aller fêter ça !

Cette suggestion ne me surprit pas. Cary Taylor, mon colocataire, cherchait toujours le moindre prétexte pour faire la fête, c'est ce qui faisait son charme.

— Boire la veille de mon premier jour de travail n'est pas une bonne idée, objectai-je.

— Allez, Eva...

Assis en tailleur sur le parquet du séjour, au milieu d'une demi-douzaine de cartons de déménagement, il me gratifia de son sourire le plus charmeur. Nous venions de passer plusieurs jours à trimer mais, à le voir, on ne s'en serait pas douté. Grand brun aux yeux verts, Cary était le genre d'homme qui demeure séduisant en toutes circonstances. Si je n'avais pas eu autant d'affection pour lui, je lui en aurais certainement voulu.

— Je ne te propose pas de prendre une cuite, insista-t-il. Juste un verre ou deux. On se pointe pour le happy hour et on sera de retour ici à 20 heures au plus tard, promis juré.

— Je ne suis pas sûre d'être rentrée à 20 heures. Une fois que j'aurai chronométré le temps qu'il me faut

9

pour me rendre au boulot à pied, je compte faire un tour au club de gym.

— Marche vite et fais du sport encore plus vite, me conseilla-t-il en arquant si parfaitement un sourcil que je ne pus m'empêcher de rire.

Un jour, ce visage ferait la une des magazines de mode du monde entier, j'en étais convaincue.

— Que dirais-tu de demain après le boulot ? tentai-je de négocier. Si je survis à ma première journée de travail, ça nous fera deux trucs à fêter au lieu d'un.

— Vendu. Du coup, je vais pouvoir étrenner notre nouvelle cuisine dès ce soir.

— Heu... super.

Cuisiner est l'un des grands plaisirs de Cary, mais cela ne fait malheureusement pas partie de ses talents.

— Les plus grands chefs tueraient pour avoir une cuisine pareille, assura-t-il. Impossible de rater quoi que ce soit avec ce matériel.

J'étais plus que dubitative, mais je n'avais pas le temps de me lancer dans une conversation culinaire et j'adressai un signe de la main à Cary avant de filer.

À peine franchie la porte du grand hall surmontée de sa marquise de verre ultramoderne, les bruits et les odeurs de Manhattan m'assaillirent, attisant mon envie d'explorer la ville. J'avais traversé tout le pays depuis San Diego, et je me retrouvais projetée dans un autre monde.

San Diego, New York. Deux grandes métropoles : la première, éternellement ensoleillée et nonchalante, la seconde, pleine d'une énergie frénétique. Quand je rêvais de New York, je m'imaginais vivre dans l'un de ces immeubles à perron de pierre si caractéristiques de Brooklyn. En bonne fille obéissante, j'avais atterri dans l'Upper West Side. Si Cary n'avait pas emménagé avec moi, je me serais retrouvée toute seule dans cet immense appartement dont le loyer mensuel dépassait le revenu annuel de la majorité des Américains.

— Souhaitez-vous un taxi, mademoiselle Tramell ? s'enquit le portier.

— Non, merci, Paul. Je vais marcher.

— Le temps s'est un peu rafraîchi. Ça devrait être agréable.

— On m'a conseillé de profiter de la douceur de juin avant la canicule.

— Un conseil judicieux, mademoiselle Tramell.

Je jouis un instant du calme relatif de ma rue bordée d'arbres avant de plonger dans l'effervescence de Broadway. Bientôt, espérais-je, je me fondrais complètement dans le décor. Pour l'heure, je ne me sentais pas encore dans la peau d'une New-Yorkaise. J'avais l'adresse et le job, mais je me méfiais encore du métro, et ma technique pour héler un taxi laissait à désirer. Je m'efforçais de ne pas promener autour de moi des yeux ronds de touriste. Ce n'était pas facile. Il y avait tant à voir et à découvrir.

Mes sens étaient en permanence sollicités – gaz de pots d'échappement se mêlant aux effluves de nourriture des street cars stationnant sur les trottoirs, cris des vendeurs ambulants répondant à la musique des artistes de rue, infinie variété des physionomies, des styles vestimentaires, des accents et des merveilles architecturales. Quant à la circulation automobile... je n'avais jamais vu un flux aussi dense.

Il se trouvait toujours une ambulance, un camion de pompiers ou une voiture de patrouille pour fendre, toutes sirènes hurlantes, ce vibrant serpent métallique. L'aisance avec laquelle les camions de ramassage des ordures brinquebalants et les camionnettes de livraison naviguaient dans les étroites ruelles me laissait béate d'admiration.

Les New-Yorkais traversaient ces flots tumultueux avec une facilité déconcertante. Les nuages de vapeur qui s'échappaient des bouches d'incendie et des soupiraux au ras du trottoir n'éveillaient plus chez eux le moindre frisson romantique, et la vibration du bitume au passage du métro souterrain ne leur tirait pas un battement de cils, alors que je souriais comme une idiote.

Au cours du trajet jusqu'à l'immeuble où j'allais travailler, je m'appliquai donc à adopter une attitude décontractée. Côté boulot, du moins, j'avais mené ma barque comme je l'entendais. Je tenais à gagner ma vie sans bénéficier d'un quelconque coup de pouce, ce qui signifiait commencer tout en bas de l'échelle. À partir du lendemain matin, je serais l'assistante de Mark Garrity chez Waters, Field & Leaman, l'une des agences de pub les plus prometteuses du pays. Mon beau-père, le magnat de la finance Richard Stanton, n'avait pas caché sa déception quand j'avais accepté ce poste. Si j'avais été un peu moins fière, avait-il déclaré, j'aurais pu travailler pour un de ses amis et en récolter les bénéfices.

— Tu es aussi entêtée que ton père ! s'était-il exclamé. Avec son salaire de flic, il va lui falloir des années pour rembourser l'emprunt qui lui a permis de financer tes études.

Il faisait allusion à une bataille familiale historique au terme de laquelle mon père n'avait pas cédé d'un pouce.

— Personne d'autre que moi ne paiera les études de ma fille, avait tonné Victor Reyes lorsque Stanton le lui avait proposé.

J'avais trouvé l'attitude de mon père parfaitement respectable, et je crois qu'elle inspirait le même respect à Stanton – même si ce dernier ne le reconnaîtrait jamais. Je comprenais le point de vue de l'un et de l'autre parce que je m'étais battue pour payer seule mes études... et que j'avais dû m'avouer vaincue. Il s'agissait d'une question d'honneur pour mon père. Ma mère avait refusé de l'épouser, pourtant il n'avait jamais manqué à aucun de ses devoirs vis-à-vis de moi.

Sachant d'expérience que remâcher de vieilles frustrations ne servait à rien, je me concentrai sur le minutage de mon trajet. J'avais délibérément choisi de le faire un lundi à l'heure de pointe, je fus donc satisfaite d'atteindre le Crossfire Building, qui abritait les bureaux de Waters, Field & Leaman, en moins de trente minutes.

Je me dévissai la tête pour caresser du regard la ligne élégante de l'édifice jusqu'au mince ruban de ciel qui le surmontait. Le Crossfire était impressionnant ; une flèche étincelante couleur saphir qui transperçait les nuages. Je savais qu'au-delà de l'immense porte à tambour sertie de cuivre le hall, avec son sol et ses murs de marbre veiné d'or, son imposant comptoir d'accueil et ses tourniquets d'aluminium brossé, était tout aussi impressionnant.

Un instant plus tard, je sortais mon badge flambant neuf de ma poche et le présentais aux deux agents de sécurité plantés devant le comptoir. Ils prirent le temps de l'examiner, sans doute à cause de ma tenue de sport, puis me firent signe de passer. Une fois que j'aurais accompli le trajet en ascenseur jusqu'au vingtième étage, je disposerais d'une estimation précise de mon temps de trajet.

Je me dirigeai vers la rangée d'ascenseurs quand l'anse du sac à main d'une élégante jeune femme se coinça dans le tourniquet. Le contenu de son sac se déversa sur le sol dans un déluge de pièces de monnaie qui s'égaillèrent joyeusement dans toutes les directions. Personne cependant ne prit la peine de s'arrêter. Compatissante, je m'accroupis pour l'aider à ramasser les pièces, imitée par l'un des agents de sécurité.

— Merci, murmura la femme en me jetant un coup d'œil soucieux.

— Il n'y a pas de quoi, répondis-je avec un sourire. Ça m'est déjà arrivé.

J'avançais pour récupérer une pièce quand je me retrouvai soudain bloquée dans ma progression par une paire de luxueux mocassins Oxford noirs. Je m'immobilisai le temps que le propriétaire desdits mocassins se déplace. Comme il n'en faisait rien, je levai la tête. Le costume trois pièces que je découvris alors me fit un indéniable effet, mais ce ne fut rien comparé au corps à la fois svelte et puissant dont il était le faire-valoir. Pourtant, si impressionnante que fût cette virilité, ce ne fut que lorsque mon regard atteignit le visage du propriétaire de ce corps que je crus recevoir un coup au plexus.

L'homme s'accroupit devant moi. Cette superbe masculinité à hauteur des yeux me prit tellement de court que je le dévisageai. Sidérée.

Un phénomène étrange se produisit soudain.

Alors qu'il m'étudiait à son tour, son regard se modifia... distillant une énergie qui me coupa littéralement le souffle. Le magnétisme qui exsudait de toute sa personne s'intensifia, créant comme un champ de force presque palpable autour de lui.

Instinctivement, j'amorçai un mouvement de recul et me retrouvai les quatre fers en l'air.

Mes coudes heurtèrent violemment le marbre, mais j'enregistrai à peine la douleur ; j'étais bien trop occupée à fixer l'homme qui me faisait face. Cheveux d'un noir d'encre encadrant un visage d'une beauté saisissante, dont l'ossature aurait tiré des sanglots de bonheur à un sculpteur. Bouche au dessin affirmé, nez

14

droit, et des yeux d'un bleu... Des yeux qui s'étrécirent imperceptiblement tandis que l'expression demeurait impassible.

Si sa chemise et son costume étaient noirs, sa cravate, elle, était assortie à ses iris. Son regard acéré plongea en moi comme pour me jauger. Les battements de mon cœur s'accélérèrent et mes lèvres s'entrouvrirent pour s'adapter au rythme accru de ma respiration. Le parfum qui émanait de ce type était entêtant. Ce n'était pas celui d'une eau de toilette. Un gel douche, peut-être. Ou du shampoing. Quel qu'il fût, il était aussi attirant que son physique.

Il me tendit la main, révélant des boutons de manchettes en onyx ainsi qu'une montre de luxe.

J'aspirai à grand-peine une bouffée d'air avant de m'emparer de sa main. Mon pouls s'emballa quand il affermit son étreinte. Le contact fut électrique. L'inconnu demeura un instant immobile tandis qu'un pli vertical se creusait entre ses sourcils à l'arc arrogant.

— Tout va bien ?

Sa voix à l'accent cultivé était très légèrement grave et suscita en moi des images carrément érotiques. Cet homme aurait été capable de me mener à l'orgasme rien qu'en parlant.

J'humectai mes lèvres subitement desséchées avant de répondre :

— Oui, tout va bien.

Il se redressa avec grâce, m'entraînant dans son mouvement. Nos regards demeurèrent verrouillés – j'étais tout bonnement incapable de détacher mes yeux des siens. Il était plus jeune que je ne l'avais d'abord cru. Moins de trente ans, estimai-je. C'était son regard – dur et incisif – qui le faisait paraître plus âgé.

Je me sentis attirée vers lui comme s'il tirait lentement, inexorablement, sur une corde attachée à ma taille.

Dans un battement de cils, j'émergeai de ce brouillard dans lequel j'étais plongée et lui lâchai la main. Il n'était pas seulement beau, il était... ensorcelant. Le genre d'homme qui donne envie à une femme de lui arracher sa chemise et d'en regarder les boutons voler dans les airs en même temps que ses inhibitions. Tandis que je l'observais, vêtu de ce costume qui devait coûter les yeux de la tête, des pensées crues jaillirent dans mon esprit.

Il se pencha pour ramasser le badge que j'ignorais avoir laissé tomber, me libérant ainsi de ce regard envoûtant. Mon cerveau se remit en branle tel un moteur poussif qui redémarre avec un hoquet.

Je m'en voulais de me sentir aussi gauche alors qu'il était si maître de lui. Et tout ça pourquoi ? Parce que je m'étais laissé éblouir.

Il leva les yeux vers moi et sa posture – il était quasiment agenouillé à mes pieds – perturba de nouveau mon équilibre. Son regard ne dévia pas du mien tandis qu'il se redressait.

— Vous êtes sûre que ça va ? insista-t-il. Vous devriez vous asseoir un instant.

Mon visage devint brûlant. Apparaître aussi empotée en présence de l'homme le plus sûr de lui, le plus séduisant qu'il m'ait été donné de rencontrer, n'était pas des plus flatteurs.

— J'ai juste perdu l'équilibre. Tout va bien.

Je détournai les yeux et aperçus la jolie brune dont le sac s'était vidé. Ayant remercié l'agent de la sécurité qui était venu à son secours, elle pivota vers moi en s'excusant. Je lui tendis la poignée de pièces qui lui appartenait, mais son regard s'était posé sur le dieu en costume griffé, et elle oublia aussitôt ma présence.

Je laissai passer une seconde, puis déversai la monnaie dans son sac à main. Je risquai ensuite un coup d'œil du côté de l'homme en noir et découvris qu'il me fixait toujours, alors même que la brune bégayait des remerciements en le dévorant du regard comme si c'était lui qui l'avait aidée.

— Je peux récupérer mon badge, je vous prie ? demandai-je, haussant la voix pour couvrir celle de la bègue.

Il me le tendit et j'eus beau veiller à ne pas lui toucher la main, ses doigts frôlèrent les miens, déclenchant la même réaction physique que la première fois.

— Merci, marmonnai-je avant de franchir la porte à tambour.

Une fois sur le trottoir, je m'immobilisai, le temps d'inspirer une grande bouffée d'air chargé de mille vapeurs, bonnes et toxiques. J'aperçus mon reflet dans les vitres teintées d'un SUV Bentley noir garé devant l'immeuble. J'étais hagarde et mon regard brillait d'un éclat fiévreux. J'avais déjà vu cette expression sur mon visage – dans le miroir de la salle de bains, juste avant de rejoindre un homme au lit. J'avais cette tête-là quand je me savais sur le point d'assouvir un puissant besoin sexuel, et cette tête-là n'avait rien à faire sur mes épaules ce jour-là.

« Ressaisis-toi », m'exhortai-je.

Cinq minutes en présence de M. Noir Danger et j'étais en proie à une excitation violente. L'attraction était encore là, si forte que je ressentais le besoin inexplicable de le rejoindre. J'aurais pu me raconter qu'il fallait que je retourne achever ce pour quoi j'étais venue, mais je savais que je m'en voudrais affreusement si je cédais à cette impulsion. Je m'étais assez ridiculisée comme ça.

— Ça suffit, déclarai-je à mi-voix. En route !

Un taxi qui cherchait à en dépasser un autre freina in extremis pour laisser passer les piétons quand le feu passa au rouge, déclenchant un concert de klaxons, d'injures et de gestes orduriers qui n'illustraient qu'une colère de façade. Quelques secondes plus tard, les parties prenantes de ce minuscule incident l'auraient évidemment oublié.

Tandis que je me mêlais à la foule pour rejoindre le club de gym, un sourire flotta sur mes lèvres. « New York, New York ! » pensai-je en ayant l'impression d'avoir retrouvé mes marques.

J'avais eu l'intention de m'échauffer sur un tapis de course, puis de m'entraîner sur quelques machines mais, quand je découvris qu'un cours de kick-boxing pour débutants était sur le point de commencer, je suivis le groupe d'élèves dans la salle. Le cours terminé, j'eus le sentiment d'être de nouveau moi-même. Mes muscles tremblaient d'une saine fatigue et je savais que je m'endormirais dès que ma tête aurait touché l'oreiller.

— Tu t'es débrouillée comme un chef.

Je tamponnai mon visage luisant de sueur avec ma serviette avant de me tourner vers celui qui venait de m'adresser la parole. Jeune, longiligne et musclé, il avait un regard brun amical, le teint café au lait, des cils épais et le crâne entièrement rasé.

— Merci, répondis-je. Ça se voyait tant que ça que c'était mon premier cours ?

Il eut un grand sourire et me tendit la main.

— Parker Smith.

— Eva Tramell.

— Tu possèdes une aisance naturelle, Eva. Avec un peu d'entraînement, tu feras un malheur. Dans une

18

ville comme New York, savoir se défendre est indispensable.

Il indiqua un panneau de liège accroché au mur, couvert de cartes de visite et de flyers, détacha une bande prédécoupée d'une feuille de papier vert fluo et me la tendit.

— Tu as déjà entendu parler du krav maga ?

— Seulement dans un film avec Jennifer Lopez.

— J'enseigne cette discipline. Et je serais heureux de t'avoir comme élève. Il y a là mon site et le téléphone de la salle.

J'appréciai son approche, aussi directe que son regard, et son sourire authentique. Je ne pus m'empêcher de me demander s'il ne cherchait pas à me draguer, mais il était tellement sympa que c'était difficile à dire.

Parker croisa les bras, faisant saillir ses biceps. Il portait un tee-shirt noir sans manches et un short long. Ses Converse étaient confortablement usées et des tatouages tribaux dépassaient de son encolure.

— Les horaires des cours sont sur le site. Tu devrais venir faire un tour, histoire de voir si ça te plaît.

— J'y penserai, promis.

— À bientôt, j'espère, conclut-il en échangeant avec moi une poignée de main ferme.

Une délicieuse odeur flottait dans l'appartement, et la voix mélodieuse d'Adele s'échappait des enceintes judicieusement disposées. Dans la cuisine ouverte, Cary ondulait en rythme tout en remuant quelque chose dans une casserole. Une bouteille de vin trônait sur le comptoir à côté de deux verres à pied, l'un d'eux à moitié plein.

— Salut ! lançai-je en m'approchant. Qu'est-ce que tu nous mijotes de bon ? J'ai le temps de prendre une douche avant le dîner ?

Il remplit l'autre verre de vin et le fit glisser vers moi d'un geste sûr et élégant. À le voir, personne n'aurait soupçonné qu'il avait passé son enfance ballotté entre une mère toxicomane et des foyers d'adoption, et que son adolescence s'était déroulée dans des centres de détention et de désintoxication.

— Spaghettis bolognaise. Et pour la douche, tu attendras, le dîner est prêt. Tu t'es bien amusée ?

— Au gymnase ? Comme une folle.

Je me juchai sur l'un des tabourets en teck du comptoir et lui racontai mon cours de kick-boxing et ma rencontre avec Parker Smith.

— Ça te dirait de venir avec moi ?

— Krav maga ? Trop hard pour moi. Je serais couvert de bleus et je ne pourrais plus bosser. Par contre, je veux bien t'accompagner, juste pour vérifier que ce type n'est pas un tordu.

Je le regardai égoutter les spaghettis.

— Un tordu ?

Mon père m'avait appris à jauger les mecs. C'était grâce à son enseignement que j'avais catalogué d'emblée le dieu en costume griffé du Crossfire Building comme dangereux. Tout être normal qui apporte son aide à un inconnu le gratifie spontanément d'un sourire, histoire d'établir un contact. Ce type-là ne l'avait pas fait.

Cela dit, moi non plus, je n'avais pas souri.

— Tu es une jeune femme belle et sexy, baby girl, expliqua Cary en sortant des assiettes creuses d'un placard. Je défie n'importe quel homme normalement constitué de résister à la tentation de te draguer quand il te voit pour la première fois.

Je me contentai de plisser le nez en guise de réponse.

Il déposa devant moi une assiette de spaghettis surmontés d'une généreuse portion de sauce tomate agrémentée de viande hachée.

— Je sens que quelque chose te tracasse, reprit-il. Tu veux en parler ?

J'attrapai ma fourchette et décidai de ne faire aucun commentaire sur la nourriture.

— Je crois bien avoir croisé aujourd'hui le plus bel homme du monde, lâchai-je.

— Ah bon ? Je croyais que c'était moi. Raconte.

Cary était resté de l'autre côté du comptoir, préférant manger debout. J'attendis qu'il ait goûté ses pâtes avant de me risquer à l'imiter.

— Il n'y a pas grand-chose à raconter. Je me suis retrouvée les quatre fers en l'air dans le hall du Crossfire et il m'a aidée à me relever.

— Petit ou grand ? Blond ou brun ? Baraqué ou svelte ? Les yeux de quelle couleur ?

Je fis passer la première bouchée avec une gorgée de vin.

— Grand, brun, baraqué *et* svelte. Les yeux bleus. Bourré de fric à en juger par son costume et ses accessoires. Et hypersexy, un truc de malade ! Tu sais comment c'est – il y a des mecs très beaux qui n'ont aucun effet sur tes hormones et des types quelconques qui te mettent les sens en ébullition. Lui, il a bon partout !

Le simple fait de dresser le portrait de M. Noir Danger me faisait mouiller. Son visage surgit dans mon esprit avec une netteté affolante. Il devrait y avoir une loi interdisant à un homme d'avoir un physique pareil, songeai-je. La vision de celui-ci m'avait valu un court-circuit cérébral dont je ne m'étais toujours pas remise.

Cary cala le coude sur le comptoir et se pencha vers moi, une mèche retombant sur son œil.

— Et que s'est-il passé ensuite ?

— Rien, répondis-je avec un haussement d'épaules.

— Rien ?

— Je suis partie.

— Quoi ? Tu n'as pas flirté avec lui ?

Je pris une autre bouchée de spaghettis. Ce n'était pas si mauvais, au fond. Ou peut-être que j'étais juste affamée.

— Ce type n'est pas du genre à flirter, Cary.

— Ce genre-là n'existe pas, baby girl. Même les hommes mariés et heureux en amour ne sont pas contre un petit flirt inoffensif de temps à autre.

— Celui-là n'a rien d'inoffensif, crois-moi, rétorquai-je.

— Je vois, fit Cary en hochant la tête. Les bad boys peuvent être fun… à condition de garder ses distances.

Cary comprenait, évidemment – hommes et femmes rampaient à ses pieds. Cela ne l'empêchait pas pour autant de s'enticher systématiquement du mauvais partenaire. Il était sorti avec des dépendants affectifs, des infidèles invétérés ou occasionnels, des abonnés au chantage, au suicide… La liste était sans fin.

— Ce type-là n'a rien de fun, assurai-je. Trop intense. En revanche, je parie que c'est le super coup garanti.

— Ah, les affaires reprennent ! Mon conseil : oublie ce type et contente-toi de l'utiliser dans tes fantasmes.

Je préférai carrément chasser le type en question de mes pensées et changeai de sujet.

— Tu as prévu des rendez-vous pour demain ?

Cary me débita son planning complet, qui incluait une pub pour des jeans, un autobronzant, des sous-vêtements et une eau de toilette.

Il était de plus en plus demandé par les photographes de pub et s'était bâti une réputation de sérieux et de professionnalisme des plus solides. J'étais heureuse pour lui et fière de son succès. Il revenait de loin.

Ce ne fut qu'une fois le dîner achevé que je remarquai deux gros paquets enrubannés, posés derrière le canapé d'angle.

— Qu'est-ce que c'est que ça ?

22

— Ça, répondit Cary en me rejoignant, c'est le top du top !

Je sus immédiatement qu'ils venaient de Stanton et de ma mère. L'argent avait toujours été la condition sine qua non du bonheur de ma mère, et j'étais ravie pour elle que Stanton, son troisième mari, pourvoie à ce besoin et à bien d'autres encore. J'aurais souhaité que les choses en restent là, mais ma mère avait du mal à comprendre que je ne partage pas son point de vue.

— Qu'est-ce qu'il a encore trouvé ?

Cary, qui me dépassait d'une tête, passa le bras autour de mes épaules.

— Ne fais pas ton ingrate. Stanton aime ta mère. Il veut la gâter et elle adore te gâter. Ce n'est pas pour toi qu'il le fait, c'est pour elle.

— Qu'est-ce que c'est ? demandai-je en soupirant.

— Des tenues ultrachics pour le dîner de bienfaisance de samedi. Robe canon pour toi et smoking Brioni pour moi ! Stanton sait que tu seras mieux disposée si je t'accompagne.

— Bien vu de sa part. Par chance, il a au moins compris ça.

— Évidemment. Stanton ne serait pas multimillionnaire s'il ne comprenait pas certaines choses, répliqua Cary avant de me pousser vers les paquets. Allez, jette un coup d'œil.

Le lendemain matin à 8 h 50, je m'engouffrai dans la porte à tambour du Crossfire. Désireuse de faire bonne impression, j'avais opté pour une petite robe noire toute simple mais bien coupée et des escarpins assortis que j'enfilai dans l'ascenseur en lieu et place de mes chaussures de marche. Grâce à Cary, mes cheveux blonds étaient relevés en un élégant chignon en forme de huit. Contrairement à moi, il était capable de créer des coiffures qui étaient de véritables chefs-d'œuvre d'élégance. Les perles que mon père m'avait offertes pour ma remise de diplôme ornaient le lobe de mes oreilles, et j'avais sorti ma Rolex, cadeau de Stanton et de ma mère.

Je m'étais dit que j'attachais peut-être trop d'importance à mon apparence, mais, en entrant dans le hall, je me revis affalée par terre en tenue de sport et me félicitai de ne plus rien avoir de commun avec cette fille ridicule. Les deux agents de sécurité ne parurent pas me reconnaître quand je leur présentai mon badge.

Vingt étages plus tard, j'émergeai dans le hall de Waters, Field & Leaman. Une paroi de verre épais encadrait la double porte qui donnait sur l'accueil. La réceptionniste qui se tenait derrière le comptoir en demi-lune déclencha l'ouverture de la porte après que je lui eus présenté mon badge à travers la vitre.

— Bonjour, Megumi, la saluai-je, admirant au passage son élégant chemisier framboise.

C'était une très jolie métisse dont les origines asiatiques ne faisaient aucun doute. Son épaisse chevelure brune formait un carré à la Louise Brooks – plus court sur la nuque, deux pointes bien nettes encadrant le visage. Son regard sombre était chaleureux, et ses lèvres pleines naturellement roses.

— Bonjour, Eva. Mark n'est pas encore arrivé, mais tu connais le chemin, n'est-ce pas ?

— Tout à fait.

Je m'engageai dans le couloir à gauche du comptoir, remontai jusqu'au bout, tournai de nouveau à gauche et me retrouvai dans un ancien open space qu'on avait divisé en box. L'un d'eux était mon espace de travail et je m'y dirigeai aussitôt.

Je rangeai la sacoche contenant mes chaussures à talons plats dans le tiroir du bas de mon bureau, puis allumai l'ordinateur. J'avais apporté deux accessoires pour personnaliser mon espace de travail et les sortis de mon sac à main. Un pêle-mêle contenant trois photos : Cary et moi sur Coronado Beach, ma mère et Stanton devant leur yacht sur la côte d'Azur, mon père en uniforme au volant de sa voiture de patrouille à Oceanside, Californie. Et un bouquet de fleurs en verre coloré, cadeau de Cary pour mon premier jour de travail. Je le plaçai à côté du cadre et m'assis pour juger de l'effet.

— Bonjour, Eva.

Je me levai et pivotai vers mon patron.

— Bonjour, monsieur Garrity.

— Appelle-moi Mark, je t'en prie. Et tout le monde se tutoie, ici. Tu m'accompagnes dans mon bureau ?

Je lui emboîtai le pas en me faisant de nouveau la réflexion que mon nouveau patron était plaisant à regarder, avec sa peau bronzée, son bouc bien taillé et ses yeux rieurs. Il avait en outre un sourire en coin plein de charme et affichait une assurance qui inspirait confiance et respect.

Il désigna un des deux sièges en face de son bureau en verre et métal, et attendit que je sois assise pour prendre place dans son fauteuil Aeron. Mark n'était en fait que chef de projet junior, et son bureau était un placard comparé à ceux des directeurs et des seniors, mais la vue sur les gratte-ciel dont il jouissait valait vraiment le coup d'œil.

Il s'adossa à son siège et me sourit.

— Tu as fini d'emménager dans ton nouvel appartement ?

Je fus surprise, et aussi touchée, qu'il se souvienne de ce détail. Je l'avais rencontré au cours de mon second entretien d'embauche et le courant était tout de suite passé entre nous.

— Pratiquement, oui, répondis-je. Il ne reste plus que quelques cartons à déballer.

— Tu viens de San Diego, n'est-ce pas ? C'est une jolie ville, très différente de New York. Les palmiers ne te manquent pas trop ?

— Ce qui me manque le plus, c'est la sécheresse de l'air. Je ne me suis pas encore accoutumée à l'humidité new-yorkaise.

— Attends un peu que la canicule arrive, me prévint-il. Bien... C'est ton premier jour de travail et tu es ma première assistante, il va donc falloir qu'on s'organise. Je n'ai pas l'habitude de déléguer, mais je suis sûr que je m'y ferai très vite.

— J'ai hâte de commencer, répondis-je, me sentant aussitôt à l'aise.

— Ta présence à mes côtés représente une importante avancée dans ma carrière, Eva. J'espère que tu te plairas ici. Est-ce que tu bois du café ?

— En quantité industrielle.

— Alors, nous allons nous entendre ! N'aie crainte, ajouta-t-il, je ne vais pas te demander d'aller me chercher un café. En fait, j'aimerais que tu m'expliques comment fonctionne la machine à dosettes qu'on vient d'installer dans la salle de repos.

— Pas de problème, répliquai-je avec un grand sourire.

— Pour l'instant, je ne vois rien d'autre à te demander, avoua-t-il en se massant la nuque d'un air penaud. Voilà ce que je te propose : je te montre les projets sur lesquels je travaille en ce moment et on avisera de la suite au fur et à mesure.

Le reste de la journée se passa comme dans un rêve. Mark reprit contact avec deux clients et eut une longue réunion avec le studio de création pour discuter de la campagne de promotion d'une école de commerce. Assister depuis les coulisses au montage d'une campagne publicitaire me fascina. Je me serais volontiers attardée pour mieux m'imprégner de l'atmosphère des différents services, mais mon téléphone sonna un peu avant 17 heures.

— Bureau de Mark Garrity. Eva Tramell, à l'appareil.

— Rapplique qu'on puisse aller boire ce verre que tu m'as promis hier soir !

Le ton faussement sévère de Cary me fit sourire.

— D'accord, d'accord, j'arrive.

J'éteignis mon ordinateur et quittai le bureau. En arrivant devant la rangée d'ascenseurs, je sortis mon portable afin de prévenir Cary que j'étais en route. Une sonnerie m'avertit de l'arrivée d'une cabine et je me plantai devant, puis tapai mon SMS. Je venais de l'expédier quand les portes coulissèrent. Je fis un pas en avant, levai les yeux de mon écran et croisai un incroyable regard bleu. Mon souffle resta bloqué dans ma gorge.

M. Noir Danger était le seul occupant de la cabine.

2

Il portait une cravate gris argent et une chemise d'un blanc immaculé. Cette absence de couleur soulignait le bleu de ses iris. Il se tenait là, tranquillement, la veste ouverte, les mains dans les poches de son pantalon, et j'eus l'impression de me heurter à un mur.

Je m'immobilisai, le regard rivé sur cet homme qui était encore plus beau que dans mon souvenir. Je n'avais jamais vu de cheveux d'un noir aussi profond. Brillants et un peu longs, les pointes effleuraient le col de sa veste. Une longueur sexy grâce à laquelle le côté bad boy l'emportait sur le côté businessman, pourtant affirmé – la crème Chantilly couronnant un sundae chocolat-caramel. Une coupe de cheveux de pirate ou de libertin, aurait dit ma mère.

Je dus serrer les poings pour résister à l'envie de les toucher, histoire de vérifier s'ils étaient aussi soyeux qu'ils en avaient l'air.

Les portes commencèrent à se refermer. Il s'approcha du panneau de commande et appuya sur le bouton qui les maintenait ouvertes.

— Il y a assez de place pour deux, Eva.

Le son de cette voix aussi enveloppante qu'implacable me sortit de ma torpeur. Comment connaissait-il mon nom ?

Je me souvins alors qu'il avait ramassé mon badge dans le hall, la veille. L'espace d'un instant, je fus tentée de lui dire que j'attendais quelqu'un, mais la part rationnelle de mon esprit s'y refusa.

Qu'est-ce qui me prenait ? De toute évidence, cet homme travaillait au Crossfire Building. Je ne pourrais pas l'éviter chaque fois que je l'apercevrais, et pourquoi le ferais-je, du reste ? Si je voulais être en mesure de poser les yeux sur lui sans risquer de m'évanouir, je devais accepter de le croiser assez souvent pour finir par le considérer comme un élément du décor.

Doux rêve !

Je pénétrai dans la cabine d'un pas résolu.

— Merci.

Il relâcha le bouton et recula. Les portes se refermèrent et l'ascenseur amorça sa descente.

Je regrettai instantanément ma décision. La conscience aiguë de sa présence déclencha en moi un irrépressible frisson. Dans cet espace clos, son énergie, son magnétisme étaient si palpables que ma respiration et les battements de mon cœur s'affolèrent. Je me mis à me dandiner sur place. J'étais de nouveau la proie de cette inexplicable attraction, comme si mon corps répondait instinctivement à un ordre silencieux qui émanait de lui.

— Cette première journée s'est bien passée ? s'enquit-il, m'arrachant un sursaut.

Comment savait-il que c'était ma première journée ?

— Oui, répondis-je d'un ton égal. Et la vôtre ?

Sentant son regard glisser sur mon profil, je maintins obstinément les yeux fixés sur les portes d'aluminium poli de la cabine. Mon cœur tambourinait dans ma poitrine. J'avais l'impression de perdre pied.

— Ce n'était pas la première, répliqua-t-il d'un ton légèrement amusé, mais elle fut productive. Et il semblerait que cela se confirme.

Je hochai la tête avec un sourire machinal alors que je n'avais pas la moindre idée de ce que cela était censé signifier. La cabine s'arrêta au douzième étage et trois personnes qui discutaient avec animation y entrèrent. Afin de leur faire de la place, je battis en retraite dans l'angle le plus éloigné de M. Noir Danger. Hélas, celui-ci m'imita, si bien que nous nous retrouvâmes encore plus près l'un de l'autre.

Il ajusta le nœud pourtant impeccable de sa cravate, m'effleurant le bras au passage. Je pris une profonde inspiration, puis tâchai de l'ignorer en me concentrant sur la conversation qui se déroulait devant nous. Impossible. Sa présence était trop obsédante... J'eus beau faire, mes pensées m'échappèrent et je commençai à fantasmer sur la fermeté de son corps, la douceur de sa peau, les proportions de son sexe...

Quand l'ascenseur atteignit le rez-de-chaussée, je réprimai de justesse un gémissement de soulagement. J'attendis non sans impatience que les autres occupants de la cabine sortent, puis leur emboîtai le pas. J'avais à peine amorcé un mouvement qu'il posa la main au creux de mes reins et sortit à ma suite. Je ressentis ce contact avec une acuité inouïe.

Quand nous atteignîmes les tourniquets, sa main s'écarta, et j'éprouvais un étrange sentiment d'abandon. Je lui jetai un coup d'œil. Il me regardait, mais son visage demeurait impénétrable.

— Eva !

La vision de Cary, nonchalamment appuyé contre une colonne de marbre, fit tout basculer. Il portait un jean moulant et un ample pull vert assorti à la couleur de ses yeux. Il n'avait aucun effort à faire pour attirer l'attention des personnes qui traversaient le hall. Je ralentis le pas en arrivant à sa hauteur. M. Noir Danger nous dépassa, franchit la porte à tambour et se glissa sur la banquette arrière du SUV noir que j'avais vu la veille stationner devant la porte.

Cary émit un long sifflement quand la Bentley démarra.

— Si je me fie à la façon dont tu le suis des yeux, c'est le type dont tu m'as parlé hier soir, pas vrai ?

— Oui, c'est lui.

— Tu bosses avec lui ? demanda-t-il en glissant son bras sous le mien pour m'entraîner vers la sortie.

— Non.

Je m'arrêtai sur le trottoir le temps d'enfiler mes chaussures de marche, m'appuyant sur Cary pour garder l'équilibre au milieu des passants.

— Je ne sais pas qui c'est, mais il a voulu savoir si ma première journée s'était bien passée, alors je ferais bien de me renseigner.

— Je me demande comment on peut travailler à côté d'un type pareil, commenta Cary qui me tint le coude tandis que je sautillais maladroitement d'un pied sur l'autre. Rien que de le regarder passer, j'ai eu l'impression que mes neurones grillaient.

— Je crois qu'il produit cet effet-là sur tout le monde, déclarai-je en me redressant. On y va ! J'ai besoin d'un verre.

Lorsque je me réveillai le lendemain matin, une pulsation moqueuse à l'arrière du crâne me rappela douloureusement les quelques verres de trop avalés la veille. Pourtant, tandis que je m'élevais en direction du vingtième étage du Crossfire, je ne ressentis aucun remords. J'avais eu le choix entre une cuite modérée et une séance de vibromasseur, et il était hors de question que j'aie un orgasme à piles avec M. Noir Danger dans le rôle principal. Non pas qu'il y ait le moindre risque qu'il apprenne dans quel état il me mettait (ou qu'il s'en soucie, du reste). Non, si je m'y étais refusée, c'était uniquement pour résister au fantasme qu'il m'inspirait.

Je laissai tomber mes affaires dans le tiroir du bas de mon bureau et, quand je vis que Mark n'était pas encore arrivé, j'allai me chercher un café avant de me connecter à mon blog de pub préféré.

— Eva !

Je sursautai quand il surgit près de moi, un sourire radieux aux lèvres.

— Bonjour, Mark.

— Ce jour est plus que bon, Eva. Je crois que tu me portes chance ! Viens dans mon bureau avec ta tablette. Tu peux rester plus tard, ce soir ?

J'attrapai ma tablette et lui emboîtai le pas, galvanisée par son excitation.

— Oui, bien sûr.

— Tant mieux, lâcha-t-il en se laissant tomber dans son fauteuil.

Je m'assis à mon tour et m'empressai d'ouvrir mon logiciel bloc-notes.

— Figure-toi que la vodka Kingsman a lancé un appel d'offres et qu'ils ont cité mon nom. C'est la première fois que ça m'arrive.

— Félicitations !

— Merci, mais tu me féliciteras quand j'aurai décroché le contrat. Rien ne garantit que notre proposition soit retenue. Ils veulent me rencontrer demain soir.

— Les délais sont toujours aussi courts ?

— Non, normalement, on attend la fin de l'appel d'offres. Il se trouve que Cross Industries vient tout juste d'acheter Kingsman et possède une ribambelle de filiales, dont des agences de pub. Si on trouve un accord rapidement, ça arrangera tout le monde. Ils le savent et veulent nous tester. Première étape : l'entretien individuel.

— Normalement, toute l'équipe devrait être convoquée, non ?

— Oui, mais ce sont des pros. Ils savent très bien qu'une équipe dirigée par un senior leur vendra un concept et qu'au bout du compte, ils se retrouveront en face d'un chef de projet junior dans mon genre – du coup, ils m'ont choisi et veulent me passer sur le gril. Le bon côté des choses, c'est qu'à ce stade des négociations, l'appelant fournit bien plus d'informations qu'il n'en demande en retour. C'est une simple formalité ; je ne peux pas leur reprocher de se montrer exigeants. Ils sont simplement prudents. C'est le cheminement logique quand on traite avec un groupe aussi puissant que Cross Industries.

Il se passa la main dans les cheveux, trahissant sa nervosité.

— Qu'est-ce que tu penses de la vodka Kingsman ?

— Heu... Eh bien... pour être franche, je n'en ai jamais entendu parler.

Mark se laissa aller contre le dossier de son fauteuil et s'esclaffa.

— Dieu merci ! Je craignais d'être le seul. Donc, si personne ne la connaît, l'avantage, c'est qu'elle ne souffre pas d'une mauvaise réputation. Pas d'image, bonne image.

— En quoi puis-je t'aider ? En plus de faire des recherches sur la vodka et de rester tard.

Il pinça les lèvres tandis qu'il réfléchissait à la question.

— Commence par noter ça...

Nous nous lançâmes à corps perdu dans le travail sans même nous interrompre pour déjeuner. Et nous y étions encore longtemps après que le bureau se fut vidé, passant en revue les informations communiquées par les stratèges de campagne. Un peu après 19 heures, la sonnerie du téléphone de Mark rompit si brusquement le silence que je sursautai.

Mark activa le haut-parleur tout en continuant à travailler.

— Salut, toi, dit-il.

— As-tu seulement pensé à nourrir cette pauvre fille ? s'enquit une chaleureuse voix masculine.

Mark leva les yeux et me jeta un coup d'œil à travers la paroi vitrée de son bureau.

— Heu... j'ai complètement oublié.

Je détournai le regard et me mordis la lèvre pour réprimer un sourire. Un ricanement s'éleva dans le haut-parleur.

— Ça ne fait que deux jours qu'elle bosse et non content de l'exploiter, tu la laisses mourir de faim ! Elle va te plaquer, tu sais.

— Merde, tu as raison. Steven, mon trésor...

— Il n'y a pas de « mon trésor » qui tienne. Est-ce qu'elle aime la cuisine chinoise ?

Je levai les deux pouces.

— Elle adore, répondit Mark.

— Parfait. Je serai là dans vingt minutes. Préviens la sécurité de mon arrivée.

Vingt minutes plus tard exactement, j'actionnai l'ouverture de la porte vitrée depuis le comptoir de l'accueil pour laisser entrer Steven Ellison. C'était un véritable colosse. Vêtu d'un jean foncé et d'une chemise impeccablement repassée, il était chaussé de grosses bottes de travail. Roux, le regard bleu rieur, il était très différent de son compagnon. Nous prîmes place tous les trois autour du bureau de Mark pour déguster du poulet *kung pao* et du bœuf aux brocolis accompagné de riz gluant.

J'appris que Steven était entrepreneur, et que Mark et lui étaient en couple depuis l'université. Leur façon d'être ensemble suscita en moi une admiration teintée d'envie. Leur relation semblait aller de soi si bien que c'était un vrai bonheur de passer du temps en leur compagnie.

— Tu as un bel appétit, dis-moi, commenta Steven comme je me resservais pour la troisième fois. Où est-ce que tu mets tout ça ?

— Je l'emmène au gymnase avec moi, répondis-je avec un haussement d'épaules.

— Ne fais pas attention à lui, intervint Mark. Il est simplement jaloux. Il surveille de très près sa silhouette de jeune fille.

— Je devrais l'emmener manger avec mes ouvriers. Je pourrais gagner gros en pariant sur les quantités de nourriture qu'elle est capable d'ingurgiter.

— Ça pourrait être amusant, répondis-je.

— Je me doutais bien que tu avais un grain de folie. Je l'ai tout de suite perçu dans ton sourire.

Je me concentrai sur ma nourriture, refusant de laisser mes pensées dériver du côté des folies que j'avais pu commettre au cours de ma phase rebelle et autodestructrice. Mark vint à mon secours.

— Cesse de harceler mon assistante, Steven, lâcha-t-il. Que sais-tu du grain de folie des femmes, de toute façon ?

— Je sais que certaines d'entre elles apprécient la compagnie des homosexuels. Elles aiment bien notre façon de voir les choses, répliqua Steven. Et je sais deux ou trois autres choses aussi... Hé ! Pas la peine de prendre ces mines offusquées, vous deux. J'ai eu envie de vérifier si la réputation de la sexualité hétérosexuelle était justifiée, c'est tout.

Visiblement, Mark n'était pas au courant des incursions de son compagnon dans ce domaine mais, à en juger par son demi-sourire, il avait suffisamment confiance en Steven pour s'en amuser.

— Vraiment ?

— Et quelle a été ta conclusion ? hasardai-je bravement.

Steven haussa les épaules.

— Je n'irai pas jusqu'à dire qu'elle est surfaite parce que je n'en ai eu qu'un bref aperçu. Je suis toutefois en mesure d'affirmer que je peux très bien m'en passer.

— Étant donné ton mode de vie actuel, observa Mark en saisissant un bouquet de brocoli entre ses baguettes, je dirais que c'est une excellente chose.

Une fois notre dînette achevée, il était plus de 20 heures et les employés chargés de l'entretien commençaient à investir les lieux.

— Tu veux que je vienne plus tôt demain matin ? proposai-je à Mark.

Steven donna un coup d'épaule à ce dernier.

— Toi, tu as dû faire quelque chose de vraiment bien dans une vie antérieure pour avoir décroché une telle perle.

— Te supporter dans celle-ci suffit amplement, rétorqua Mark, pince-sans-rire.

— Hé ! s'insurgea Steven. Je suis un garçon bien élevé. Je veille toujours à baisser le siège des toilettes.

Mark me lança un coup d'œil faussement exaspéré, débordant visiblement d'affection pour son compagnon.

— Et tu peux m'expliquer en quoi c'est utile chez nous ?

Mark et moi passâmes toute la journée du jeudi à préparer son rendez-vous avec l'équipe de Kingsman, prévu à 16 heures. Nous mangeâmes sur le pouce en discutant avec deux créatifs qui participeraient au pitch le moment venu, puis passâmes en revue les sites et les réseaux sociaux mentionnant Kingsman.

À 15 h 30, je sentis la nervosité me gagner parce que je savais que la circulation serait infernale, mais Mark continua de travailler comme si de rien n'était après que je lui eus signalé que l'heure approchait. À 15 h 45, il émergea de son bureau, le sourire aux lèvres, tout en enfilant sa veste.

— Tu m'accompagnes, Eva, annonça-t-il.

— Tu crois ? répondis-je en battant des cils.

— Tu as travaillé dur pour m'aider à préparer cet entretien, non ? Tu n'es pas curieuse de voir comment ça va se passer ?

— Si, bien sûr, répondis-je en me levant d'un bond. Merci, Mark.

Sachant l'importance que revêtait l'apparence dans ce genre d'entretien, je lissai ma jupe crayon noire et tirai sur les poignets de mon chemisier de soie écarlate. Par un heureux hasard, celui-ci était assorti à la cravate de Mark.

Nous rejoignîmes l'ascenseur, et je fus prise de court en constatant que la cabine s'élevait au lieu de descendre. Au dernier étage, nous débouchâmes sur un palier autrement plus vaste que celui du vingtième. Des paniers suspendus garnis de lys et de fougères s'échappait un délicieux parfum, et sur la porte de verre fumé étaient gravés les mots CROSS INDUSTRIES.

Une fois le seuil franchi, on nous demanda de patienter un instant. Nous refusâmes l'un et l'autre les rafraîchissements qui nous furent proposés, et moins de cinq minutes après notre arrivée, une hôtesse nous escorta jusqu'à une salle de conférences.

Mark tourna vers moi un regard pétillant tandis que l'hôtesse refermait la main sur la poignée de la porte.

— Parée ?

— Parée, répondis-je.

La porte s'ouvrit et Mark s'effaça pour me laisser passer. Le sourire avenant que j'avais pris soin de plaquer sur mes lèvres se figea à la vue de l'homme qui venait de se lever pour nous accueillir.

Je m'étais immobilisée si brutalement que Mark me heurta, m'envoyant chanceler en avant. M. Noir Danger me saisit par la taille et m'attira contre lui. Mes poumons se vidèrent d'un coup, et le peu de bon sens que je possédais encore disparut dans la foulée. Sous mes paumes, ses biceps étaient d'une dureté minérale, son abdomen aussi rigide qu'une planche contre le mien. Il inspira, et les pointes de mes seins durcirent, stimulées par le frottement de son torse.

Oh non ! J'étais maudite. Une suite d'images crépita dans mon esprit, illustrant les mille et une manières dont je pouvais tituber, trébucher, glisser, tomber, m'affaler et m'étaler devant ce dieu du sexe au fil des jours, des semaines et des mois à venir.

— Rebonjour, murmura-t-il, la vibration de sa voix se répercutant dans tout mon corps. C'est toujours un plaisir de tomber sur vous, Eva.

Je rougis, partagée entre la honte et le désir, incapable de m'écarter de lui malgré la présence de deux autres personnes dans la salle. Le regard ouvertement sensuel dont il m'enveloppait ne m'aidait pas vraiment.

— Désolé pour cette entrée, monsieur Cross, s'excusa Mark dans mon dos.

— Il n'y a pas lieu d'être désolé, monsieur Garrity. C'était une entrée mémorable.

Je chancelai sur mes stilettos quand Cross s'écarta. Il portait un costume noir sur une chemise et une cravate gris pâle. Et il était beaucoup trop séduisant, comme d'habitude.

Quel effet cela faisait-il de se savoir aussi spectaculairement beau ? Impossible d'aller où que ce fût sans causer une émeute.

Mark vint spontanément à la rescousse pour m'aider à retrouver l'équilibre.

Le regard de Cross demeura rivé sur la main que Mark avait glissée sous mon coude jusqu'à ce qu'il me lâche.

— Bien. Parfait, déclara mon chef en reprenant contenance. Permettez-moi de vous présenter mon assistante, Eva Tramell.

— Nous nous sommes déjà rencontrés, répondit Cross en tirant le siège placé près du sien. Eva.

Encore mal remise de mes émotions, je me tournai vers Mark en quête de soutien.

Cross se pencha davantage vers moi.

— Asseyez-vous, Eva, ordonna-t-il tranquillement.

Mark approuva d'un léger hochement de tête, mais j'étais déjà en train de m'asseoir, mon corps ayant obéi d'instinct à l'ordre de Cross avant même qu'il ait atteint mon esprit et que ce dernier ait le temps de se rebeller.

Au cours de l'heure qui suivit, alors que Cross et les deux cadres de chez Kingsman bombardaient Mark de questions, je dus faire de gros efforts pour ne pas me tortiller sur mon siège. Les cadres en question étaient des femmes, deux belles brunes élégantes en tailleur pantalon. Celle en tailleur framboise semblait particulièrement désireuse d'attirer l'attention de Cross tandis que sa collègue, en tailleur crème, se concentrait sur mon patron. Tous trois parurent impressionnés par l'habileté de Mark à leur démontrer que le travail fourni par l'agence accroîtrait significativement le prestige de la marque.

À l'évidence, Cross dominait l'échange, et j'admirai le calme dont Mark fit preuve sous la pression que ce dernier exerçait sur lui.

— Bien joué, monsieur Garrity, le félicita Cross quand vint le moment de conclure. Je suis impatient de découvrir votre projet. Qu'est-ce qui vous inciterait à essayer la vodka Kingsman, Eva ?

Prise de court, je battis des paupières.

— Je vous demande pardon ?

L'intensité de son regard me transperça, et mon respect pour Mark, qui avait supporté le poids de ce regard braqué sur lui pendant plus d'une heure, s'en trouva accru.

Cross avait fait pivoter son fauteuil de façon à me faire face. Son bras droit reposait sur le bois lisse du bureau que ses longs doigts élégants tapotaient en rythme. Pour une raison inexplicable, le ruban de peau dorée, semé de poils sombres, qu'on apercevait au ras de sa manche de chemise retint mon attention. Il était tellement... viril.

— Lequel des concepts suggérés par Mark préférez-vous ? s'enquit-il.

— Je pense qu'ils sont tous excellents.

— Je peux demander à tout le monde de quitter la pièce pour que vous me donniez une opinion sincère, s'il le faut, déclara-t-il en conservant une expression imperturbable.

Mes doigts se replièrent sur les accoudoirs de mon siège.

— Je viens de vous la donner, monsieur Cross, mais, si cela vous intéresse, je suis persuadée qu'un produit symbolisant luxe et sensualité à moindre coût est susceptible de plaire au plus grand nombre. Cela dit, je n'ai pas les compét...

— Je suis d'accord, coupa Cross en se levant. Vous voyez dans quelle direction creuser, monsieur Garrity. Nous nous reverrons la semaine prochaine.

Je restai un instant interdite face à cette accélération des événements, puis jetai un coup d'œil à Mark, qui semblait partagé entre joie et stupéfaction.

Je me levai à mon tour et me dirigeai vers la porte, consciente de la présence de Cross à mes côtés. Sa façon de se mouvoir, cette grâce associée à une économie de mouvements m'excitaient, il fallait l'avouer. Cross incarnait jusqu'au bout des ongles l'amant expert et exigeant. Il devait si bien s'y prendre que les femmes devaient lui donner ce qu'il voulait avant même qu'il le leur demande.

Il nous accompagna jusqu'à la rangée d'ascenseurs tout en parlant vaguement sport avec Mark, mais j'étais trop concentrée sur la façon dont mon corps réagissait à sa proximité pour m'intéresser à la conversation. Quand l'ascenseur arriva enfin et que les portes coulissèrent, je laissai échapper un soupir de soulagement et m'empressai de pénétrer dans la cabine en même temps que Mark.

— Un instant, Eva, m'arrêta Cross en m'attrapant par le coude. Elle vous rejoint tout de suite, ajouta-t-il à l'intention de Mark tandis que les portes de l'ascenseur se refermaient sur le visage ahuri de mon patron.

Cross demeura silencieux le temps que l'ascenseur amorce sa descente.

— Tu couches avec quelqu'un ? demanda-t-il en pressant de nouveau le bouton d'appel.

La question avait été posée avec une telle désinvolture que je mis un moment à comprendre et que je ne réalisai même pas qu'il m'avait tutoyée.

Je pris une brève inspiration.

— En quoi cela vous regarde-t-il ?

Il me fixa et je retrouvai dans son regard ce que j'y avais vu lors de notre première rencontre – puissance hors norme et contrôle d'acier. Je reculai involontairement. Comme la première fois. Cette fois, cependant, je ne tombai pas à la renverse – j'étais en progrès.

41

— Cela me regarde parce que j'ai envie de coucher avec toi, Eva. J'ai besoin de savoir quels obstacles se dressent entre toi et moi, si tant est qu'il y en ait.

La soudaine palpitation entre mes cuisses m'obligea à prendre appui contre le mur pour garder l'équilibre. Il tendit la main vers moi, mais je l'arrêtai d'un geste.

— Peut-être ne suis-je pas intéressée, monsieur Cross.

Une ombre de sourire passa sur ses lèvres. Seigneur, il pouvait être irrésistible...

J'étais dans un tel état de nerfs que la sonnerie annonçant l'arrivée de l'ascenseur me fit sursauter. De ma vie, je n'avais été à ce point excitée, aussi brutalement attirée par un autre être humain, et je ne m'étais jamais sentie aussi grossièrement insultée.

Je pénétrai dans la cabine et me retournai pour lui faire face.

Il sourit.

— À bientôt, Eva.

Les portes se refermèrent et je me laissai aller contre la rampe de cuivre en m'efforçant de retrouver mes esprits. Je n'y étais toujours pas parvenue quand elles se rouvrirent sur Mark, qui arpentait à grands pas le palier du vingtième étage.

— Eva, murmura-t-il en s'immobilisant, tu peux m'expliquer ce qui vient de se passer ?

— Je n'en ai pas la moindre idée.

Je poussai un long soupir. J'aurais aimé pouvoir raconter à Mark l'échange perturbant que je venais d'avoir avec Cross, mais j'étais bien consciente que mon patron n'était pas l'exutoire idéal.

— Cela dit, quelle importance ? ajoutai-je. Il a été conquis par ta présentation, non ?

Un grand sourire éclaira ses traits.

— Je crois bien, oui.

— Comme dirait mon colocataire, il faut fêter ça. Veux-tu que je réserve une bonne table pour Steven et toi quelque part ?

— Pourquoi pas ? Pure Food and Wine à 19 heures, s'ils arrivent à nous trouver une place. Sinon, je te laisse carte blanche.

Nous venions à peine d'atteindre le bureau de Mark que Michael Waters, Christine Field et Walter Leaman – respectivement P-DG, directrice exécutive et vice-président – déboulaient.

Je regagnai discrètement mon espace de travail pour appeler le restaurant et leur demander de me dénicher une table pour deux. Après avoir tant et tant supplié, l'hôtesse finit par céder.

Je laissai un message sur la boîte vocale de Mark : « C'est vraiment ton jour de chance. Tu as une table pour deux à Pure Food and Wine à 19 heures. Bonne soirée ! »

— Il a dit *quoi* ? s'exclama Cary depuis l'autre bout du canapé.

— Je sais, j'ai réagi comme toi, avouai-je avant d'avaler une gorgée du délicieux sauvignon dont j'avais fait l'emplette sur le chemin du retour. Et j'en suis encore à me demander si je n'ai pas imaginé cette conversation alors que j'étais bombardée par ses phéromones.

— Et alors ?

Je calai les pieds sous mes fesses et me blottis dans l'angle du canapé.

— Quoi, et alors ?

— Tu sais très bien quoi, Eva, répliqua-t-il.

Il récupéra son ordinateur sur la table basse et le posa sur ses jambes croisées.

— Tu vas conclure ou pas ?

— Je ne le connais pas ! m'insurgeai-je. Je ne connais même pas son prénom et il se permet de me balancer ça de but en blanc !

— Lui connaît le tien, me rappela-t-il tout en pianotant sur son clavier. Mais à quoi rime cette histoire de vodka ? Pourquoi avoir demandé à rencontrer ton patron ?

La main que je passais dans mes cheveux s'immobilisa.

— Mark est très doué. Si Cross a le moindre sens des affaires, il l'a remarqué et a décidé d'exploiter son talent.

— Je pense que son sens des affaires ne fait aucun doute, déclara Cary en tournant l'écran de son ordinateur vers moi.

La page d'accueil de Cross Industries s'y étalait, illustrée par une superbe photo du Crossfire Building.

— L'immeuble lui appartient, Eva. Gideon Cross en est le propriétaire.

Je fermai les yeux. *Gideon Cross.* Ce nom lui allait comme un gant. Aussi troublant et étrange que l'homme lui-même.

— Il emploie des tas de gens parfaitement qualifiés pour gérer les campagnes marketing de ses filiales. À mon avis, il n'a même que l'embarras du choix.

— Tais-toi, Cary.

— Il est beau, riche et meurt d'envie de te sauter. Je ne vois pas où est le problème.

Je levai les yeux vers lui.

— C'est affreusement gênant. Je vais être amenée à le croiser sans arrêt. Je n'ai pas l'intention de plaquer mon job, ce que je fais me plaît vraiment et je m'entends très bien avec Mark. Il m'a complètement impliquée dans le développement de ce projet et j'ai déjà beaucoup appris avec lui.

— Tu te souviens de ce que disait le Dr Travis à propos des risques calculés ? Quand ton psy te conseille de prendre un risque calculé, c'est que tu peux y aller. Tu sauras gérer, Eva. Vous êtes des adultes, Cross et toi.

Il se concentra sur ses recherches Internet.

— Est-ce que tu savais qu'il n'a même pas trente ans ? Il en a vingt-huit, pour être précis. Il faut penser endurance sexuelle, Eva.

— Moi, c'est plutôt à sa grossièreté que je pense. Je me suis sentie insultée par ses avances. J'ai horreur d'être perçue comme un vagin sur pattes.

Cary m'adressa un regard compatissant.

— Désolé, baby girl. Tu es tellement solide, tellement plus forte que moi que j'ai tendance à oublier que tu traînes un bagage aussi lourd que le mien.

— La plupart du temps, je l'oublie aussi, répondis-je en détournant les yeux – je n'étais pas d'humeur à évoquer nos épreuves passées. Je n'en suis pas à demander qu'il m'invite à sortir avec lui en bonne et due forme, mais il y a quand même d'autres façons de faire savoir à une femme qu'on a envie d'elle.

— Tu as raison. C'est un goujat arrogant. Fais-le saliver jusqu'à ce qu'il n'en puisse plus. Ça lui fera les pieds.

Je souris. Cary a le don de me faire sourire en toutes circonstances.

— Je doute que quiconque y soit jamais parvenu, pourtant c'est un fantasme qui a le mérite d'être amusant.

Il referma son ordinateur d'un claquement sec.

— Qu'est-ce que tu as envie de faire, ce soir ?

— J'envisageais d'aller faire un tour dans cette salle de krav maga, à Brooklyn.

Je m'étais renseignée sur cette discipline depuis ma rencontre avec Parker Smith, et l'idée de me libérer du stress en pratiquant un sport de combat intense avait fait son chemin dans mon esprit.

Je savais bien que ce ne serait jamais aussi intense que de m'envoyer en l'air avec Gideon Cross, mais j'estimais que ce serait autrement moins dangereux pour ma santé mentale.

3

— Ta mère et Stanton n'accepteront jamais que tu viennes dans ce quartier plusieurs soirs par semaine, observa Cary en serrant sa veste en jean alors qu'il faisait à peine frais.

La salle de Parker Smith, un entrepôt en brique désaffecté, était située dans un ancien quartier industriel de Brooklyn qui peinait à s'embourgeoiser. L'espace était immense et, une fois la lourde porte métallique refermée, personne ne pouvait deviner ce qui se passait à l'intérieur. Assis sur des gradins, nous regardions une demi-douzaine de combattants s'entraîner sur les tapis en contrebas.

— Aïe ! m'exclamai-je quand un type reçut un coup de pied dans le bas-ventre – même avec une coquille, ça ne devait pas être agréable. Comment Stanton le saura-t-il ? enchaînai-je.

— Si tu te retrouves à l'hôpital, il le saura forcément, répliqua-t-il en me jetant un regard de biais. Je ne plaisante pas, Eva. Le krav maga est un sport brutal ; c'est du full contact. Et même si tes bleus ne te trahissent pas, il finira par l'apprendre d'une façon ou d'une autre. Comme toujours.

— C'est ma mère, elle lui répète tout. Je ne lui en parlerai pas.

— Pourquoi ?

— Parce qu'elle ne comprendrait pas. Elle pensera que je cherche à me protéger à cause de ce qui s'est passé, elle se sentira coupable et en fera toute une histoire. Elle ne croira jamais qu'il s'agit juste de pratiquer un sport pour me détendre.

Je calai le menton au creux de ma main et regardai Parker qui était occupé à expliquer des prises à une femme. C'était un bon prof. Patient, concentré, il utilisait des mots faciles à comprendre pour les non-initiés. Sa salle de cours était certes située dans un quartier mal famé, mais au fond, songeai-je, ce qu'il enseignait était on ne peut plus adapté à l'environnement. Ici, on était de plain-pied avec la brutalité du réel.

— Ce Parker est vraiment pas mal, murmura Cary.

— Il porte une alliance, je te signale.

— J'ai remarqué, oui. Les meilleurs ne restent malheureusement jamais longtemps sur le marché...

Une fois le cours terminé, Parker nous rejoignit, l'œil brillant.

— Alors, Eva, qu'est-ce que tu en as pensé ?

— Où est-ce que je peux m'inscrire ?

Parker eut un sourire si adorable que Cary s'empara de ma main et la serra très fort.

— Suis-moi.

Le vendredi commença merveilleusement bien. Mark m'expliqua comment réunir des informations pour élaborer un projet de campagne, ce qui l'amena à me parler de Cross Industries et de Gideon Cross, soulignant au passage que tous deux avaient le même âge.

— C'est une donnée que je ne dois pas perdre de vue, commenta-t-il. On oublie facilement qu'il est aussi jeune quand on l'a en face de soi.

— C'est vrai, acquiesçai-je, secrètement déçue à l'idée de ne pas revoir Cross avant lundi.

J'avais beau me dire que c'était sans importance, envisager tout un week-end sans le croiser me chiffonnait. Sa présence déclenchait en moi une sacrée montée d'adrénaline et mon programme du week-end ne prévoyait rien d'aussi excitant.

J'étais en train de prendre des notes dans le bureau de Mark quand j'entendis le téléphone sonner dans mon box. Je m'excusai et m'empressai d'aller répondre.

— Bureau de Mark Garrity...

— Eva, mon trésor, comment vas-tu ?

Reconnaissant la voix de mon beau-père, je me laissai choir dans mon fauteuil. Stanton possédait ce timbre que j'avais toujours associé aux vieilles fortunes – raffiné, d'une assurance à la limite de l'arrogance.

— Richard, murmurai-je. Tout va bien ? Maman va bien ?

— Oui. Tout va bien. Ta mère est merveilleuse, comme toujours.

Sa voix s'adoucissait toujours quand il parlait d'elle et je lui en étais reconnaissante. Je lui étais reconnaissante de bien des choses, en fait, mais il était parfois difficile de trouver l'équilibre entre cette reconnaissance et un sentiment de trahison vis-à-vis de mon père. Je n'ignorais pas que ce dernier vivait mal leur colossale différence de revenus.

— Tant mieux, dis-je. Maman et toi avez reçu mon message de remerciement pour ma robe et le smoking de Cary ?

— Oui, c'était très gentil de ta part, même si tu sais que nous n'attendons pas de remerciements pour de telles broutilles. Excuse-moi un instant.

Je l'entendis s'adresser à quelqu'un – sans doute sa secrétaire.

— Eva, ma chérie, j'aimerais beaucoup que nous déjeunions ensemble aujourd'hui. J'enverrai Clancy te chercher.

— Aujourd'hui ? Mais on doit se voir demain soir. Ça ne peut pas attendre ?

— Je crains fort que non.

— Je ne dispose que d'une heure, tu sais ?

Je sentis une tape sur mon épaule et me retournai.

— Prends deux heures, murmura Mark. Tu l'as bien mérité.

Je soupirai et articulai un merci silencieux.

— À midi, ça te conviendrait, Richard ?

— C'est parfait. Je suis impatient de te voir.

Je ne ressentais pour ma part aucune impatience à l'idée de déjeuner en tête à tête avec mon beau-père. Je quittai pourtant sagement mon bureau juste avant midi. Devant le Crossfire, une limousine m'attendait et Clancy, qui faisait tout à la fois office de chauffeur et de garde du corps de Stanton, m'ouvrit la portière tandis que je le saluais. Il se glissa derrière le volant et prit la direction du centre-ville. Vingt minutes plus tard, j'étais assise à une table de conférences dans les bureaux de Stanton devant un somptueux déjeuner pour deux visiblement commandé chez un traiteur de renom.

Stanton ne tarda guère à apparaître, aussi sémillant et distingué qu'à son habitude. Ses cheveux formaient un casque d'une blancheur immaculée et, en dépit des marques du temps, son visage n'avait rien perdu de sa séduction. Dans son regard d'un bleu très pâle se lisait une intelligence aiguë. Sa silhouette demeurait athlétique, car il consacrait une part importante du peu de temps libre que lui laissaient ses affaires à se maintenir en forme, et ce, même avant d'épouser une femme plus jeune que lui dont il était follement épris – à savoir ma mère.

Je me levai à son approche et il déposa un baiser sur ma joue.

— Tu es ravissante, Eva.

— Merci, Richard.

Je ressemblais beaucoup à ma mère. J'avais hérité de sa chevelure blonde, mais mes yeux gris étaient la réplique de ceux de mon père.

Stanton prit place en bout de table, tout à fait conscient de l'arrière-plan prestigieux que constituait la ligne de gratte-ciel dans son dos.

— Mange, dit-il de ce ton autoritaire qui venait si aisément aux hommes de pouvoir.

Des hommes comme Gideon Cross.

Stanton avait-il été aussi sexuellement entreprenant que Gideon quand il avait son âge ?

Je m'emparai de ma fourchette et attaquai une salade de poulet aux airelles, noix de cajou et feta. Elle était parfaitement assaisonnée, et je mourais de faim. Je ne fus pas mécontente que Stanton ne prenne pas tout de suite la parole, me permettant ainsi de profiter du repas. Malheureusement, ce répit fut de courte durée.

— Eva, mon trésor, j'aimerais que nous discutions de ton subit intérêt pour le krav maga.

Je me figeai.

— Je te demande pardon ?

Stanton but une gorgée d'eau et se laissa aller contre le dossier de sa chaise, la crispation de sa mâchoire m'indiquant que je n'allais pas apprécier ce qui allait suivre.

— Te savoir dans cette salle d'entraînement de Brooklyn a beaucoup perturbé ta mère, hier soir. Il m'a fallu du temps pour la calmer. J'ai dû lui assurer que je m'arrangerais avec toi pour que tu poursuives cette activité dans les meilleures conditions de sécurité possibles. Elle ne veut pas que...

— Attends, l'interrompis-je en reposant lentement ma fourchette, tout appétit m'ayant quittée. Comment a-t-elle su où j'étais ?

— Elle a fait placer un traceur sur ton portable.

— Non, soufflai-je avec l'impression de me dégonfler comme un ballon sur ma chaise.

La désinvolture avec laquelle il m'avait répondu, comme si c'était là la chose la plus naturelle du monde, me donna la nausée.

— C'est donc pour ça qu'elle a insisté pour que j'utilise un téléphone de ta société, dis-je d'une voix blanche. Et pas pour me faire réaliser des économies comme elle l'a prétendu.

— En partie, oui, bien sûr. Mais c'est surtout pour avoir l'esprit tranquille.

— Elle a besoin d'espionner sa fille pour avoir l'esprit tranquille ? m'insurgeai-je. C'est malsain, Richard. Tu dois t'en rendre compte. Elle est toujours suivie par le Dr Petersen ?

Il eut la grâce de paraître mal à l'aise.

— Oui, bien sûr.

— Il est au courant de ce qu'elle fait ?

— Je n'en sais rien, répliqua-t-il avec raideur. Je ne me mêle pas des affaires personnelles de Monica.

Non, en effet. Il la cajolait, la choyait, la gâtait. Il permettait à son obsession à propos de ma sécurité de dépasser les limites du raisonnable.

— Elle doit lâcher prise. Moi, je l'ai fait.

— Tu étais innocente, Eva. Elle se sent coupable de ne pas t'avoir protégée. Sois un peu tolérante avec elle.

— Tolérante ? Elle empiète sur ma vie privée ! m'écriai-je, outrée. Il faut qu'elle arrête !

Comment ma mère pouvait-elle faire une chose pareille ? Et pourquoi le faisait-elle ? Elle était en train de se rendre folle. Et moi avec.

— La question est très simple à régler, déclara Stanton. J'en ai déjà parlé avec Clancy. Il se chargera de te conduire à Brooklyn quand tu le souhaiteras. Ce sera bien plus pratique pour toi.

— Ne fais pas comme si tu avais arrangé ça pour mon bien.

Les yeux me piquaient et la gorge me brûlait de larmes de frustration. Je ne supportais pas d'entendre Stanton évoquer Brooklyn comme s'il s'agissait d'un pays du tiers-monde.

— Je suis majeure. Je prends mes propres décisions. C'est la loi !

— N'adopte pas ce ton avec moi, Eva. Je me contente de veiller sur ta mère. Et sur toi.

Je me levai de table.

— Tu la laisses faire. Tu l'entretiens dans sa maladie, et tu me rends malade, moi aussi.

— Assieds-toi. Il faut que tu manges. Monica a peur que tu ne te nourrisses pas sainement.

— Elle a peur de tout, Richard. C'est bien là le problème, rétorquai-je en jetant ma serviette sur la table. Je dois retourner travailler.

Je tournai les talons et me dirigeai vers la porte au pas de charge. J'étais pressée de quitter les lieux. Je récupérai mon sac auprès de la secrétaire de Stanton et laissai mon portable sur son bureau. Clancy, qui m'avait attendue dans le hall, m'emboîta le pas. Je ne cherchai pas à l'en empêcher, sachant pertinemment qu'il ne recevait d'ordres que de Stanton.

Je passai le trajet de retour à fulminer sur la banquette arrière. Mais je pouvais pester tant que je voulais, je savais très bien qu'au bout du compte je ne valais pas mieux que Stanton. Je finirais par céder. Je m'inclinerais et je laisserais ma mère n'en faire qu'à sa tête parce que je ne supportais pas de la voir souffrir après tout ce qu'elle avait enduré. Elle était fragile, excessivement émotive, et m'aimait à la folie.

En arrivant au Crossfire, mon humeur était toujours aussi sombre. Lorsque Clancy m'eut déposée, je balayai la rue du regard, à la recherche d'une pharmacie où acheter du chocolat ou d'une boutique de téléphones portables.

Je décidai de pousser jusqu'au coin de la rue pour acheter une demi-douzaine de barres chocolatées, puis regagnai le Crossfire. Je ne m'étais absentée qu'une heure sur les deux que Mark m'avait accordées, pourtant je préférais retourner travailler. Ça me permettrait d'oublier momentanément ma famille de dingues.

Je choisis une cabine d'ascenseur déserte et attendis que les portes se referment pour déchirer l'emballage d'une barre de chocolat et mordre dedans à belles dents. Je me concentrais pour engloutir un maximum de chocolat avant d'atteindre le vingtième étage quand la cabine s'arrêta au quatrième. Tant mieux. Cela me permettrait de disposer d'un peu plus de temps pour savourer le chocolat noir et le caramel fondant.

Les portes s'écartèrent, révélant Gideon Cross en train de discuter avec deux messieurs.

Comme chaque fois, le simple fait de poser les yeux sur lui me coupa le souffle et ranima la colère que je m'efforçais d'étouffer. Pourquoi avait-il cet effet-là sur moi ? Quand donc serai-je enfin immunisée contre son charme ?

Il leva les yeux. Un lent, un irrésistible sourire apparut sur ses lèvres dès qu'il me vit.

C'était bien ma veine. J'étais devenue pour lui une sorte de défi.

Le sourire de Cross céda la place à un léger froncement de sourcils.

— Nous terminerons cette conversation plus tard, dit-il à ses collègues sans me quitter des yeux.

Il pénétra dans la cabine et tendit la main, paume en avant, pour les dissuader d'en faire autant. Ils cillèrent, surpris, et leurs regards firent un aller-retour entre Cross et moi.

Je sortis de la cabine, estimant qu'il serait plus sage pour ma santé mentale de prendre un autre ascenseur.

— Pas si vite, Eva, fit Cross en m'attrapant par le coude pour me tirer en arrière.

Les portes se refermèrent et la cabine reprit son ascension silencieuse.

— Qu'est-ce qui vous prend ? aboyai-je.

Après mon entretien houleux avec Stanton, je n'étais pas d'humeur à me laisser malmener par un autre mâle dominateur.

Cross referma les mains sur mes bras et me scruta de son regard si bleu.

— Quelque chose ne va pas, dit-il. Qu'est-ce donc ?

La décharge électrique désormais familière crépita entre nous, intensifiée par ma mauvaise humeur.

— Vous.

— Moi ?

Ses mains me caressaient les épaules. Il me lâcha soudain, sortit une clef de sa poche et pivota pour l'insérer dans le panneau de commande. Les lumières de tous les numéros d'étages s'éteignirent, à l'exception du dernier.

Il portait un costume noir à fines rayures grises. Le voir de dos fut une révélation. Quoique larges, ses épaules n'avaient rien de massif. Elles soulignaient l'étroitesse de ses hanches et la longueur de ses jambes. Je fus prise d'une envie d'attraper les mèches sombres et de tirer dessus. Avec force. Histoire qu'il soit aussi énervé que moi. Je me sentais belliqueuse à présent, et j'avais envie d'en découdre.

— Je ne suis pas d'humeur à m'entretenir avec vous, monsieur Cross, lâchai-je.

Il regardait l'aiguille de cuivre de style rétro indiquer les étages au-dessus des portes.

— Je peux m'arranger pour que cela change.

— Je ne suis pas intéressée.

Il me jeta un coup d'œil par-dessus son épaule. Sa chemise et sa cravate étaient du même bleu céruléen que ses yeux.

— Pas de mensonges, Eva. Jamais.

— Ce n'est pas un mensonge. D'accord, je vous trouve attirant. Et alors ? C'est le cas de la plupart des femmes, j'imagine.

J'enveloppai ce qui restait de ma barre chocolatée dans son emballage et la rangeai dans le sac en papier que j'avais fourré dans mon sac. Lorsque Gideon Cross était dans les parages, je n'avais pas besoin de chocolat.

— Mais ça ne change rien au fait que je n'ai pas l'intention d'aller plus loin, martelai-je.

Lentement, il se retourna pour me faire face, affichant cette ombre de sourire qui adoucissait les contours de sa bouche à damner une sainte. Son aisance et sa nonchalance ne firent que m'irriter davantage.

— Parler d'« attirance » est un euphémisme lorsqu'il s'agit de définir *ceci*, observa-t-il en nous désignant.

— Vous allez peut-être me trouver folle, mais j'ai besoin d'apprécier un homme avant d'envisager de me déshabiller devant lui et de coucher avec lui.

— Je ne te trouve pas folle du tout, assura-t-il. En fait, je n'ai ni le temps ni l'envie d'avoir une relation amoureuse.

— Tant mieux. Nous sommes deux dans le même cas. Je suis ravie que ce point soit éclairci.

Il se rapprocha, leva la main jusqu'à mon visage. Je me forçai à rester immobile pour ne pas lui donner la satisfaction de voir qu'il m'intimidait. Son pouce effleura le coin de mes lèvres, puis il le porta à sa bouche. Il le lécha et ronronna :

— Hmm. Chocolat et toi... Délicieux.

Un frisson me parcourut, aussitôt suivi par une sensation de brûlure au creux des cuisses alors que je m'imaginais léchant du chocolat sur son corps mortellement sexy.

Son regard s'obscurcit, et il ajouta d'une voix sourde, terriblement intime :

— Le romantisme ne fait pas partie de mon répertoire, Eva. En revanche, je saurai te faire jouir de mille et une façons. Laisse-moi te montrer.

La cabine ralentit et s'immobilisa. Il retira la clef du panneau de commande. Les portes coulissèrent.

Je reculai jusqu'au fond de la cabine et lui fis signe de s'éloigner d'un geste bref.

— Je ne suis absolument pas intéressée, m'entêtai-je.

— Nous en reparlerons.

Me saisissant le coude, il m'incita à sortir avec une douce fermeté.

Je le suivis parce que j'aimais l'effet que sa proximité avait sur moi, et parce que j'étais curieuse d'entendre ce qu'il trouverait à dire pour une fois qu'il disposait de plus de cinq minutes de mon temps.

La double porte vitrée s'ouvrit instantanément à son approche, si bien qu'il n'eut pas besoin de ralentir l'allure. La jolie rousse à l'accueil s'empressa de se lever, s'apprêtant visiblement à lui communiquer une information, mais se ravisa lorsqu'il secoua impatiemment la tête. Elle referma la bouche et me fixa avec de grands yeux quand nous passâmes devant elle en coup de vent.

Le trajet jusqu'au bureau de Cross fut heureusement très court. Son secrétaire se leva, lui aussi, mais ne dit mot quand il découvrit qu'il était accompagné.

— Bloquez mes appels, Scott, ordonna Cross en me faisant franchir la double porte vitrée de son bureau.

Mon irritation ne m'empêcha pas d'être impressionnée par le centre de commande de Gideon Cross. Des baies vitrées surplombaient la ville sur deux côtés tandis qu'un mur de verre séparait le bureau du reste du plateau. Le seul mur opaque, qui faisait face à la grande table de travail, était couvert d'écrans plats diffusant en continu des chaînes d'actualités du monde entier. Il y avait trois aires de travail distinctes, chacune d'elles plus spacieuse que le bureau de Mark, ainsi qu'un bar contenant des carafes en cristal coloré, seules touches de couleur dans cet espace qui se déclinait en noir, gris et blanc.

Cross pressa un bouton sur son bureau pour refermer la porte, puis un autre qui dépolit instantanément la paroi de verre, nous isolant ainsi du regard de ses employés. Il se débarrassa de sa veste qu'il suspendit à un portemanteau chromé, puis revint vers moi. Je m'étais immobilisée à deux pas du seuil et n'en avais pas bougé.

— Envie de boire quelque chose, Eva ?

— Non, merci.

Il était encore plus appétissant en bras de chemise et gilet, dus-je admettre. Il avait un corps d'athlète, une jolie carrure, et le jeu de ses muscles était un régal pour les yeux.

Il désigna un canapé de cuir noir.

— Assieds-toi, je t'en prie.

— Je dois retourner travailler.

— Et j'ai une réunion à 14 heures. Plus vite nous aurons réglé la question, plus vite nous retournerons à nos affaires. Assieds-toi.

— Et quelle question sommes-nous supposés régler ?

Il soupira, me souleva dans ses bras comme une jeune mariée et me porta jusqu'au canapé. Il m'y laissa tomber sur les fesses, puis s'assit à côté de moi.

— Celle de tes objections. Il est temps de discuter des conditions qui me permettront de coucher avec toi.

— Il n'y en a qu'une : un miracle.

Il était beaucoup trop près. Je m'écartai de lui, tirai sur l'ourlet de ma jupe en regrettant de ne pas avoir eu la bonne idée de mettre un pantalon.

— Je trouve votre approche grossière et insultante, conclus-je sèchement.

Très excitante aussi, mais il était hors de question que je le lui avoue.

Il me dévisagea, les yeux plissés.

— C'est peut-être brutal, reconnut-il, mais cela a le mérite d'être honnête. Je n'ai pas l'impression que tu sois sensible au baratin et à la flatterie.

— Je déteste être perçue comme une poupée gonflable.

Cross haussa les sourcils.

— Au temps pour moi.

— Nous avons terminé ? demandai-je en me levant.

Ses doigts se refermèrent autour de mon poignet et il me fit rasseoir illico.

— Nous venons à peine de commencer. Voici les points sur lesquels nous nous sommes entendus : nous ressentons une forte attirance sexuelle réciproque et nous ne cherchons ni l'un ni l'autre une histoire d'amour. Que veux-tu, au juste, Eva ? Tu as envie d'être séduite ?

Cette conversation m'horrifiait autant qu'elle me fascinait, pourtant je me sentis tentée par cette dernière proposition. Difficile de ne pas l'être face à un spécimen viril de ce calibre, déterminé à me mettre dans son lit qui plus est. Le désarroi l'emporta malgré tout.

— Planifier une relation sexuelle comme on planifie une transaction commerciale me réfrigère complètement, lâchai-je.

— Établir les paramètres dès le départ diminue le risque d'espérances et de déceptions, répliqua-t-il du tac au tac.

— Vous plaisantez ? m'exclamai-je en fronçant les sourcils. Écoutez-vous ! Pourquoi parler d'attirance sexuelle ? Soyez cohérent, appelez plutôt cela une émission séminale dans un orifice agréé !

Il rejeta la tête en arrière et s'esclaffa, ce qui ne fit qu'accroître mon irritation. Son rire me submergea telle une vague. La conscience aiguë que j'avais de sa présence grimpa de plusieurs crans, jusqu'à devenir douleur physique. Ce rire bon enfant faisait de lui un être de chair et de sang plus qu'un dieu du sexe. Il l'humanisait, le rendait réel.

Je me levai de nouveau et m'éloignai – hors de sa portée.

— Une aventure purement sexuelle se passe de fleurs et de roucoulades, déclarai-je. Elle n'en demeure pas moins une relation entre deux personnes. Une relation qui peut être amicale. Fondée, au minimum, sur le respect mutuel.

Il cessa de sourire tandis qu'il se levait à son tour. Son regard s'assombrit.

— Mes relations intimes sont dépourvues d'ambiguïté. Tu voudrais que je brouille les frontières, Eva. Je ne vois aucune bonne raison de le faire.

— Je ne veux strictement rien, si ce n'est retourner travailler, ripostai-je avant de me diriger d'un pas décidé vers la porte.

Je marmonnai un juron quand la poignée refusa de tourner.

— Laissez-moi sortir, monsieur Cross.

Je le sentis s'approcher dans mon dos. Il posa les paumes sur la porte vitrée de part et d'autre de mes épaules, m'emprisonnant entre ses bras. J'étais incapable de penser à ma propre survie quand il était aussi près.

Il émanait de lui une volonté, une puissance presque palpables. Elles m'enveloppèrent comme il se rapprochait davantage. Le monde cessa d'exister à l'extérieur du champ magnétique qu'il avait créé autour de nous, et mon corps entier n'aspira plus qu'à se tendre vers lui. Qu'il puisse déclencher en moi une sensation aussi profonde et viscérale après m'avoir fait une proposition aussi irritante me donna le vertige. Comment pouvais-je être à ce point excitée par un homme dont les paroles auraient dû me faire l'effet d'une douche froide ?

— Retourne-toi, Eva.

Son ton autoritaire ne fit qu'accroître mon excitation, et je fermai les yeux pour tenter d'y résister. Pour ne rien arranger, il sentait merveilleusement bon. Le désir qui émanait de lui enflammait mes sens, affolés par sa proximité. Une réponse incontrôlable, intensifiée par les vestiges de ma colère contre Stanton et celle, toute récente, contre Cross.

J'avais envie de lui. À un point inimaginable. Pourtant, il était une menace pour moi. Et, franchement, je n'avais pas besoin de son aide pour me gâcher la vie ; je m'en sortais très bien toute seule.

J'appuyai mon front contre la vitre froide.

— Laissez tomber, Cross.

— C'est ce que je fais. Tu es trop dangereuse.

Ses lèvres me frôlèrent le cou, juste sous l'oreille. Il posa la main sur mon ventre, pour m'inciter à me presser contre lui. La rigidité de son sexe au creux de mes reins me confirma qu'il était aussi excité que moi.

— Retourne-toi et dis-moi au revoir.

Obéissant à contrecœur, je me laissai aller contre la porte pour rafraîchir mon dos brûlant. Il plaqua l'avant-bras contre le battant vitré afin de se rapprocher de moi. J'avais à peine assez d'espace pour respirer. Sa main s'était déplacée de mon ventre à ma hanche, et les légères contractions involontaires de ses doigts me rendaient folle. Il me dévisagea ; son regard était d'une intensité proche de l'incandescence.

— Embrasse-moi, ordonna-t-il. Donne-moi au moins ça.

Un peu haletante, j'humectai mes lèvres sèches. Un son étrange franchit les siennes, à mi-chemin entre le grognement et le gémissement, et sa bouche se referma sur la mienne. Je fus surprise par la douceur de ses lèvres et par la délicatesse de la pression qu'il exerçait. Je soupirai, et sa langue s'immisça dans ma bouche pour me savourer sensuellement. Il embrassait avec assurance et habileté, et une pointe d'agressivité qui m'affola.

J'enregistrai machinalement le bruit que fit mon sac en heurtant le sol. Mes mains s'égarèrent dans ses cheveux. Je tirai sur les mèches soyeuses pour orienter l'inclinaison de sa bouche. Il soupira et son baiser s'intensifia, sa langue caressant langoureusement la mienne. Les battements désordonnés de son cœur contre ma poitrine me prouvaient qu'il ne s'agissait pas d'un fantasme né de mon imagination enfiévrée.

Soudain, il m'écarta de la porte, m'enlaça et me souleva de terre.

— J'ai envie de toi, Eva. Dangereuse ou pas, je suis incapable de m'arrêter.

Ainsi plaquée contre lui, j'étais douloureusement consciente de chaque centimètre carré de son corps. Je lui rendis son baiser comme si j'avais l'intention de le dévorer tout cru. Ma peau devint moite, j'avais les seins lourds et durs, et mon clitoris palpitait au rythme frénétique des battements de mon cœur.

J'eus vaguement conscience d'un mouvement, puis je sentis le canapé sous mon dos. Cross était penché sur moi, un genou en appui sur l'assise du canapé. Son bras gauche supportait le poids de son torse tandis que sa main droite remontait le long de ma cuisse, ferme et possessive.

Sa respiration devint sifflante quand ses doigts rencontrèrent l'attache du porte-jarretelles sur mon bas de soie. S'arrachant à la contemplation de mon visage, il baissa les yeux.

— Mon Dieu, Eva, souffla-t-il en me troussant jusqu'à la taille. Ton patron a sacrément de la chance d'être gay.

Seigneur, cette voix ! J'en frissonnais de la tête aux pieds.

À travers une sorte de brouillard, je le vis s'allonger sur moi. Mes jambes s'écartèrent spontanément pour l'accueillir, et mes muscles se raidirent, pressée que j'étais d'aller à sa rencontre, de hâter l'instant de ce contact dont je rêvais depuis que j'avais posé les yeux sur lui pour la première fois dans le hall. Inclinant la tête, il captura de nouveau ma bouche, mais avec une voracité dépourvue de douceur.

Puis il interrompit brutalement notre baiser et se releva d'un bond.

Je restai là, pantelante et moite, éperdue de désir. Avant de comprendre ce qui l'avait incité à agir de la sorte.

Quelqu'un venait de parler derrière lui.

4

Mortifiée par cette intrusion malvenue, je me redressai précipitamment.

— ... dez-vous de 14 heures est arrivé.

Je mis un certain temps à réaliser que nous étions toujours seuls dans la pièce et que la voix que j'avais entendue provenait d'un haut-parleur. Cross se tenait debout près de l'autre extrémité du canapé, le visage empourpré, l'air renfrogné, le souffle erratique. Sa cravate était desserrée et sa braguette était tendue par une érection.

Une vision cauchemardesque se forma dans ma tête. Quelle allure je devais avoir ! En plus, j'allais être en retard au travail !

— Bon sang, souffla Cross en se passant la main dans les cheveux. On est au beau milieu de la journée. Dans mon foutu bureau !

Je me levai et tâchai de remettre un peu d'ordre dans ma tenue.

— Attends, dit-il.

Il s'approcha de moi, baissa ma jupe.

Furieuse à l'idée de ce que j'avais failli laisser se produire alors que j'étais censée être à mon poste de travail, je lui tapai sèchement sur les mains.

— Laisse-moi !

— Tais-toi, Eva, répliqua-t-il d'un ton sévère en tirant sur le bas de mon chemisier. Resserre ta queue-de-cheval.

Il alla récupérer sa veste, l'enfila et rajusta son nœud de cravate. Nous atteignîmes la porte en même temps. Il se baissa avant moi pour ramasser mon sac, me le tendit, puis me saisit le menton pour me forcer à le regarder.

— Ça va aller ? s'enquit-il doucement.

Ma gorge me brûlait. J'étais excitée, furieuse et affreusement gênée. De ma vie, je n'avais perdu ainsi la tête. Et je détestais que cela me soit arrivé avec lui, avec cet homme qui avait une approche de l'intimité sexuelle tellement clinique que le simple fait d'y penser me déprimait.

Je détournai la tête.

— De quoi ai-je l'air ?

— Tu es très belle et très désirable. J'ai douloureusement envie de toi et je suis à deux doigts de te ramener sur ce canapé pour te faire jouir jusqu'à ce que tu me supplies d'arrêter.

— On ne peut pas t'accuser d'être hypocrite, marmonnai-je, consciente de n'être absolument pas choquée.

La brutalité de son désir agissait sur moi comme un véritable aphrodisiaque. J'agrippai fermement la bandoulière de mon sac et m'efforçai de réprimer le tremblement de mes jambes. Il fallait que je m'éloigne de lui au plus vite. Et une fois ma journée terminée, il me faudrait un grand verre de vin.

— Je vais me débrouiller pour finir à 17 heures, annonça-t-il. Je passerai te chercher.

— Certainement pas. Il n'y a strictement rien de changé entre nous.

— Pur mensonge, Eva.

— Flagrant délit d'arrogance. J'ai perdu la tête un instant, mais je ne suis toujours pas intéressée.

Ses doigts se refermèrent sur la poignée de la porte.

— Si, tu l'es. Ce qui ne te plaît pas, c'est l'emballage. Je te promets de réviser ma copie.

Toujours ce vocabulaire d'homme d'affaires. Ce ton sec et sans appel.

Je posai ma main sur la sienne, tournai la poignée, puis me baissai pour passer sous son bras et franchir le seuil. Son secrétaire se leva précipitamment, aussi ébahi que la femme et les deux hommes qui attendaient Cross.

— Scott va vous installer dans mon bureau, leur dit Cross derrière moi. Je reviens tout de suite.

Il me rattrapa devant le comptoir de l'accueil, glissa le bras autour de ma taille. Ne souhaitant pas faire de scène, j'attendis que nous ayons atteint le palier pour m'écarter de lui.

— À 17 heures, Eva, dit-il en appelant l'ascenseur.

— Je ne suis pas libre.

— Demain, alors.

— Je suis prise tout le week-end.

Il se planta devant moi.

— Par qui ? demanda-t-il sèchement.

— Ça ne vous reg...

Sa main recouvrit ma bouche.

— Pas de vouvoiement. Aucun retour en arrière possible, Eva. Dis-moi simplement quand. Et avant de dire jamais, regarde-moi bien : est-ce que je te donne l'impression de me laisser facilement éconduire ?

Son visage était dur, son regard farouche. Je frémis. Je n'étais pas certaine d'avoir le dessus dans un bras de fer avec Gideon Cross.

Je déglutis et attendis qu'il écarte sa main de ma bouche.

— Je pense que nous avons tous deux besoin de laisser retomber la pression. De réfléchir un jour ou deux.

— Lundi après le travail, persista-t-il.

L'ascenseur arriva et je pénétrai dans la cabine.

— Lundi midi, répliquai-je en me tournant vers lui. Nous ne disposerions que d'une heure – issue garantie.

Juste avant que les portes se ferment complètement, il lâcha :

— Nous y arriverons, Eva.

Une déclaration qui ressemblait autant à une menace qu'à une promesse.

Quand je rejoignis mon bureau, il était presque 14 h 15.

— Ne t'inquiète pas, Eva, me rassura Mark. J'ai déjeuné avec Leaman et je rentre à peine. Tu n'as rien raté.

— Merci, Mark.

Il avait beau dire, je me sentais affreusement coupable. Quand je pense que j'avais trouvé que la journée commençait divinement !

Nous travaillâmes sans interruption jusqu'à 17 heures sur un projet de fast-food qui nous amena à envisager des slogans dignes d'une chaîne d'épiceries bio.

— Antagonisme, choc, attraction, avait plaisanté Mark sans se douter que sa formule s'appliquait parfaitement à ma vie personnelle.

Je venais d'éteindre mon ordinateur et je me penchais pour récupérer mon sac dans mon tiroir quand le téléphone sonna. Je jetai un coup d'œil à la pendule, constatai qu'il était 17 heures pile et envisageai de ne pas répondre, ma journée de travail étant officiellement terminée.

Comme je me sentais encore coupable d'avoir pris plus de deux heures pour déjeuner, je décidai que répondre à cet appel de dernière minute constituait une juste pénitence.

— Bureau de Mark Garrity...

— Eva, ma chérie ! Richard dit que tu as oublié ton portable sur le bureau de sa secrétaire.

Je me laissai aller contre le dossier de mon siège. Je croyais voir le mouchoir que ma mère serrait généralement dans sa main quand elle adoptait ce ton anxieux, ce qui eut le don de m'agacer, mais aussi de me fendre le cœur.

— Bonsoir, maman. Comment vas-tu ?

— Oh, je vais très bien, je te remercie ! répondit ma mère de cette voix tout à la fois suave et juvénile, sorte de croisement entre celles de Marilyn Monroe et Scarlett Johansson. Clancy a laissé ton téléphone au portier de ton immeuble. Tu ne devrais pas t'en séparer. On ne sait jamais quand on peut avoir besoin d'appeler quelqu'un...

J'envisageai de garder le téléphone et de me contenter de transférer les appels vers un nouveau numéro dont ma mère ignorerait l'existence, mais ce serait nier le problème.

— Que pense le Dr Petersen du fait que tu surveilles mes déplacements grâce au portable que tu m'as donné ?

Le silence qui accueillit cette question fut bien plus éloquent que le faux-fuyant qui lui succéda.

— Le Dr Petersen sait que je me fais du souci pour toi.

Je me pinçai l'arête du nez, puis déclarai :

— Je crois qu'il serait temps de prendre de nouveau un rendez-vous conjoint avec lui, maman.

— Oh... bien sûr. Il m'a justement dit qu'il aimerait te revoir.

« Probablement parce qu'il se doute que tu ne lui dis pas tout », faillis-je lui rétorquer. Je préférai changer de sujet.

— J'aime beaucoup mon nouveau travail.

— C'est merveilleux, Eva ! Ton patron te traite-t-il correctement ?

— Oui, il est génial. Je n'aurais pu rêver mieux.

— Beau garçon ?

Je ne pus m'empêcher de sourire.

— Oui, répondis-je. Et déjà pris.

— Zut alors ! Ils le sont toujours, commenta-t-elle en riant.

Mon sourire s'élargit. J'aimais que ma mère soit heureuse et j'aurais aimé l'entendre rire plus souvent.

— J'ai hâte de te voir au dîner de bienfaisance demain soir.

Monica Tramell Barker Mitchell Stanton était d'autant plus dans son élément lors d'événements mondains que sa beauté lui avait toujours valu de bénéficier de l'attention masculine.

— Que dirais-tu de consacrer la journée à s'y préparer ? suggéra-t-elle d'un ton plein d'espoir. Toi, moi et Cary. On se ferait bichonner au spa. Je suis sûre qu'un massage te ferait un bien fou après ta semaine de travail.

— Je me laisserais bien tenter, avouai-je. Et je sais que Cary adorerait ça.

— Formidable ! J'enverrai une voiture vous chercher. Vers 11 heures, cela te conviendrait ?

— Nous serons prêts.

Après avoir raccroché, je poussai un long soupir et rêvai d'un bain chaud suivi d'un orgasme. Au fond, peu m'importait que Gideon Cross découvre, d'une façon ou d'une autre, que je m'étais masturbée en pensant à lui. La frustration sexuelle ne faisait qu'affaiblir ma position, faiblesse dont je savais qu'il ne risquait pas de souffrir de son côté. Je lui faisais confiance pour dénicher un orifice agréé avant la fin de la journée.

J'étais en train de changer de chaussures quand le téléphone sonna de nouveau. Ma mère ne perdait jamais très longtemps un objectif de vue. Les quelques minutes qui venaient de s'écouler lui avaient certainement suffi pour réaliser que la question de mon portable n'avait pas été réglée. Une fois de plus, j'hésitai à décrocher, puis décidai que je n'avais pas envie de rentrer chez moi avec un problème en suspens. Je débitai ma formule rituelle d'un ton plat.

— Je pense toujours à toi, fit la voix de velours de Cross.

J'éprouvai un tel soulagement que je réalisai que j'avais eu l'espoir de l'entendre de nouveau, avant de quitter le bureau.

Le désir qui me transperça était si aigu que je sus que Gideon Cross était devenu une drogue, ma source principale de sensations intenses.

— Je sens encore ton corps sous le mien, Eva. J'ai la saveur de ta bouche sur la langue. Je n'ai pas débandé depuis ton départ, malgré deux réunions et une téléconférence. C'est toi qui commandes, tu peux exiger de moi ce que tu veux.

— Laisse-moi réfléchir, murmurai-je.

Je le fis volontairement attendre, souriant en me remémorant le conseil de Cary : « Fais-le saliver jusqu'à ce qu'il n'en puisse plus. »

— Mmm... Rien ne me vient à l'esprit. Permets-moi de te donner un conseil amical. Tu devrais passer un moment avec l'une de ces femmes qui rampent à tes pieds et te donnent l'impression d'être un dieu vivant. La baiser jusqu'à ce que vous ne puissiez plus marcher ni l'un ni l'autre. Quand tu me reverras lundi, tu domineras tes envies et ta vie reprendra son cours obsessionnel compulsif habituel.

J'entendis un craquement à l'autre bout de la ligne et je l'imaginai en train de s'adosser à son fauteuil de direction.

— Eva, je laisse passer pour cette fois mais, la prochaine fois que tu t'aviseras d'insulter mon intelligence, tu auras droit à une bonne fessée.

— Ce n'est pas du tout mon truc.

Le ton sur lequel il m'avait mise en garde m'avait pourtant excitée. M. Noir Danger avait ce pouvoir-là sur moi.

— Nous en reparlerons. En attendant, dis-moi plutôt ce que tu aimes.

Je me levai.

— Tu as vraiment la voix qui convient pour faire l'amour par téléphone, mais je dois y aller. J'ai rendez-vous avec mon vibromasseur.

J'aurais dû raccrocher, histoire de lui clouer le bec en beauté. Pourtant, je fus incapable de résister à la tentation de vérifier si cette provocation avait produit l'effet escompté. Et puis, il fallait l'avouer, je m'amusais beaucoup.

— Eva, ronronna Cross, sa voix prenant une inflexion troublante, tu as décidé de me faire languir, c'est ça ? Comment te convaincre de m'inclure dans les jeux auxquels tu viens de faire allusion ?

J'ignorai ses deux questions et passai les bandoulières de mon sac et de ma sacoche sur mon épaule, heureuse qu'il ne puisse voir ma main trembler. Je n'étais pas en train de parler plaisir solitaire avec Gideon Cross. Absolument pas. Je n'avais encore jamais discuté ouvertement de masturbation avec un homme, alors un homme qui était pratiquement un inconnu...

— Une longue complicité m'unit à celui avec qui j'ai rendez-vous, déclarai-je. Chaque fois que nous nous séparons, nous savons très bien qui a été utilisé par l'autre. Et ce n'est pas moi. Bonne soirée, Gideon.

Je raccrochai et décidai de descendre les vingt étages à pied, autant pour éviter de le croiser dans l'ascenseur que pour remplacer une séance au gymnase.

J'étais tellement contente de rentrer chez moi que je franchis le seuil en dansant presque, façon comédie musicale.

— Que c'est bon de retrouver sa maison ! m'exclamai-je en pivotant sur moi-même après avoir refermé la porte.

Ce cri du cœur fit tressaillir les deux personnes qui se trouvaient sur le canapé.

— Heu... Salut, soufflai-je, gênée.

Cary et son invité n'étaient certes pas dans une position compromettante, mais ils étaient assis suffisamment près l'un de l'autre pour qu'on en déduise un certain degré d'intimité.

Je ne pus m'empêcher de penser à Gideon Cross, qui choisissait de dépouiller de toute intimité l'acte le plus intime qui soit. J'avais connu des aventures d'une nuit et il m'était arrivé d'entretenir des amitiés incluant des bénéfices annexes. Personne ne savait mieux que moi que baiser et faire l'amour sont deux choses différentes, cependant je doutais d'être un jour capable de considérer l'acte sexuel comme aussi anodin qu'une simple poignée de main. Je trouvais triste que Cross voie les choses ainsi, même si ce n'était pas le genre d'homme susceptible d'inspirer de la pitié ou de la compassion.

— Salut, baby girl, lança Cary en se levant. J'espérais que tu rentrerais avant le départ de Trey.

— J'ai cours dans une heure, expliqua Trey en contournant la table basse tandis que je me débarrassais de mes affaires. Mais je suis content d'avoir l'occasion de te rencontrer avant de partir.

— Moi aussi, répondis-je en serrant la main qu'il me tendait.

Il devait avoir à peu près mon âge. De taille moyenne, il avait des cheveux blonds ébouriffés, un doux regard noisette et son nez avait été visiblement cassé par le passé.

— Ça ne t'ennuie pas que je me serve un verre de vin ? demandai-je. J'ai eu une journée assez chargée.

— Je t'en prie, répondit Trey.

— J'en prendrais bien un aussi, annonça Cary en nous rejoignant devant le comptoir de la cuisine.

Il portait un jean noir taille basse et un pull noir dont l'encolure dégageait la naissance de ses épaules. Une tenue faussement négligée qui mettait en valeur le brun de ses cheveux et le vert émeraude de ses yeux.

Je m'approchai de la cave à vin et en sortis une bouteille au hasard.

Les mains dans les poches, Trey se mit à bavarder à voix basse avec Cary tandis que je débouchais la bouteille et remplissais deux verres.

Le téléphone sonna. Je décrochai le combiné mural.

— Allô ?

— Eva ? C'est Parker Smith.

— Bonsoir, Parker, répondis-je. Comment ça va ?

— J'espère que je ne vous dérange pas. J'ai eu votre numéro par votre beau-père, Richard Stanton.

Moi qui croyais en avoir fini avec Stanton pour aujourd'hui !

— Pas du tout. Que se passe-t-il ?

— Franchement, j'avoue que je vis un rêve éveillé. Votre beau-père va financer quelques améliorations au niveau de la sécurité dans la salle ainsi que des travaux d'aménagement qui devenaient urgents. D'où mon appel. La salle sera fermée jusqu'à la fin de la semaine et les cours ne reprendront que lundi prochain.

Je fermai les yeux, m'efforçant de tenir en bride mon exaspération. Ce n'était pas la faute de Parker si Stanton et ma mère étaient des monstres hyperprotecteurs qui voulaient tout contrôler. Apparemment, le ridicule de leur démarche leur avait échappé : ils cherchaient à me protéger dans un endroit rempli de gens qui pratiquaient des sports d'autodéfense.

— C'est noté. Je suis pressée de m'entraîner avec vous.

— Moi aussi, Eva. Cela dit, je vais vous mener la vie dure, je vous préviens. Vos parents ne regretteront pas leur investissement.

Je déposai un verre devant Cary et avalai une longue gorgée du mien. L'argent avait décidément le pouvoir d'acheter bien des choses, y compris la coopération. Encore une fois, je ne pouvais pas blâmer Parker.

— Je ne m'en plaindrai pas, assurai-je.

— On s'y mettra dès lundi. J'ai donné les horaires des cours à votre chauffeur.

— Parfait. À lundi prochain, alors.

Comme je raccrochais, je surpris le regard dont Trey couvait Cary, persuadé que ni lui ni moi ne le regardions. Un regard doux, empli d'un désir tendre, qui me rappela que mes problèmes pouvaient attendre.

— Désolée de te croiser sur le départ, Trey. Est-ce que tu aurais un peu de temps pour une pizza mercredi soir ? On en profiterait pour échanger autre chose qu'un bonjour-au revoir.

— Mercredi, j'ai cours, répondit-il à regret avant de lancer un regard de biais à Cary. Jeudi, en revanche, je suis libre...

— Super, déclarai-je en souriant. On pourrait se faire livrer des pizzas et regarder des films, qu'est-ce que tu en dis ?

— J'en dis que je trouve ça super.

Cary me récompensa de mon initiative en se tournant vers moi pour m'envoyer un baiser tandis qu'il raccompagnait Trey à la porte.

— Allez, vas-y, crache le morceau, fit-il en revenant dans la cuisine pour prendre son verre. Tu m'as l'air stressé.

— Je le suis, reconnus-je.

J'attrapai la bouteille et me dirigeai vers le salon.

— Gideon Cross en serait-il la cause ?

— Oh que oui ! Mais je n'ai pas envie de discuter de lui. Parlons plutôt de Trey et de toi. Où l'as-tu rencontré ?

— Sur un plateau. Il est assistant photographe à mi-temps. Il est sexy, non ? demanda-t-il, le regard brillant, l'air heureux. Et c'est un vrai gentleman.

— J'ignorais qu'il en restait encore, marmonnai-je avant de terminer mon verre.

— Qu'est-ce que c'est censé signifier ? demanda-t-il d'un ton pincé.

— Rien. Excuse-moi, Cary. Je l'ai trouvé très bien et tu lui plais visiblement beaucoup. Il étudie la photo ?

— Non, la médecine vétérinaire.

— La classe !

— Je trouve, oui. Bon, on oublie Trey deux minutes. Qu'est-ce qui te tracasse ? Raconte.

Je soupirai.

— Ma mère. Elle a découvert mon intérêt pour le krav maga et elle a complètement flippé.

— Quoi ? Comment l'a-t-elle appris ? Je te jure que je n'en ai parlé à personne !

— Je sais, Cary. Ça ne m'a même pas effleuré l'esprit, lui assurai-je en me resservant un verre. Tiens-toi bien, parce que c'est énorme : elle a fait mettre un traceur sur mon portable.

— Tu plaisantes ? s'exclama-t-il. Ça craint, non ?

— Un peu, oui. C'est ce que j'ai dit à Stanton. Évidemment, il ne veut rien entendre.

Il fourragea dans ses cheveux.

— Qu'est-ce que tu vas faire ?

— M'acheter un nouveau portable et rencontrer le Dr Petersen pour voir s'il peut faire entendre raison à ma mère.

— Bien joué. Refile le bébé à son psy. Et ton boulot, alors, quoi de neuf ? Il te plaît toujours autant ?

— Je l'adore, répondis-je en rejetant la tête contre les coussins du canapé. En ce moment, je ne tiens le coup que grâce à toi et au boulot.

— Et qu'en est-il de ce jeune et séduisant milliardaire qui rêve de te sauter ? Allez, Eva ! Tu sais que je meurs de curiosité. Qu'est-ce qui s'est passé ?

Je lui racontai tout, évidemment. J'étais curieuse d'avoir son point de vue. Une fois que j'eus terminé mon récit, il garda le silence. Intriguée, je relevai la tête et découvris qu'il se mordillait la lèvre inférieure, l'œil brillant.

— Cary ? À quoi tu penses ?

— Je crois que ton histoire m'a émoustillé, lâcha-t-il, avant d'éclater de rire.

La chaleur de son rire balaya une bonne partie de mon irritation.

— Il ne doit plus rien y comprendre, reprit-il. J'aurais voulu voir sa tête quand tu lui as dit que les fessées, c'est pas ton truc.

— Je n'en reviens toujours pas qu'il ait dit ça ! Tu crois que c'est un pervers ?

Au souvenir de la voix de Cross lorsqu'il avait proféré sa menace, mes mains devinrent si moites que de la buée se forma sur mon verre.

— En soi, les fessées n'ont rien de pervers, Eva. Et puis, il s'est allongé sur toi sur le canapé, preuve qu'il n'a rien contre les positions classiques.

Cary s'étira, le sourire aux lèvres.

— Tu représentes un énorme défi aux yeux d'un homme qui ne vit apparemment que pour ça. Il est prêt à faire des concessions pour t'avoir alors que je suis sûr que ce n'est pas du tout dans ses habitudes. Il ne te reste plus qu'à lui dire ce que tu veux.

Je remplis de nouveau nos verres, vaguement ragaillardie par la chaleur de l'alcool. Qu'est-ce que je voulais de Gideon Cross, au juste ? En dehors de ce qui était évident, bien sûr.

— On est totalement incompatibles.

— C'est parce que vous êtes incompatibles que tu as atterri avec lui sur son canapé ?

— Du calme, Cary, ne t'emballe pas. Ce type m'a aidée à me relever dans le hall, et ni une ni deux il m'a demandé de coucher avec lui. Voilà la vérité. Franchement, même quand je lève un type dans un bar, il y met davantage de formes. « Salut, comment tu t'appelles ? Tu viens souvent ici ? C'est qui le mec qui est avec toi ? Qu'est-ce que tu bois ? Tu danses ? Tu travailles dans le quartier ? »

— C'est bon, c'est bon, j'ai compris, s'écria-t-il en reposant son verre sur la table basse. Allez, viens, on sort ! On va danser jusqu'à ce qu'on ne tienne plus sur nos jambes. Peut-être même qu'on croisera des types qui auront envie de faire la causette avec toi...

— Ou au moins de me payer un verre.

— Je te rappelle que Cross t'a offert à boire dans son bureau.

— C'est ça, oui, marmonnai-je en me levant. Laisse-moi le temps de prendre une douche et on y va.

Je me jetai à corps perdu dans une étourdissante tournée des night-clubs, comme si ceux-ci étaient voués à disparaître le lendemain. J'en écumai je ne sais combien entre Tribeca et East Village, claquant un fric démentiel en droits d'entrée et m'amusant comme une folle avec Cary. Je dansai jusqu'à avoir l'impression que mes pieds allaient tomber en poussière, mais me forçai à continuer jusqu'à ce que Cary se plaigne de ses boots à talons.

Nous venions de quitter un club techno pop dans l'intention d'acheter des tongs dans une pharmacie quand nous croisâmes un aboyeur vantant les mérites d'un bar lounge situé à quelques rues de là.

— Super endroit pour se reposer les pieds, assura-t-il sans le sourire forcé ou le ton faussement branché qui caractérisent la plupart des aboyeurs.

Son jean et son col roulé noirs étaient d'une sobriété et d'une élégance inhabituelles, ce qui m'intrigua. Il ne distribuait ni flyers ni cartes postales. Il me tendit une carte de visite en papyrus imprimée en caractères dorés qui réfléchissaient la lumière. Cary, qui avait quelques verres d'avance sur moi, fixa la carte en clignant des yeux.

— C'est flashy, en tout cas.

— Sur présentation de cette carte vous ne paierez rien à l'entrée, assura l'aboyeur.

— Sympa, commenta Cary avant de glisser son bras sous le mien pour m'entraîner en direction dudit bar. Allons-y. Dans un endroit de ce genre, tu trouveras forcément un mec doré sur tranches.

Le temps qu'on trouve le lounge, mes pieds me faisaient mal à hurler. Je cessai de me plaindre quand je découvris la charmante porte d'entrée. La file d'attente, conséquente, s'étirait jusqu'au coin de la rue. La voix chaude d'Amy Winehouse s'échappait de la porte ouverte qui livrait passage à une clientèle élégante affichant des sourires ravis.

Comme promis, la carte que l'aboyeur nous avait remise était un sésame qui nous valut une entrée immédiate et gratuite. Une sublime hôtesse nous guida jusqu'au bar VIP, plus calme, qui surplombait la salle et le *dance floor*. Elle nous conduisit à une table jouxtant la rambarde, flanquée de deux sofas de velours en forme de croissants de lune.

— Les consommations sont offertes par la maison, annonça-t-elle en déposant la carte des boissons au centre de la table. Passez une bonne soirée.

— Le gros lot, déclara Cary après avoir laissé échapper un long sifflement.

— L'aboyeur a dû te reconnaître. Après tout, tu es une star de la pub désormais.

— Ça doit être ça. Vraiment, quelle super soirée ! Je sors avec ma meilleure amie et je viens de tomber amoureux de l'homme de ma vie.

— Oh ?

— Sérieux. J'aimerais voir jusqu'où ça ira avec Trey.

J'en fus heureuse. J'avais l'impression d'attendre depuis une éternité que Cary rencontre enfin quelqu'un de bien.

— Il t'a proposé de sortir avec lui ?

— Non, mais je crois que ce n'est pas l'envie qui lui manque.

Il lissa son tee-shirt artistement déchiré. Avec son pantalon de cuir noir et ses bracelets de force cloutés, il était très sexy, dans le genre rebelle.

— J'ai l'impression qu'il se pose des questions sur notre relation, enchaîna-t-il. Il a haussé les sourcils quand je lui ai dit que je vivais avec une femme et que j'avais traversé tout le pays pour être avec elle. Il doit avoir peur que je ne sois secrètement amoureux de toi. C'est pour ça que je voulais qu'il te croise ce soir – pour qu'il puisse constater de visu la nature de notre relation.

— Je suis désolée, Cary. Je ferai de mon mieux pour le mettre à l'aise de ce côté-là.

— Ce n'est pas ta faute. Ne t'inquiète pas, baby girl, si ça doit marcher avec Trey, les choses se feront d'elles-mêmes.

Mais je n'étais pas convaincue. J'étais en train de me triturer les méninges pour trouver le moyen de lui venir en aide quand deux types s'arrêtèrent devant notre table.

— On peut se joindre à vous ? demanda le plus grand.

Je jetai un coup d'œil à Cary, puis reportai le regard sur eux. Ils étaient séduisants et se ressemblaient comme des frères. Tous deux affichaient le même sourire confiant, la même attitude décontractée. Je m'apprêtais à leur répondre par l'affirmative quand une main se posa sur mon épaule et la pressa fermement.

— Celle-ci est prise.

En face de moi, Cary regarda avec des yeux ronds Gideon Cross contourner le sofa et lui tendre la main.

— Taylor. Gideon Cross.

— Cary Taylor, fit-il machinalement en lui serrant la main avec un sourire. Mais vous le saviez déjà. Content de vous rencontrer. J'ai beaucoup entendu parler de vous.

Je l'aurais tué. J'envisageai même très sérieusement de le faire.

— Heureux de l'apprendre, répondit Gideon en s'installant à côté de moi. Ça signifie que j'ai peut-être encore mes chances.

Je me tournai vivement vers lui.

— Qu'est-ce que tu fais là ? chuchotai-je, furieuse.

Il m'adressa un regard dur.

— N'importe quoi, pourvu que ça marche.

— Je vais danser, annonça Cary en se levant. À tout à l'heure, ajouta-t-il avec un sourire malicieux.

Ignorant mon regard suppliant, mon meilleur ami me souffla un baiser et s'éloigna, suivi des deux hommes qui nous avaient abordés. Je les regardai partir le cœur battant. Au bout d'une minute, feindre d'ignorer la présence de Gideon me parut aussi ridicule qu'impossible.

Je l'étudiai du coin de l'œil. En pantalon gris anthracite et pull noir à col en V, il oscillait entre décontraction et sophistication. J'aimais son allure, j'étais séduite par la douceur nouvelle qu'elle lui conférait, même si je savais qu'il s'agissait d'une illusion. Cet homme était dur, à tous points de vue.

Je pris une profonde inspiration ; il me semblait que je devais faire un effort pour m'entretenir avec lui. Après tout, ne lui avais-je pas reproché de vouloir brûler les étapes ?

— Tu es...

Je m'interrompis. *Fantastique, superbe, magnifique, terriblement sexy...*

— J'aime bien ton look, achevai-je lamentablement.

Il arqua un sourcil.

— Enfin quelque chose que tu aimes chez moi. C'est l'ensemble qui te plaît ? Ou juste les vêtements ? Le pull, peut-être ? Ou alors le pantalon ?

Son ton me hérissa.

— Que ferais-tu si je répondais que c'est juste le pull ?

— J'en achèterais une douzaine pour porter le même tous les jours.

— Ce serait dommage.

— Mon pull ne te plaît pas ?

Il parlait vite, d'une voix sèche. De toute évidence, il était de mauvaise humeur.

— Si, beaucoup, mais j'aime aussi tes costumes.

Il m'étudia une minute, puis hocha la tête.

— Comment s'est passé ton rendez-vous galant ?

Oh, non ! Je détournai les yeux et me tortillai sur mon siège, mortifiée. Il était bien plus facile de parler de masturbation au téléphone que sous ce regard perçant.

— Je ne parle jamais de mes histoires sentimentales.

Il effleura ma joue.

— Tu rougis, murmura-t-il.

— Tu viens souvent ici ?

Mon Dieu ! Comment avais-je pu proférer une telle platitude ?

Il posa la main sur l'une des miennes et replia les doigts au creux de ma paume.

— Quand c'est nécessaire.

Je me raidis, piquée par la jalousie. Je m'en voulus aussitôt, mais lui jetai pourtant un regard noir.

— Tu veux dire quand tu es en rut ?

Il éclata d'un rire si franc que j'en eus le souffle coupé.

— Quand de graves décisions s'imposent. Je suis propriétaire de ce club, Eva.

Évidemment. Quelle gourde !

Une serveuse déposa devant nous deux verres carrés remplis d'un breuvage rose où flottaient des glaçons, puis tourna les yeux vers Gideon, un sourire aguicheur aux lèvres.

— Deux Stoli Elit à la canneberge. Désirez-vous autre chose, monsieur Cross ?

— Ce sera tout pour l'instant. Merci.

Visiblement, cette fille ne demandait qu'à figurer sur la liste des orifices agréés de Gideon Cross et je me hérissai de nouveau, avant de reporter mon attention sur les verres qu'elle venait d'apporter. La Stolichnaya Elit au jus de canneberge était ma boisson préférée quand je passais la nuit en boîte – je n'avais d'ailleurs rien bu d'autre depuis le début de la soirée. Un frisson me parcourut. Je regardai Cross en prendre une gorgée, la savourer comme s'il s'agissait d'un grand cru, puis l'avaler. Le mouvement de sa pomme d'Adam me troubla, mais ce trouble fut infime comparé à celui qui s'empara de moi tandis qu'il me fixait d'un regard intense.

— Pas mal, commenta-t-il. Dis-moi si nous le préparons comme tu l'aimes.

Il m'embrassa. Son mouvement avait été rapide, pourtant j'avais eu le temps de l'anticiper et je ne m'étais pas détournée. Sa bouche était fraîche, avec une délicieuse saveur de vodka fruitée. Les émotions chaotiques qui tourbillonnaient en moi devinrent soudain impossibles à contenir. Je plongeai la main dans ses cheveux et la refermai pour l'immobiliser afin de sucer sa langue à ma guise. Le gémissement qui franchit ses lèvres était le son le plus érotique que j'aie jamais entendu ; il déclencha une série de spasmes traîtres entre mes cuisses.

Choquée par la violence de ma réaction, je m'écartai, le souffle court.

Gideon suivit le mouvement, son visage pressé contre ma joue, ses lèvres m'effleurant l'oreille. Lui aussi respirait vite, et le tintement des glaçons dans son verre attisa mes sens en feu.

— J'ai besoin d'être en toi, Eva, chuchota-t-il. J'en meurs d'envie.

Mon regard tomba sur mon verre, et une ribambelle de pensées tournoyèrent dans ma tête, grappe incohérente d'impressions, de souvenirs et de confusion.

— Comment as-tu su ?

La pointe de sa langue traça le contour de mon oreille, m'arrachant un frisson. C'était comme si chaque cellule de mon corps se tendait vers lui. Tenter de lui résister consumait une telle quantité d'énergie que cela se révélait épuisant.

— Su quoi ? demanda-t-il.

— Ce que j'aime boire ? Le nom de Cary ?

Il soupira profondément et reposa son verre. Du bout des doigts, il se mit à dessiner des cercles sur mon épaule.

— Ce soir, tu es passée dans d'autres clubs qui m'appartiennent. Ton nom est apparu sur le listing des paiements par carte bancaire ainsi que tes consommations. Et le nom de Cary Taylor figure sur le bail de location de ton appartement.

La salle se mit à tourner autour de moi. *Non...* Mon téléphone portable. Ma carte de crédit. Mon appartement. Je n'arrivais plus à respirer. Entre ma mère et Gideon, j'étouffais, je me sentais traquée.

— Eva, tu es blanche comme un linge, s'inquiéta-t-il. Bois, ajouta-t-il, me glissant mon verre dans la main.

Je vidai le contenu d'un trait.

— Tu es aussi propriétaire de l'immeuble où j'habite ? demandai-je d'une voix sans timbre.

— Par le plus grand des hasards, oui.

Il s'assit sur la table basse, en face de moi, les jambes de part et d'autre des miennes. Il me reprit mon verre, le posa de côté, puis serra mes mains glacées entre les siennes.

— Est-ce que tu es fou, Gideon ?

Il pinça les lèvres.

— Tu me poses cette question sérieusement ?

— Oui. Le plus sérieusement du monde. Ma mère aussi espionne chacun de mes faits et gestes, vois-tu. Et elle est suivie par un psy. Tu vois un psy ?

— Non. Je devrais peut-être l'envisager. Tu me rends dingue !

— Tu veux dire que tu ne te comportes pas ainsi habituellement ? Ou bien oui ?

Il se passa la main dans les cheveux pour remettre de l'ordre dans les mèches que j'avais décoiffées en l'embrassant.

— Je me suis contenté d'accéder à des informations que tu as mises à ma disposition.

— Pas à toi personnellement ! Pas pour en faire l'usage que tu en as fait ! Je suis sûre que c'est une atteinte à la vie privée passible d'une condamnation. Pourquoi as-tu fait une chose pareille ? articulai-je en le fixant, plus perdue que jamais.

Il eut la bonne grâce de paraître mécontent.

— Pour savoir qui tu étais, nom de Dieu !

— Pourquoi ne me l'as-tu pas demandé, tout simplement, Gideon ? C'est donc si difficile ?

— Avec toi, oui, répliqua-t-il avant de récupérer son verre qu'il vida d'un trait. Je n'arrive pas à te voir seule plus de cinq minutes.

— Évidemment ! Quand tu m'adresses la parole, c'est uniquement pour me demander ce qu'il faut que tu fasses pour coucher avec moi !

— Bon sang, Eva ! siffla-t-il en me serrant la main. Baisse le ton !

J'étudiai son visage avec attention. J'étais fascinée par ses traits. Je commençais à me dire que jamais je ne cesserais d'être éblouie par son physique.

Et je n'étais pas la seule ; j'avais vu la façon dont les femmes le dévisageaient. Sans compter qu'il était scandaleusement riche, ce qui suffit d'ordinaire à rendre séduisant un vieux type chauve et bedonnant.

Rien d'étonnant dans ces conditions qu'il soit habitué à claquer des doigts quand l'envie lui prenait de s'envoyer en l'air.

— Pourquoi me regardes-tu ainsi ? voulut-il savoir.

— Je réfléchis.

— À quoi ? Et je te préviens, enchaîna-t-il, la mâchoire crispée, que si tu t'avises de me parler d'orifices agréés ou d'émissions séminales, je ne pourrai être tenu pour responsable de mes actes.

Je faillis sourire.

— J'aimerais comprendre quelques petites choses, parce qu'il se pourrait que je ne sois pas en mesure de t'apprécier à ta juste valeur.

— J'aimerais comprendre quelques petites choses, moi aussi, marmonna-t-il.

— J'imagine que ta technique d'approche pour le moins directe t'a valu de nombreux succès.

Son visage se transforma en un masque impassible totalement indéchiffrable.

— Je refuse de m'engager sur ce terrain-là, Eva.

— D'accord. Tu m'as dit vouloir découvrir ce qu'il te faut faire pour coucher avec moi, continuai-je. Est-ce la raison de ta présence ici ce soir ? Et ne réponds pas ce que tu crois que j'ai envie d'entendre.

— Je suis ici à cause de toi, oui, reconnut-il en me regardant droit dans les yeux. J'ai tout arrangé.

Voilà qui expliquait la tenue inhabituelle de l'aboyeur qui nous avait vanté ce bar. Cary et moi avions tout simplement été repérés par un employé de Cross Industries chargé de nous aiguiller dans la bonne direction.

— Tu te figurais que m'attirer ici te permettrait de coucher avec moi ?

Il réprima un sourire amusé.

— L'espoir fait vivre, mais je suis lucide. Je me doutais qu'une rencontre de hasard ne suffirait pas.

— Bien vu. Pourquoi ne pas avoir attendu lundi midi, dans ce cas ?

— Parce que tu es en chasse. Je ne peux pas empêcher tes rendez-vous avec ton vibromasseur, mais je peux t'empêcher de lever le premier imbécile venu. Je sais ce que tu cherches, Eva. Et je suis là.

— Je ne suis pas en chasse, rétorquai-je. J'évacue la tension après une journée stressante.

— Tu n'es pas la seule, répondit-il en jouant avec l'un de mes pendants d'oreilles. Ainsi, quand tu es tendue, tu bois et tu danses. Moi, je m'attaque au problème qui fait que je suis tendu.

Sa voix s'était adoucie, et je sentis un élan de désir alarmant prendre naissance au creux de mon ventre.

— C'est ce que je suis pour toi ? Un problème ?

— Absolument, répondit-il, une lueur moqueuse dans les yeux.

Je savais que c'était pour cette raison que je l'attirais autant. Gideon Cross n'en serait pas où il en était à son âge s'il ne s'était pas battu comme un lion pour obtenir ce qu'il voulait.

— Pour toi, que signifie sortir avec une femme ?

Un pli vertical se creusa entre ses sourcils.

— Du temps passé en société qui n'est pas consacré à baiser activement.

— Tu n'apprécies pas la compagnie des femmes ?

Entre ses sourcils, le pli s'accentua.

— Si, dès lors qu'elles n'ont pas d'attentes excessives quant au temps que je suis disposé à leur accorder. J'ai découvert que la meilleure façon d'éviter cet écueil consiste à établir une cloison étanche entre relations sexuelles et relations amicales.

Les « attentes excessives » étaient apparemment l'une des principales pierres d'achoppement chez Gideon Cross.

— Comptes-tu des femmes parmi tes amis ?

— Bien sûr, répondit-il en resserrant les jambes, emprisonnant les miennes. Où veux-tu en venir au juste ?

— Tu sépares la sexualité du reste de ta vie. De l'amitié, du travail... de tout.

— J'ai de bonnes raisons pour cela.

— Sans doute, oui... Écoute, voilà ce que je pense, commençai-je, et ce n'était pas facile de penser alors qu'il était si proche de moi. Je t'ai dit que je ne cherchais pas de relation amoureuse, et c'est vrai. Mon travail est ma priorité, et ma vie privée – en tant que femme célibataire – arrive tout de suite après. Je ne veux sacrifier aucun de ces deux volets à une relation, et je n'ai absolument pas le temps d'envisager quoi que ce soit de sérieux.

— On est tous les deux dans le même cas.

— Mais je veux avoir une vie sexuelle, poursuivis-je.

— Génial. Couche avec moi, proposa-t-il avec un sourire qui constituait à lui seul une invitation érotique.

Je lui effleurai l'épaule.

— J'ai besoin d'établir un lien personnel avant d'envisager de coucher avec un homme. Pas forcément quelque chose d'intense ou de profond. Mais si une relation sexuelle s'apparente à une transaction impersonnelle, je me sens flouée.

— Pourquoi ?

Ce n'était pas là une question de pure forme. Si bizarre que cette conversation lui parût, Gideon la prenait au sérieux.

— Disons que c'est une de mes particularités. Et je ne dis pas ça à la légère. J'ai horreur de me sentir sexuellement utilisée. C'est humiliant.

— Tu ne pourrais pas envisager l'inverse ? M'utiliser au lieu d'être utilisée ?

— Impossible avec quelqu'un comme toi.

89

Une lueur prédatrice s'alluma dans son regard.

— De toute façon, m'empressai-je d'ajouter, le problème n'est pas là. J'ai besoin d'être sur un pied d'égalité en matière de relations sexuelles. Ou d'avoir le dessus.

— D'accord.

— D'accord ? Je trouve que tu approuves un peu vite étant donné que je viens de poser deux conditions que tu t'efforces si âprement d'éviter de réunir.

— Je ne suis pas à l'aise avec ça et je ne prétends pas comprendre, mais je t'entends, et je conçois que ça pose problème. Explique-moi comment contourner la difficulté.

J'en eus le souffle coupé. Je ne m'étais pas attendue à une telle ténacité. Cet homme-là ne voulait pas de complications dans sa vie sexuelle et je trouvais, quant à moi, toute relation sexuelle compliquée, pourtant il ne lâchait pas prise. Pas encore.

— Il faut qu'on devienne amis, Gideon. Peut-être pas les meilleurs amis du monde ni même des confidents, mais des personnes qui connaissent davantage de l'autre que son anatomie. Ça implique de passer du temps ensemble quand nous ne baisons pas activement. Et je crains que nous ne soyons amenés à fréquenter des endroits où nous serons contraints de nous contenir.

— N'est-ce pas ce que nous sommes en train de faire ?

— Si. J'avoue que je ne t'en aurais pas cru capable. Tu aurais dû utiliser des moyens un peu moins détournés – je couvris sa bouche de mes doigts comme il faisait mine de m'interrompre –, mais je reconnais que tu as fait en sorte que nous puissions parler et que je ne me suis pas montrée très coopérative.

Il me mordilla les doigts. Je poussai un glapissement de surprise et écartai la main.

— Hé ! Qu'est-ce que j'ai fait pour mériter ça ?

Il m'attrapa la main, la porta à ses lèvres et déposa un baiser sur le doigt qu'il venait de mordre avant d'y passer la langue. Sensuellement.

Je me libérai en hâte. Je n'étais pas certaine que nous ayons résolu tous les problèmes.

— Et pour que tu saches qu'il n'y a pas d'attentes excessives de ma part, je tiens à préciser que, lorsque nous serons ensemble sans baiser, je ne penserai pas qu'il s'agit là d'une relation privilégiée. D'accord ?

— Je crois que nous avons fait le tour de la question.

Gideon sourit, et ma décision de passer du temps avec lui prit corps dans mon esprit. Son sourire était comme un éclair dans les ténèbres, aveuglant, fascinant et mystérieux, et j'avais tellement envie de lui que c'en était physiquement douloureux.

Ses mains glissèrent sous mes cuisses. Il les pressa doucement et m'attira vers lui. L'ourlet de ma robe bustier remonta de façon presque indécente et son regard se braqua sur la chair qu'il venait d'exposer. Il s'humecta les lèvres de manière si suggestive que j'eus l'impression d'en sentir la caresse sur ma peau.

Depuis le *dance floor*, la voix de Duffy implorait la pitié. Une douleur malvenue se déploya dans ma poitrine, que je frottai dans l'espoir de la dissiper.

J'avais déjà bu plus que de raison, pourtant je m'entendis déclarer :

— J'ai besoin d'un autre verre.

5

Le samedi matin, j'accueillis ma gueule de bois comme une punition bien méritée. J'avais beau en vouloir à Gideon de son insistance à négocier une relation sexuelle avec autant de passion que s'il s'était agi d'une fusion d'entreprises, au bout du compte, j'en avais fait autant. Parce que j'avais suffisamment envie de lui pour prendre un risque calculé et briser mes propres règles.

Savoir que lui aussi brisait quelques-uns de ses principes me réconfortait.

Après une longue douche brûlante, je passai au salon et trouvai Cary, frais et dispos, installé sur le canapé en compagnie de son ordinateur. L'arôme du café frais m'attira dans la cuisine et j'en remplis le plus grand mug que je puisse trouver.

— Bonjour, petit rayon de soleil, lança Cary.

Les mains refermées sur ma dose de caféine, ô combien nécessaire, je le rejoignis sur le canapé.

Il désigna un paquet posé sur la table basse.

— C'est arrivé pour toi pendant que tu étais sous la douche.

Je posai mon mug et m'emparai du paquet. Il était enveloppé dans du papier kraft et entouré d'une ficelle. Mon nom écrit à la main s'étalait en diagonale sur le dessus, artistiquement calligraphié. Je découvris à l'intérieur un flacon de verre ambré sur lequel était inscrit *Remède contre la gueule de bois* ; une petite étiquette attachée au goulot avec un brin de raphia portait les mots *Bois-moi*. La carte de visite de Gideon Cross était nichée parmi les épaisseurs de papier de soie qui protégeaient le flacon.

Je dus admettre que ce cadeau était on ne peut plus adapté à la situation. Depuis que j'avais fait la connaissance de Gideon Cross, j'avais l'impression d'être tombée au fond du terrier du lapin d'Alice et de découvrir un monde séduisant dans lequel les règles ordinaires ne s'appliquaient plus. J'évoluais en territoire inconnu et cela m'inspirait une excitation mêlée de crainte.

Je jetai un coup d'œil à Cary qui observait le flacon d'un air dubitatif.

— Santé ! fis-je.

J'ôtai le bouchon et bus le contenu du flacon sans la moindre hésitation. Le breuvage avait la saveur douceâtre d'un sirop contre la toux. Je frémis de dégoût, puis je m'essuyai la bouche d'un revers de main et rebouchai le flacon vide.

— Qu'est-ce que c'était ? s'enquit Cary.

— Vu comme ça brûle, je dirais que c'était le verre d'alcool destiné à faire passer la gueule de bois.

Il fit la grimace.

— Désagréable, mais efficace.

Très efficace, même. La potion magique commençait à faire effet et je me sentais déjà un peu plus d'aplomb.

Cary attrapa le paquet et sortit la carte de visite. Il la retourna, puis me la tendit. Au dos, Gideon avait tracé au stylo plume noir les mots *Appelle-moi*, suivis d'un numéro de téléphone.

Son cadeau était la preuve qu'il pensait à moi. Sa ténacité et son intérêt me séduisaient et me flattaient.

Impossible de le nier, Gideon représentait un vrai danger. J'adorais ce que je ressentais lorsqu'il me touchait, et j'adorais sa façon de réagir lorsque je le touchais. Quand j'essayais de dresser la liste de ce que je refuserais de faire pour sentir de nouveau ses mains sur moi, celle-ci s'avérait extrêmement réduite.

Cary s'apprêtait à me tendre le téléphone. Je secouai la tête.

— Pas tout de suite. J'ai besoin d'avoir les idées claires pour parler avec lui, et je suis encore un peu vaseuse.

— Vous aviez l'air de bien vous entendre, hier soir. Il est complètement mordu.

— Je le suis tout autant, avouai-je en me lovant sur le canapé, la joue appuyée au dossier, les genoux repliés contre ma poitrine. On a décidé de prendre du temps pour apprendre à se connaître, et de coucher ensemble tout en demeurant indépendants. Pas de liens, pas d'attentes, pas de responsabilités.

Cary pressa une touche de son ordinateur et, à l'autre bout de la pièce, l'imprimante commença à recracher des pages. Il rabattit le couvercle de son portable, le posa sur la table basse et m'accorda toute son attention.

— Ça débouchera peut-être sur quelque chose de sérieux.

— Ou peut-être pas, raillai-je.

— Cynique.

— Je ne cherche pas l'homme de ma vie, Cary. Et surtout pas quand j'ai affaire à un type de la trempe de Gideon Cross. Je n'ai qu'à regarder ma mère si je veux avoir une idée de ce qu'est la vie d'une femme mariée à un homme riche et puissant. C'est un travail à plein temps avec un compagnon à temps partiel. L'argent fait le bonheur de ma mère, mais il ne suffira pas à faire le mien.

Mon père avait aimé ma mère. Il lui avait demandé de l'épouser et de partager sa vie. Elle avait refusé parce qu'il n'avait pas le carnet d'adresses et le compte en banque requis. Selon les critères de Monica Tramell, l'amour n'était pas une condition nécessaire au mariage et, étant donné le pouvoir d'attraction de son regard brumeux et de sa voix sexy sur les hommes, elle n'avait jamais eu la moindre raison de revoir ses ambitions à la baisse.

Un coup d'œil à la pendule m'apprit qu'il était déjà 10 h 30.

— Je ferais bien de me préparer.

— J'adore passer la journée au spa avec ta mère, déclara Cary avec un sourire qui chassa les ombres qui risquaient de ternir mon humeur. J'ai l'impression d'être un dieu quand je ressors de là.

— Moi aussi. La déesse de la persuasion.

Nous étions tellement pressés que nous descendîmes attendre la voiture devant l'immeuble.

Le portier sourit en nous voyant – moi en sandales à talons et robe maxi, Cary en jean et tee-shirt à manches longues.

— Bonjour, mademoiselle Tramell. Monsieur Taylor. Souhaitez-vous un taxi ?

— Non, merci, Paul. Nous attendons une voiture, répondit Cary. Journée de spa chez Perrini !

— Ah ! Une journée de spa chez Perrini ! soupira Paul en hochant gravement la tête. J'en ai offert une à ma femme pour notre anniversaire de mariage et elle a été tellement emballée que j'ai décidé de le faire régulièrement.

— Vous avez eu raison, Paul, déclarai-je. Choyer une femme ne passera jamais de mode.

Une limousine noire s'arrêta devant la marquise, Clancy au volant. Paul nous ouvrit la portière arrière et nous nous engouffrâmes à l'intérieur. La vue de la boîte de chez Knipschildt, déposée à notre intention sur la banquette, nous tira des glapissements de joie. Après un signe de la main à Paul, nous nous ruâmes sur les truffes au chocolat que nous savourâmes dans un silence religieux.

Clancy nous conduisit directement chez Perrini où la relaxation débutait sitôt le seuil franchi. Nous nous retrouvâmes instantanément projetés dans un décor idyllique de rideaux de soie à rayures, de portes en arc brisé, de chaises graciles et d'immenses fauteuils ornés de coussins rehaussés de sequins.

Des oiseaux gazouillaient dans des cages dorées et d'immenses plantes vertes déployaient leur feuillage luxuriant un peu partout. Frais et dépaysant, le chuchotement liquide qui s'élevait de petites fontaines décoratives formait un élégant contrepoint au son harmonieux d'une harpe diffusé par des haut-parleurs habilement dissimulés. Un envoûtant mélange d'épices et de fragrances exotiques parachevait l'impression de pénétrer dans un palais des Mille et Une Nuits.

On frisait l'extravagance, l'outrance, sans toutefois en franchir la limite. Chez Perrini, l'ambiance se voulait luxueuse et exotique ; elle garantissait à ceux qui en avaient les moyens qu'ils seraient choyés comme des hôtes de marque. Ma mère faisait partie de ceux-là, et elle venait tout juste d'émerger d'un bain de lait et de miel lorsque nous la rejoignîmes.

J'étudiai la carte des soins dispensés par l'établissement et optai pour le « séduction intégrale ». Je m'étais épilée à la cire la semaine précédente, mais le reste du soin « conçu pour vous rendre sexuellement irrésistible » me parut parfaitement adapté.

Je commençais à me détendre et à évacuer le stress de la semaine qui venait de s'écouler quand la voix de Cary s'éleva du fauteuil de pédicure jouxtant le mien.

— Est-ce que vous avez déjà rencontré Gideon Cross, madame Stanton ?

Je tournai la tête vers lui, médusée. Cary savait très bien que ma mère devenait complètement hystérique dès qu'il était question de mes relations sentimentales – ou plutôt totalement dénuées de sentiment en ce qui concernait Gideon Cross.

Ma mère, qui occupait l'autre siège voisin du mien, se pencha vers Cary, adoptant instantanément l'expression mutine et enjouée qui était la sienne dès qu'il était question d'un homme fortuné et beau.

— Bien sûr. C'est un des hommes les plus riches du monde. Vingt-cinquième au classement Forbes si je ne m'abuse. Un jeune homme entreprenant et dynamique, à l'évidence, et un généreux donateur envers plusieurs œuvres que je parraine – celles qui concernent la protection de l'enfance, tout particulièrement. Un excellent parti, ça va sans dire, mais je doute qu'il soit gay, Cary. Cross a une réputation d'homme à femmes.

— Dommage, répondit Cary, ignorant ostensiblement les signaux de détresse que je m'efforçais de lui adresser. De toute façon, ç'aurait été sans espoir vu qu'il s'intéresse à Eva.

— Eva ! Je ne peux pas croire que tu ne m'aies rien dit ! Comment as-tu pu me cacher une chose pareille ?

Je regardai ma mère, dont le visage fraîchement exfolié et exempt de rides ressemblait tant au mien. J'étais sa digne fille, jusqu'à mon nom de famille. La seule concession qu'elle eût accepté de faire pour mon père avait été de me donner le prénom de ma grand-mère paternelle.

— Il n'y a rien à dire, répliquai-je. On est simplement... amis.

— Excellent point de départ, répliqua ma mère avec une lueur calculatrice dans les yeux qui me fit froid dans le dos. Comment ai-je pu passer à côté du fait que tu travailles au Crossfire ! Je suis sûre qu'il s'est entiché de toi au premier regard. Quoiqu'il ait la réputation de préférer les brunes... Mais peu importe. Il est aussi réputé pour son bon goût. De toute évidence, il aura suffi qu'il te voie pour oublier cette préférence ridicule.

— Ce n'est pas du tout cela. Ne mélange pas tout, s'il te plaît, maman. Je vais finir par me sentir gênée.

— Taratata. Si quelqu'un s'y connaît en matière d'hommes, c'est bien moi.

J'eus un mouvement de recul. J'avais envie de rentrer sous terre, et ce fut avec un grand soulagement que j'accueillis le moment de passer dans la salle de massage. Je m'allongeai sur la table, fermai les yeux, pressée de m'offrir l'indispensable sieste qui me permettrait de survivre à la longue soirée qui s'annonçait.

Comme n'importe quelle fille, j'adore me pomponner et m'habiller, mais les soirées caritatives sont particulièrement éprouvantes. Il faut sourire en permanence, discuter de tout et de rien, et feindre de s'intéresser à des conversations où il est question d'affaires et de gens qu'on ne connaît pas. Si ce genre d'apparitions n'avait été aussi bénéfique à la carrière de Cary, j'aurais renâclé à y assister.

Je soupirai. Qui essayais-je de berner ? J'y serais allée de toute façon. Ma mère et Stanton soutenaient activement la cause des enfants victimes d'abus sexuels et de maltraitance parce que c'était important pour moi. Assister à une soirée de bienfaisance une fois de temps en temps était un bien faible prix à payer en retour.

J'inspirai longuement pour me détendre et pris mentalement note d'appeler mon père en rentrant et d'adresser un mot de remerciement à Gideon pour son remède contre la gueule de bois. Je pouvais sans doute le faire par mail, mais je trouvais que cela manquait de classe. En outre, je ne disposais que de son adresse professionnelle et j'ignorais qui était chargé de lire ses messages.

Je décidai finalement de lui téléphoner. Pourquoi pas, après tout ? Il me l'avait demandé – non, il l'avait exigé. Les mots qu'il avait tracés au dos de sa carte constituaient un ordre. Et puis cela me permettrait d'entendre sa voix...

La porte s'ouvrit, livrant passage à la masseuse.

— Bonjour, Eva. Vous êtes prête ?

Pas tout à fait, mais je sentais que cela venait.

Après plusieurs heures délicieuses au spa, Cary et ma mère me déposèrent à l'appartement avant de se mettre en quête d'une nouvelle paire de boutons de manchettes pour Stanton. Je mis à profit ce moment de solitude pour appeler Gideon. Bien que ne craignant pas d'être dérangée, je dus m'y reprendre à trois fois avant de composer correctement son numéro de téléphone.

Il répondit dès la première sonnerie.

— Bonjour, Eva.

Je ne m'attendais absolument pas qu'il devine que c'était moi qui l'appelais et demeurai un instant sans voix. Comment mon nom et mon numéro de téléphone pouvaient-ils figurer dans sa liste de contacts ?

— Heu… Bonjour, Gideon.

— Je suis à deux pas de chez toi. Préviens la réception que j'arrive.

— Quoi ? demandai-je, avec l'impression d'avoir raté une partie de la conversation. Que tu arrives où ?

— Chez toi. Je viens de tourner le coin de ta rue. Appelle la réception, Eva.

Il raccrocha et je contemplai le combiné en essayant d'intégrer le fait que Gideon serait là dans quelques instants. Encore abasourdie, j'allai jusqu'à l'interphone pour prévenir de son arrivée et le réceptionniste m'annonça qu'il venait justement d'entrer dans le hall. Quelques instants plus tard, il sonnait à ma porte.

Je réalisai alors que je ne portais qu'un court peignoir de soie et que j'étais déjà coiffée et maquillée pour le dîner de bienfaisance. Qu'allait-il imaginer en me découvrant dans cette tenue ?

Je resserrai la ceinture de mon peignoir avant de lui ouvrir, me disant qu'après tout ce n'était pas comme si je l'avais invité.

Gideon s'immobilisa dans l'entrée et m'inspecta longuement de la tête aux ongles manucurés de mes pieds nus. Je fus autant saisie par son apparence que lui par la mienne. Il portait un jean délavé et un tee-shirt.

— Je ne regrette pas d'être passé te voir, Eva, déclara-t-il finalement. Comment te sens-tu ?

— Bien. Grâce à toi. Je te remercie, répondis-je, troublée par sa proximité. J'imagine que tu n'es pas venu pour prendre de mes nouvelles.

— Je suis venu parce que tu as mis trop de temps à m'appeler.

— J'ignorais que je ne disposais que d'un temps limité.

— J'ai quelque chose d'urgent à te demander, mais avant tout je veux savoir comment tu te sens après la nuit dernière, déclara-t-il en me caressant du regard. Mon Dieu, Eva, tu es resplendissante ! Je ne me souviens pas d'avoir jamais désiré quelqu'un à ce point.

Ces quelques mots suffirent à me mettre en transe et je me sentis soudain extrêmement vulnérable.

— Qu'avais-tu de si urgent à me demander ?

— Accompagne-moi au dîner de bienfaisance ce soir.

Je reculai, tout à la fois surprise et excitée par sa requête.

— Tu y vas ?

— Toi aussi. J'ai vérifié, sachant que ta mère y serait. Allons-y ensemble.

Je portai la main à ma gorge, partagée entre le malaise que suscitait l'étendue de ses informations à mon sujet et l'inquiétude que m'inspirait sa demande.

— Ce n'est pas à ça que je pensais quand j'ai dit que nous devrions passer du temps ensemble.

— Pourquoi pas ? demanda-t-il, et je perçus une pointe de défi dans son ton. Quel problème y a-t-il à se rendre ensemble à un événement auquel nous avions de toute façon l'intention d'assister séparément ?

— Ce n'est pas très discret. C'est un événement prestigieux.

— Et alors ? fit Gideon, qui se rapprocha de moi et se mit à jouer avec une mèche de mes cheveux.

Sa voix mélodieuse m'arracha un frémissement. À en juger par la façon dont mon corps réagissait à la chaleur du sien, au parfum de sa peau, il était évident que j'étais à deux doigts de succomber à son charme.

— Les gens en tireront des conclusions – ma mère en particulier. Son flair de squale a déjà repéré l'odeur de ton sang de célibataire.

Inclinant la tête, Gideon pressa les lèvres au creux de mon cou.

— Je me moque de ce que pensent les gens. On sait ce qu'on fait, toi et moi. Quant à ta mère, j'en fais mon affaire.

— Si tu crois que c'est possible, répondis-je d'une voix haletante, c'est que tu ne la connais pas.

— Je passerai te prendre à 19 heures.

La pointe de sa langue suivit la veine qui palpitait follement dans mon cou, et je me laissai aller contre lui sans résister quand il m'attira à lui.

Je parvins tout de même à articuler :

— Je n'ai pas dit oui.

— Mais tu ne diras pas non, répliqua-t-il avant de me mordiller délicatement le lobe de l'oreille. Je ne te le permettrai pas.

J'ouvris la bouche pour protester, mais ses lèvres se plaquèrent sur les miennes et il me réduisit au silence d'un long baiser sensuel. Sa langue caressa la mienne avec une lenteur si exquise que j'eus instantanément envie de la sentir en faire autant entre mes cuisses. J'enfouis les mains dans ses cheveux. Quand il m'enlaça, mes reins se creusèrent sous ses paumes.

Comme la veille dans son bureau, je me retrouvai allongée sur le canapé avant d'avoir compris ce qui se passait ; mon cri de surprise se perdit dans sa bouche. Mon peignoir céda aisément le passage à ses doigts experts et ses mains recouvrirent mes seins qu'il se mit à pétrir doucement.

— Gideon...

— Chut...

Il aspira ma lèvre inférieure tout en faisant rouler les pointes de mes seins entre ses doigts.

— Ça me rendait fou de te savoir nue sous ce peignoir.

— Tu es passé sans prév... Ô mon Dieu !

Sa bouche venait de se refermer sur la pointe durcie d'un de mes seins, et l'onde de chaleur qui me submergea fut telle qu'un voile de transpiration emperla ma peau.

Je cherchai frénétiquement la pendule du regard.

— Gideon, non !

Il releva la tête ; ses yeux avaient la couleur d'un ciel d'orage.

— C'est de la folie, je sais. Je ne comprends pas... je ne peux pas l'expliquer, Eva, mais il faut que je te fasse jouir. Je ne pense qu'à ça depuis des jours.

Il insinua la main entre mes cuisses. Elles s'écartèrent spontanément, sans la moindre pudeur. J'étais si excitée, mon corps était si brûlant que j'avais l'impression d'avoir de la fièvre. Son autre main continuait de me palper les seins, qui me paraissaient lourds, soudain, et insupportablement sensibles.

— Tu es toute moite, murmura-t-il tandis que son regard glissait jusqu'à l'endroit où ses doigts m'exploraient. Tu es très jolie, là aussi. Toute douce et rose. Tu ne t'es pas épilée aujourd'hui, n'est-ce pas ?

Je secouai la tête.

— Dieu merci. Je n'aurais pas pu rester dix minutes sans te toucher, alors dix heures...

Il inséra délicatement un doigt en moi.

Je fermai les yeux. Difficile de ne pas éprouver un sentiment de vulnérabilité lorsqu'on se retrouvait à demi nue, offerte au regard et aux caresses intimes d'un homme dont la familiarité avec les règles de l'épilation brésilienne trahissait une connaissance approfondie des femmes. Un homme qui était toujours entièrement habillé et qui, agenouillé sur le sol près de moi, faisait aller et venir doucement son doigt en moi.

— Tu es très étroite, commenta-t-il.

Les muscles de mon vagin se contractèrent impatiemment.

— Très avide aussi, sourit-il. Ça fait longtemps que tu n'as pas eu de rapports ?

Je déglutis péniblement.

— J'ai eu beaucoup de choses à faire. Ma thèse, chercher du travail, déménager...

— Longtemps, conclut-il.

Lorsqu'il ajouta un deuxième doigt en moi, je laissai échapper un gémissement de plaisir. Cet homme savait se servir de ses mains, aucun doute.

— Tu prends la pilule, Eva ?

— Oui, répondis-je en m'agrippant des deux mains aux coussins du canapé. Bien sûr.

— Je te prouverai que je n'ai rien à me reprocher, tu en feras autant, et tu me laisseras jouir en toi.

— Gideon... haletai-je en ondulant des hanches pour accompagner le mouvement de ses doigts.

S'il ne me faisait pas jouir sur-le-champ, c'était la combustion spontanée assurée. De ma vie je n'avais ressenti une telle excitation. Le besoin d'atteindre l'orgasme me rendait presque folle. Si Cary était rentré à ce moment-là et m'avait découverte en train de me tortiller sur le canapé, les doigts de Gideon entre les cuisses, je crois que je ne m'en serais pas souciée.

Le souffle de Gideon s'était accéléré, et son visage était empourpré de désir. Pour moi. Alors que je n'avais rien fait d'autre que répondre à ses caresses.

Sa main quitta mon sein pour venir m'effleurer la joue.

— Tu rougis. Je t'ai choquée.

— Oui.

Son sourire à la fois ravi et taquin me serra le cœur.

— Je veux sentir mon sperme en toi quand je te caresserai avec les doigts. Je veux que tu sentes mon sperme, et que tu te rappelles ensuite comment j'étais lorsque je t'ai pilonnée et que j'ai déchargé en toi. Tu y repenseras, et tu seras impatiente que je recommence, encore et encore.

Mon sexe se contracta violemment autour de ses doigts, la crudité de ses paroles m'ayant propulsée d'un seul coup au seuil de l'orgasme.

— Je te dirai de quelles façons je veux que tu me fasses jouir, Eva, et tu feras tout ce que je te demanderai... tu accepteras tout de moi. Ce sera explosif, primaire, sans aucune retenue. Tu le sais, n'est-ce pas ? Tu sens comment ce sera entre nous ?

— Oui, haletai-je, plaquant les mains sur mes seins dont les pointes durcies étaient à présent douloureuses. S'il te plaît, Gideon...

— Tout va bien, souffla-t-il, son pouce dessinant des cercles légers sur mon clitoris. Je veux que tu me regardes dans les yeux quand tu jouiras pour moi.

Tendu comme un arc, mon corps entier se mit à vibrer au rythme lent et régulier du massage de son pouce accompagné du savant va-et-vient de ses doigts.

— Donne-moi ton plaisir, Eva, exigea-t-il. Tout de suite.

Je jouis avec un cri ténu, les mains fermement agrippées aux coussins, les hanches se soulevant contre sa main, l'esprit libre de tout sentiment de honte ou de timidité. Mon regard était rivé au sien et je fus incapable de détourner les yeux, subjuguée que j'étais par la lueur de triomphe viril qui flamboyait dans ses pupilles. À cet instant précis, il me possédait complètement. J'étais prête à faire tout ce qu'il voulait. Et il le savait.

Le plaisir palpitait en moi à un rythme vif et soutenu. Un puissant afflux sanguin rugit à mes tympans ; je crus l'entendre parler d'une voix voilée, mais je ne cherchai même pas à comprendre ce qu'il disait car il avait calé l'une de mes jambes sur le dossier du canapé et recouvert mon sexe de sa bouche.

— Non... protestai-je en repoussant sa tête des deux mains. Je ne peux pas.

C'était trop tôt... Pourtant, quand sa langue frôla mon clitoris, je sentis mon désir renaître. Plus intense encore que la première fois. La pointe de sa langue taquina le pourtour de ma fente, me torturant avec la promesse d'un nouvel orgasme alors que je me savais incapable d'en enchaîner deux aussi rapidement.

Lorsque sa langue plongea en moi, je me mordis la lèvre pour retenir un cri. Je jouis de nouveau, tremblant violemment de la tête aux pieds, ma chair intime se contractant en réponse à ses caresses. Je n'eus pas la force de le repousser quand sa bouche revint sur mon clitoris pour le sucer doucement... infatigablement... jusqu'à ce que je jouisse encore une fois en criant son nom.

J'étais complètement inerte quand il replaça ma jambe sur le canapé, et à bout de souffle lorsqu'il déposa une pluie de baisers sur mon ventre et mes seins. Il me lécha les mamelons l'un après l'autre, puis glissa les bras sous mon dos et me souleva. Je me laissai aller, languide et malléable entre ses bras, tandis qu'il s'emparait de mes lèvres avec une violence contenue qui trahissait l'intensité de son désir.

Il referma mon peignoir, se redressa et baissa les yeux sur moi.

— Gideon... ?

— À 19 heures, Eva.

Il se pencha pour effleurer le bracelet de diamants que je portais à la cheville.

— Garde ceci sur toi. Quand je te prendrai, tu ne porteras rien d'autre.

6

— Salut, papa. Je suis contente de te trouver à la maison. Comment vas-tu ?

J'affermis ma prise sur le combiné et approchai un tabouret du comptoir de la cuisine. Mon père me manquait. Ces quatre dernières années, nous avions vécu assez près l'un de l'autre pour nous voir au moins une fois par semaine. Désormais, nous habitions chacun à un bout du pays.

Il baissa le son de la télé.

— Mieux, maintenant que tu m'appelles. Comment s'est passée ta première semaine de travail ?

Je la lui racontai, en omettant scrupuleusement toute référence à Gideon Cross.

— Mon patron est vraiment super, terminai-je. L'ambiance à l'agence est très sympa et très dynamique. Je suis heureuse d'aller travailler chaque matin.

— Pourvu que ça dure ! Il faut aussi penser à te reposer un peu. Sors, amuse-toi, c'est de ton âge. À condition de ne pas trop sortir et de t'amuser sagement, bien sûr.

— Je n'ai pas été d'une sagesse exemplaire hier soir. Cary et moi, on a fait la tournée des boîtes et je me suis réveillée avec une gueule de bois carabinée.

— Bon sang, ne me raconte pas ce genre de trucs, grommela-t-il. Je m'inquiète tellement de te savoir à New York que j'en fais des cauchemars. Je tâche de me rassurer en me disant que tu es trop intelligente pour prendre des risques et que, Dieu merci, tes parents ont injecté une bonne dose de prudence dans ton ADN.

— Ce qui est vrai, confirmai-je en riant. À ce propos... j'ai l'intention de me mettre au krav maga.

— Vraiment ?

Il fit une pause, puis :

— Un de mes collègues ne jure que par ce truc. Je vais peut-être m'y mettre moi aussi, comme ça on pourra se mesurer l'un à l'autre quand je te rendrai visite.

— Tu comptes venir à New York ? demandai-je, incapable de dissimuler ma joie. Papa, ce serait génial ! La Californie a beau me manquer, je trouve Manhattan fantastique. Je suis sûre que tu vas adorer.

— J'adorerais n'importe quel endroit au monde pourvu que tu y sois, assura-t-il. Comment va ta mère ? ajouta-t-il d'un ton faussement dégagé.

— Ma foi... elle est fidèle à elle-même. Belle, charmante et obsessionnelle compulsive.

J'étais convaincue que mon père aimait toujours ma mère. Il ne s'était jamais marié. C'était une des raisons pour lesquelles je ne lui avais pas raconté ce qui m'était arrivé. En tant que flic, il aurait insisté pour porter plainte et le scandale aurait détruit ma mère. Je craignais aussi qu'il ne perde tout respect pour elle ou même qu'il ne la tienne pour responsable de ce qui s'était passé alors qu'elle n'y était pour rien. Dès qu'elle avait découvert ce que son beau-fils me faisait, elle avait quitté son mari, avec qui elle était pourtant heureuse, et demandé le divorce.

— On a passé la journée au spa avec elle aujourd'hui, enchaînai-je en faisant un signe de la main à Cary qui venait de rentrer, un petit sac Tiffany & Co à la main. C'était une façon plutôt agréable de finir la semaine.

— Je suis content de savoir que vous réussissez à passer du temps ensemble, répondit mon père, un sourire dans la voix. Quels sont tes projets pour la fin du week-end ?

Je passai sous silence la soirée de gala, sachant que ces histoires de tapis rouge et de dîners de bienfaisance hors de prix ne faisaient que creuser le fossé séparant les modes de vie respectifs de mes parents.

— Ce soir, je sors dîner avec Cary, et demain, j'ai prévu de faire la grasse matinée et de traîner en pyjama toute la journée. Si je suis très courageuse, peut-être que je regarderai un film en mangeant un truc livré à domicile. En gros, je compte végéter avant d'attaquer une nouvelle semaine de travail.

— Un programme de rêve, commenta mon père. Je prendrai peut-être exemple sur toi la prochaine fois que j'aurai un jour de congé.

Je jetai un coup d'œil à l'horloge. Il était déjà 18 heures passées.

— Il faut que je me prépare. Sois prudent au travail, d'accord ? Moi aussi, je me fais du souci pour toi, tu sais ?

— Promis. Allez, à plus tard, ma puce.

Cette formule de séparation si familière me serra la gorge.

— Attends ! m'écriai-je. Je vais bientôt avoir un nouveau portable. Je t'enverrai un texto pour te communiquer mon numéro dès que je l'aurai.

— Encore un nouveau ? Tu en as acheté un avant de partir.

— C'est une longue histoire sans intérêt.

— Hum... Ne tarde pas trop à te le procurer. Un portable sert autant à assurer ta sécurité qu'à jouer à Angry Birds.

— Je n'y joue plus depuis mille ans ! répliquai-je, et son rire en écho au mien me fit chaud au cœur. Je te rappelle dans quelques jours. Sois sage.

— Tu me chipes ma réplique, coquine.

Nous raccrochâmes, et au cours du silence qui suivit j'eus le sentiment que tout allait pour le mieux dans mon petit univers – une impression qui ne durait jamais longtemps. Je ruminai encore une minute, puis Cary eut la bonne idée de faire péter Hinder sur la chaîne stéréo de sa chambre, ce qui eut comme effet de me propulser à bas de mon tabouret pour filer me préparer.

J'allais passer la soirée avec Gideon.

— Collier ou pas ? demandai-je à Cary quand il s'encadra sur le seuil de ma chambre.

Il était divin. D'une élégance nonchalante dans son nouveau smoking Brioni, il ne risquait pas de passer inaperçu.

— Mmm...

Il m'étudia un instant, la tête inclinée sur le côté, puis :

— Remontre-moi avec...

Je tins la parure de pièces d'or devant ma gorge. La robe que ma mère m'avait fait envoyer était rouge vif et conçue pour une déesse grecque. Asymétrique, elle ne tenait que par une épaule, le devant étant taillé en diagonale, il y avait un ruché discret sur la hanche et elle était fendue jusqu'à la cuisse, côté droit. Il n'y avait pas de dos à proprement parler, une fine chaînette sertie de brillants reliant un pan à l'autre pour empêcher le devant de bâiller. Cet accessoire excepté, j'affichais de dos un vertigineux décolleté en V qui s'arrêtait un peu au-dessus de la raie des fesses.

— Oublie le collier, décréta Cary. Je pensais à des pendants d'oreilles en or. À la réflexion, je crois que des anneaux de diamants seraient plus appropriés. Les plus grands que tu aies.

— Tu crois ?

J'observais d'un œil critique mon reflet dans la psyché tandis qu'il fouillait dans mon coffret à bijoux.

— Ceux-là, déclara-t-il en me les apportant.

Je considérai les anneaux de cinq centimètres de diamètre que ma mère m'avait offerts pour mes dix-huit ans.

— Fais-moi confiance, Eva. Essaie-les.

Je m'exécutai et découvris qu'il avait raison. Le look n'avait rien à voir avec le collier, en effet ; moins voyant et plus subtilement sensuel. De plus, ces anneaux étaient parfaitement assortis à mon bracelet de cheville, que je ne pourrais plus jamais regarder sans me remémorer les paroles de Gideon. Avec mes cheveux qui retombaient sur mes épaules en une cascade de boucles savamment emmêlées, j'avais l'air de venir de m'envoyer en l'air, ce que l'ombre à paupières couleur fumée et la touche de gloss incolore sur mes lèvres ne faisaient que confirmer.

— Que ferais-je sans toi, Cary Taylor ?

Il posa les mains sur mes épaules et pressa sa joue contre la mienne.

— Ça, tu ne le sauras jamais, baby girl.

— Tu es superbe, au fait.

— N'est-ce pas ?

Il m'adressa un clin d'œil, puis recula d'un pas pour se faire admirer.

À sa façon, Cary aurait pu rivaliser avec Gideon... côté physique. Les traits de Cary étaient plus ciselés, presque « jolis » comparés à la beauté sauvage de

Gideon, mais l'un comme l'autre étaient du genre à attirer tous les regards.

Cary n'avait pas encore atteint cette perfection quand je l'avais rencontré. Hâve et émacié, il avait à l'époque un regard inquiet et hanté. J'avais pourtant été immédiatement attirée par lui, au point de changer de place pour aller m'asseoir à son côté pendant les séances de thérapie de groupe. Persuadé que les gens ne pouvaient s'intéresser à lui que pour coucher avec lui, il m'avait très crûment proposé la chose. Ce ne fut qu'après avoir essuyé un refus ferme et définitif de ma part qu'il s'était rapproché de moi et que nous étions devenus amis. Il était le frère que je n'avais jamais eu.

La sonnerie de l'interphone me fit sursauter et je réalisai à quel point j'étais nerveuse.

— J'ai oublié de prévenir la réception qu'il devait revenir, dis-je en me tournant vers Cary.

— Je m'en occupe.

— Tu es sûr que ça ne t'embête pas d'y aller avec Stanton et ma mère ?

— Tu plaisantes ? Ils m'adorent ! Pourquoi ? ajouta-t-il, soudain sérieux. Tu regrettes d'avoir accepté la proposition de Cross ?

Je pris une profonde inspiration au souvenir des trois orgasmes successifs dont il m'avait gratifiée pour me soutirer cet accord.

— Pas vraiment, non, répondis-je. C'est juste que les événements se précipitent et que ça se passe mieux que je ne l'escomptais ou réalisais le vouloir...

Il me tapota le bout du nez.

— Toi, tu es en train de te demander où est le piège. Le piège, c'est lui, Eva, et tu l'as pris à son propre jeu. Amuse-toi.

— J'essaie.

J'étais reconnaissante à Cary de si bien comprendre la façon dont mon esprit fonctionnait. Tout était si facile avec lui, il savait si bien combler les vides quand j'étais incapable d'expliquer quelque chose.

— J'ai fait des recherches sur lui ce matin et j'ai imprimé tous les articles récents qui m'ont semblé dignes d'intérêt, reprit-il. Je les ai laissés sur ton bureau au cas où tu aurais envie d'y jeter un œil.

Je me souvenais en effet de l'avoir vu imprimer des trucs avant notre départ pour le spa. Me hissant sur la pointe des pieds, je déposai un baiser sur sa joue.

— Tu es le meilleur. Je t'adore.

— Et moi donc, baby girl, répondit-il. Je descends le chercher. Prends tout ton temps, il a dix minutes d'avance.

Le sourire aux lèvres, je le regardai s'éloigner d'un pas léger. Une fois la porte refermée, je passai dans le bureau attenant à ma chambre. Sur le petit secrétaire peu pratique déniché par ma mère, je trouvai un dossier rempli d'articles et de photos. Je m'installai dans un fauteuil et m'immergeai dans le passé de Gideon Cross.

J'eus l'impression d'assister au déraillement d'un train au ralenti. Gideon était le fils de Geoffrey Cross, ancien responsable d'une société d'investissements, finalement convaincu de fraude et d'escroquerie massives. Gideon n'avait que cinq ans quand son père avait préféré se tirer une balle dans la tête plutôt que d'aller en prison.

J'essayai de me représenter Gideon à un âge aussi tendre et imaginai un beau petit garçon au regard perdu et empli d'une tristesse indicible. Cette image me fendit le cœur. Ce suicide et les circonstances qui l'entouraient avaient dû les anéantir, sa mère et lui. Affronter un pareil cataclysme si jeune avait dû être source de traumatismes.

Sa mère s'était remariée avec Christopher Vidal, directeur musical, avec qui elle avait eu deux autres enfants : Christopher Vidal Junior et Ireland Vidal, mais, apparemment, l'élargissement de la famille et la sécurité financière n'avaient pas permis à Gideon de s'épanouir après un tel bouleversement. Il était trop renfermé pour ne pas avoir conservé de douloureuses cicatrices affectives.

D'un œil à la fois curieux et critique, je détaillai les femmes avec qui Gideon s'était laissé photographier et songeai à son approche des relations entre les hommes et les femmes et de la sexualité. Ma mère ne s'était pas trompée – toutes étaient brunes. Celle qui apparaissait le plus souvent à ses côtés était visiblement d'ascendance hispanique. Plus grande que moi, elle était du genre svelte.

— Magdalene Perez, murmurai-je, reconnaissant à contrecœur qu'elle était splendide.

Elle affichait dans sa posture le genre d'assurance ostentatoire que j'admirais.

— Le temps imparti est écoulé, annonça Cary en s'appuyant nonchalamment à l'encadrement de la porte.

— Vraiment ? J'étais tellement absorbée dans ma lecture que je n'ai pas vu le temps passer.

— Je te donne une minute avant qu'il vienne te chercher en personne. Il ne tient carrément pas en place.

Je refermai le dossier et me levai précipitamment.

— Une lecture édifiante, non ?

— Très.

À quel point le père de Gideon, ou plus particulièrement son suicide, avait-il eu une influence sur le cours de sa vie ?

Les réponses à cette question – et à d'autres que je me posais – se trouvaient dans la pièce voisine.

Je longeai le couloir jusqu'au living et fis une pause sur le seuil, les yeux rivés sur le dos de Gideon, qui se tenait debout devant la fenêtre. Mon pouls s'emballa. À en juger par l'expression de son visage, dont je voyais le reflet sur la vitre, il était d'humeur méditative. Son regard était lointain et sa bouche avait un pli amer. Ses bras croisés trahissaient un certain malaise, comme s'il se sentait en dehors de son élément. Il avait l'air ailleurs, distant, un homme profondément seul.

Il perçut ma présence – ou peut-être le violent désir qu'il m'inspirait –, se retourna et se figea. J'en profitai pour le contempler à ma guise, le détailler de la tête aux pieds. Il était homme de pouvoir jusqu'au bout des ongles. Et d'une séduction si puissante, si sensuelle, que c'en était déstabilisant. Quelques mèches sombres retombaient sur son front, et je fus prise d'une envie folle d'y glisser les doigts.

— Eva.

Il vint vers moi, de cette démarche à la fois souple et assurée qui le caractérisait, s'empara de ma main et la porta à ses lèvres. Son regard était intense, incandescent, concentré.

Au contact de sa bouche, je frissonnai, et le souvenir des endroits de mon corps sur lesquels elle s'était posée s'imposa violemment à moi.

— Bonsoir, dis-je.

— Bonsoir à toi aussi, répondit-il, une lueur amusée dans le regard. Tu es superbe. J'ai hâte de me pavaner à ton bras.

Le compliment me coupa le souffle.

— J'espère te faire honneur, murmurai-je.

— Tu as tout ce qu'il te faut ? s'enquit-il.

Cary surgit à côté de moi, mon étole de velours noir et mes longs gants d'opéra à la main.

— J'ai mis ton gloss dans ta pochette, souffla-t-il en me remettant ladite pochette.

— Tu penses toujours à tout. Merci, Cary.

Le clin d'œil dont il me gratifia confirma qu'il avait remarqué les préservatifs que j'avais glissés dans la petite poche intérieure.

— Je vais descendre avec vous.

Gideon prit l'étole des mains de Cary et la drapa sur mes épaules. Quand il souleva mes cheveux, le contact de ses mains sur ma nuque me fit frissonner à tel point que je remarquai à peine que Cary me tendait mes gants.

Le trajet jusqu'au rez-de-chaussée constitua à lui seul un exercice de survie à la tension sexuelle. Cary, quant à lui, ne parut pas s'en apercevoir. Il se tenait à ma gauche et sifflotait tranquillement, les mains dans les poches. Tandis qu'à ma droite, Gideon était parfaitement immobile et silencieux. Je percevais l'attraction entre nous avec acuité et ressentis un vif soulagement quand les portes s'ouvrirent enfin.

Dans le hall, deux femmes attendaient l'ascenseur. Leur expression béate quand Cary et Gideon passèrent devant elles me tira un sourire qui allégea mon humeur.

— Mesdames, les salua Cary avec un sourire parfaitement déloyal.

Gideon se contenta pour sa part d'un bref hochement de tête et posa la main au creux de mes reins pour me guider vers la sortie. Sa paume chaude sur ma peau nue m'électrisa.

Je pressai la main de Cary au moment de le quitter.

— Garde-moi une danse.

— Toujours, baby girl. À tout à l'heure.

Une limousine attendait le long du trottoir et le chauffeur ouvrit la portière arrière dès qu'il nous vit apparaître, Gideon et moi. Je me glissai sur la banquette et, quand Gideon s'assit à côté de moi et que la portière se referma, je pris conscience qu'il sentait divinement bon. J'inhalai son parfum en m'ordonnant de me détendre et d'apprécier l'instant. Il me prit la main, fit courir ses doigts sur ma paume, un effleurement qui suffit à ranimer le désir que je m'efforçais de tenir en bride. Je me débarrassai de mon étole d'une ondulation des épaules – je mourais de chaud, soudain.

Il appuya sur un bouton et la vitre qui nous séparait du chauffeur remonta sans bruit. La seconde d'après, je me retrouvai calée sur ses genoux, sa bouche captura la mienne, et il m'embrassa voracement.

Je fis ce que j'avais envie de faire depuis que je l'avais vu dans le living : je plongeai les mains dans ses cheveux et lui rendis son baiser. J'adorais sa façon de m'embrasser, comme s'il le devait, comme s'il risquait de devenir fou s'il ne le faisait pas et qu'il avait déjà attendu trop longtemps. J'aspirai sa langue, ayant découvert qu'il adorait cela, que j'adorais cela, moi aussi, et que cela me donnait envie de le sucer ailleurs avec la même avidité.

Ses mains parcouraient fébrilement mon dos nu et je gémis quand son sexe en érection frotta contre ma hanche. Je changeai alors de position, me soulevai pour l'enfourcher – et pris mentalement note de remercier ma mère d'avoir choisi un modèle aussi pratique. Les genoux de part et d'autre de ses hanches, je nouai les bras autour de son cou et intensifiai mon baiser ; j'explorai l'intérieur de sa bouche, lui mordillai la lèvre inférieure, lui caressai suavement la langue de la mienne...

Gideon m'agrippa à la taille et me repoussa. Il ploya le cou en arrière pour croiser mon regard, le souffle court.

— Qu'est-ce que tu fais ?

Je promenai les mains sur son torse, testant l'impitoyable fermeté de ses muscles, puis mes doigts explorèrent les reliefs de son abdomen tandis que mon esprit s'efforçait de l'imaginer entièrement nu.

— Je te caresse. Je profite de ton corps. J'ai envie de toi, Gideon.

Il me saisit les poignets, immobilisant mes mains.

— Plus tard. On est en plein Manhattan.

— Personne ne peut nous voir.

— La question n'est pas là. Ce n'est ni le moment ni l'endroit pour commencer quelque chose que nous ne pourrons pas conclure avant plusieurs heures. Ce qui s'est passé cet après-midi m'a déjà fait perdre la tête.

— Il n'y a qu'à se donner les moyens de conclure tout de suite.

L'étreinte de ses mains se fit douloureuse.

— On ne peut pas faire ça ici.

— Pourquoi ? m'étonnai-je, avant d'ajouter, stupéfaite : Tu n'as jamais fait l'amour dans une limousine ?

— Non, répliqua-t-il sèchement. Et toi ?

Détournant le regard sans répondre, j'aperçus les voitures et les piétons qui nous entouraient. Nous n'étions qu'à quelques centimètres de centaines de personnes, mais les vitres teintées qui nous dissimulaient entièrement à leurs regards me rendaient audacieuse et entreprenante. J'avais envie de lui donner du plaisir. J'avais besoin de me prouver que j'étais capable d'émouvoir Gideon Cross et rien n'aurait pu briser mon élan. Excepté lui.

J'ondulai doucement des hanches, me caressant intimement sur son sexe érigé.

— J'ai envie de toi, Gideon, dis-je d'une voix haletante. Tu me rends folle.

Me lâchant soudain les poignets, il encadra mon visage de ses mains et pressa durement ses lèvres contre les miennes. Je cherchai sa braguette à tâtons et libérai les deux boutons qui permettaient d'accéder à la fermeture. Il se raidit.

— J'en ai envie, murmurai-je contre ses lèvres.

Il ne se détendit pas, mais ne tenta pas non plus de m'empêcher de continuer. Quand je le libérai de sa gangue de tissu, il laissa échapper un grognement sourd, à la fois érotique et douloureux. Je le serrai doucement entre mes mains, avec une tendresse délibérée tandis que je prenais sa mesure. Il était aussi dur que la pierre – et brûlant. Je fis glisser mes poings fermés de la racine de son sexe à l'extrémité, et mon souffle s'étrangla dans ma gorge quand je le sentis frémir.

Gideon m'agrippa les cuisses, et ses mains remontèrent sous ma robe jusqu'à ce que ses doigts rencontrent l'élastique de mon string.

— Ta petite fente est si douce, murmura-t-il contre mes lèvres. Je veux t'allonger, t'écarter les cuisses et te lécher. Tu me supplieras de te pénétrer.

— Je peux te supplier tout de suite si tu veux, soufflai-je.

Le caressant d'une main, j'attrapai ma pochette de soirée de l'autre et l'ouvris pour en sortir un préservatif.

L'un de ses pouces s'insinua sous mon string pour explorer ma fente humide.

— Je t'ai à peine touchée, murmura-t-il en me couvant d'un regard brûlant, et tu es déjà prête à me recevoir.

— Je ne peux pas m'en empêcher.

— Je ne veux pas que tu t'en empêches.

Son pouce s'insinua en moi et il se mordit la lèvre tandis que mon vagin se contractait irrépressiblement.

— Ce serait déloyal, ajouta-t-il, alors que je suis incapable de maîtriser l'effet que tu as sur moi.

Je déchirai l'emballage du préservatif avec les dents et le lui tendis.

— Je ne suis pas très douée à ce jeu-là.

Sa main se referma sur la mienne.

— Je brise vraiment toutes mes règles avec toi.

Son ton grave me redonna confiance.

— Les règles sont faites pour être brisées.

Je vis ses dents luire brièvement dans la pénombre, puis il appuya sur un bouton près de lui.

— Continuez à rouler jusqu'à indication contraire de ma part, ordonna-t-il.

Mes joues s'enflammèrent. Les phares d'une voiture transpercèrent les vitres teintées, trahissant mon embarras.

— Qu'est-ce qui t'arrive, Eva ? ronronna-t-il en enfilant le préservatif avec dextérité. Tu mets tout en œuvre pour qu'on baise, et tu rougis quand j'avertis le chauffeur que je ne veux pas être dérangé pour nous laisser le loisir d'aller jusqu'au bout ?

Son ton enjoué fouetta mon désir. Prenant appui sur ses épaules pour garder l'équilibre, je me hissai sur les genoux de manière à me positionner au-dessus de son érection. Ses mains se refermèrent sur mes hanches et un claquement sec retentit quand il déchira mon string. Le son en lui-même combiné à la violence qu'il symbolisait m'enfiévra.

— Va doucement, ordonna-t-il d'une voix rauque en soulevant les hanches pour baisser son pantalon.

Son sexe effleura ma fente, me tirant un gémissement, comme si les orgasmes qu'il m'avait offerts quelques heures plus tôt avaient accru le besoin que j'avais de lui au lieu de l'apaiser.

Je le sentis se tendre quand mes doigts se refermèrent autour de lui pour le guider en moi. Une odeur caractéristique s'éleva dans l'air, lourde et moite, séduisant mélange de désir et de phéromones qui titilla toutes les cellules de mon corps. Ma peau était brûlante, mes seins gonflés.

C'était *cela* que j'avais désiré à l'instant où mes yeux s'étaient posés sur lui – le posséder, enfourcher son corps magnifique et le prendre en moi.

— Mon Dieu, Eva ! suffoqua-t-il quand je me laissai glisser le long de son sexe.

Ses doigts se crispèrent sur mes cuisses.

Je fermai les paupières. Je me sentais trop exposée. J'avais souhaité cette intimité, et pourtant cela me paraissait trop intime. Nous étions face à face, à quelques centimètres l'un de l'autre, à l'abri dans un petit cocon alors que le reste du monde défilait autour de nous. Je perçus son agitation et sus qu'il était aussi déstabilisé que moi.

— Tu es tellement étroite, articula-t-il, et dans sa voix la surprise se teintait de ravissement.

J'abaissai le bassin pour le prendre plus profondément en moi et inspirai à fond. J'avais l'impression d'être écartelée, et la sensation était exquise.

Il plaqua la paume sur mon ventre, effleura mon clitoris en une lente caresse circulaire. Mon vagin se mit à palpiter, l'enserrant davantage. J'entrouvris les yeux et l'observai. Il était si fascinant, allongé ainsi sous moi en smoking, son corps puissant possédé par le besoin primitif de s'accoupler.

Son cou ploya en arrière, sa tête appuyant avec force contre le dossier de la banquette comme s'il luttait contre des liens invisibles.

— Je crois que je vais jouir très fort, lâcha-t-il entre ses dents.

Cette sombre promesse m'excita violemment. J'étais en nage, et si trempée de désir que je glissai le long de son sexe jusqu'à m'empaler presque entièrement sur lui. Un cri inarticulé m'échappa avant que j'y parvienne. Il était enfoui si profondément que c'était presque insupportable. Je devais onduler du bassin pour tenter d'apaiser cette morsure aussi inconfortable qu'inattendue. Mon corps cependant ne semblait pas s'inquiéter qu'il fût trop gros. Ma vulve l'enserrait spasmodiquement, irrépressiblement, annonçant l'imminence d'un puissant orgasme.

Gideon jura, m'empoigna les hanches de sa main libre et m'incita à me pencher en arrière tandis que son torse se soulevait et s'abaissait au rythme frénétique de sa respiration. Je m'ouvris spontanément, l'acceptant en moi jusqu'à la garde. La température de son corps s'éleva d'un coup, des perles de transpiration apparurent au-dessus de sa lèvre supérieure.

Je m'inclinai en avant et fis courir la pointe de la langue sur la courbe de sa lèvre, récoltant le sel de sa sueur avec un murmure de délice. Son bassin se souleva avec impatience. Je remontai prudemment le long de son sexe, mais il m'immobilisa en m'agrippant plus fermement.

— Doucement, répéta-t-il de ce ton autoritaire qui aiguillonnait mon désir.

Je le repris en moi, et une étrange sensation de plaisir et de douleur mêlés me traversa quand il se cambra pour me combler complètement. Nos regards se verrouillèrent tandis qu'une onde de volupté se déployait depuis l'endroit où nous étions si étroitement unis. Je réalisai soudain que nous étions tous deux entièrement vêtus à l'exception de la partie la plus intime de notre anatomie. Je trouvais cela aussi érotique que les sons qui lui échappaient.

Éperdue de désir, je pressai mes lèvres sur les siennes tandis que mes doigts plongeaient dans ses cheveux humides de sueur. Je l'embrassai à pleine bouche tout en ondulant des hanches, me frottant contre son pouce qui n'avait cessé de s'activer. Le coulissement de son sexe d'acier me rapprochait irrépressiblement de l'orgasme à chacun de ses va-et-vient.

Je perdis pied. Un instinct primitif avait pris le dessus, et c'était mon corps seul qui décidait à présent. Je ne pouvais me concentrer sur rien d'autre que ce besoin furieux de jouir, de chevaucher son sexe jusqu'à l'explosion qui me libérerait de cette faim dévorante.

— C'est bon... sanglotai-je. C'est délicieux... Mon Dieu, c'est trop bon !

Gideon avait pris les rênes. Il commandait mon rythme, me positionnait de façon que l'extrémité de son sexe vienne frotter un point sensible en moi. Mon vagin palpitait follement et je réalisai soudain, tremblant de la tête aux pieds, que ses poussées expertes me propulsaient droit vers l'orgasme.

Sa main recouvrit ma nuque au moment où les spasmes de la jouissance irradiaient à travers tout mon corps, si violents que Gideon se mit à trembler à son tour. Il me regarda voler en éclats, les yeux au fond des miens alors que je mourais d'envie de fermer les paupières. Possédée, envoûtée par son regard, je gémis tandis que je jouissais comme jamais je n'avais joui, mon corps se cabrant encore et encore.

— Tiens, tiens, tiens, criait-il.

Les mains agrippées à mes hanches, il me pilonnait furieusement comme s'il cherchait à me punir, m'emplissant totalement à chacun de ses coups de reins.

Je le sentis enfler en moi et durcir davantage.

Je l'observai avec avidité, désireuse de capter l'instant où il basculerait dans l'abîme. Son regard, qui brillait d'une lueur sauvage, devint trouble quand il perdit le contrôle. Son beau visage était dévasté par la brutalité de cette course vers la jouissance.

— *Eva !*

Il éjacula dans un rugissement animal dont la férocité me stupéfia. Et tandis que l'orgasme le secouait tout entier, ses traits s'adoucirent fugitivement en une expression de vulnérabilité que je ne lui avais jamais vue.

Prenant son visage entre mes mains, je lui effleurai tendrement les lèvres, son souffle me caressant les joues.

Il referma les bras autour de moi et me serra contre lui avec force, son visage en sueur niché au creux de mon cou.

Je savais comment il se sentait. Exposé. Mis à nu.

Nous demeurâmes un long moment enlacés, absorbant le choc en retour de cette fabuleuse chevauchée, puis il tourna la tête et m'embrassa avec douceur, la caresse de sa langue apaisant le flot d'émotions qui continuaient de se déverser en moi.

— Waouh ! soufflai-je, secouée.

— Waouh ! acquiesça-t-il.

Je souris, j'avais l'impression de planer.

Gideon repoussa de fines mèches collées à mes tempes d'un geste empreint d'une sorte de vénération. Il m'étudiait d'un regard qui me serra douloureusement le cœur. Il semblait abasourdi et... reconnaissant ; il y avait de la tendresse et de la chaleur dans ses yeux.

— Je ne veux pas briser la magie de cet instant.

Parce que je l'entendais à la fin de sa phrase, je dis à sa place :

— Mais... ?

— Mais je ne peux pas rater ce dîner. Je suis censé prononcer un discours.

— Ah.

La magie de l'instant était définitivement brisée.

Je me soulevai maladroitement et me mordis la lèvre quand je le sentis glisser hors de moi. La friction de son sexe suffit à me donner envie de recommencer. Il n'avait pratiquement pas débandé.

— J'ai encore envie de toi, reconnut-il sans détour.

Il m'immobilisa avant que je m'écarte de lui, sortit un mouchoir de sa poche et m'essuya délicatement l'entrejambe. C'était un acte aussi intime que ce qui venait de se passer entre nous.

Je me rassis à côté de lui, sortis mon gloss et mon poudrier de ma pochette. Je le regardai discrètement se débarrasser du préservatif et le fermer d'un nœud. Il l'enveloppa dans une serviette en papier qu'il jeta dans un petit réceptacle habilement dissimulé. Une fois qu'il eut remis de l'ordre dans sa tenue, il ordonna au chauffeur de nous conduire à notre destination, puis s'adossa à la banquette et tourna la tête vers la vitre.

Durant les secondes qui suivirent, je le sentis se retrancher en lui-même, le lien qui nous avait unis s'amenuisant à toute allure. D'instinct, je me recroquevillai dans l'angle opposé de la banquette, loin de lui, matérialisant physiquement la distance qui ne cessait de croître entre nous. La chaleur qui m'enveloppait jusqu'à présent céda la place à un froid presque palpable qui m'incita à récupérer mon étole. Il n'eut pas un frémissement quand j'en enveloppai mes épaules, comme s'il n'avait même pas conscience de ma présence.

Abruptement, il ouvrit le bar et en sortit une bouteille.

— Cognac ? proposa-t-il sans me regarder.

— Non, merci, répondis-je.

Il ne parut pas remarquer à quel point ma voix était fluette, soudain. Ou peut-être s'en moquait-il. Il se servit un verre et le descendit d'un trait.

Perplexe et tendue, je glissai mon gloss et mon poudrier dans ma pochette, enfilai mes gants en m'efforçant de comprendre ce qui n'avait pas marché.

7

Je ne me rappelle pas grand-chose de ce qui se passa à notre arrivée. Les flashs des photographes crépitèrent depuis notre descente de limousine jusqu'à la porte d'entrée. J'y fis à peine attention, un sourire de façade plaqué sur les lèvres. J'étais comme murée en moi-même, et désespérée de ne plus sentir ces vagues de tension sexuelle qui émanaient habituellement de Gideon.

Nous nous apprêtions à franchir la grande porte quand quelqu'un le héla. Il se retourna et j'en profitai pour lui faire faux bond. Je contournai en hâte les invités qui se pressaient sur le tapis rouge.

Une fois dans la salle de réception, je raflai deux coupes de champagne sur le plateau d'un serveur et en vidai une d'un trait tout en cherchant Cary du regard. Je le repérai à l'autre bout de la salle, en compagnie de ma mère et de Stanton. Je m'empressai de les rejoindre, posant au passage ma coupe vide sur une table.

— Eva ! s'écria ma mère, et son visage s'illumina à ma vue. Cette robe te va à ravir.

Elle se pencha vers moi et fit claquer deux baisers dans le vide. Elle était sublime – comme toujours –

dans un étincelant fourreau en lamé bleu glacier. Les saphirs qui ornaient ses oreilles, sa gorge et ses poignets mettaient en valeur ses yeux et son teint clair.

Je la remerciai, puis sirotai une gorgée de ma deuxième coupe. J'étais supposée lui exprimer ma gratitude pour la robe, me rappelai-je. Pourtant, même si j'appréciais toujours autant son geste, la fente sur le côté ne m'apparaissait désormais plus comme un détail heureux.

Cary s'avança et me prit par le coude. Il lui avait suffi d'un regard pour deviner que quelque chose n'allait pas. Je secouai la tête afin de lui faire comprendre que je n'avais pas envie d'en parler maintenant.

— Une autre coupe ? suggéra-t-il d'une voix douce.

— S'il te plaît.

Je sentis Gideon approcher avant même de voir le visage de ma mère devenir aussi lumineux que la boule de Times Square pour le Nouvel An. Stanton lui-même parut se redresser comme s'il cherchait à se donner une contenance.

— Eva.

Gideon posa la main au bas de mon dos et un frisson me parcourut. Ses doigts se crispèrent légèrement, et je me demandai s'il l'avait perçu, lui aussi.

— Tu ne m'as pas attendu, fit-il d'un ton de reproche.

Je me raidis et le gratifiai d'un regard qui résumait tout ce que je ne pouvais dire en public.

— Richard, tu connais peut-être Gideon Cross ?

— Oui, bien sûr, répondit mon beau-père en lui serrant la main.

— Nous partageons le privilège d'escorter les deux plus belles femmes de New York, déclara Gideon en m'attirant contre lui.

Stanton acquiesça et adressa à ma mère un sourire plein d'indulgence.

Je vidai ma coupe et l'échangeai avec gratitude contre celle que Cary me présentait. L'alcool aidant, une douce chaleur commençait à me gagner.

Gideon se pencha vers moi et chuchota d'une voix dure :

— N'oublie pas avec qui tu es ce soir.

Il était fou ou quoi ? Qu'est-ce qui lui prenait ?

— Tu peux parler, répliquai-je sur le même ton.

— Pas ici, Eva, dit-il en désignant les personnes présentes d'un signe de tête avant de m'entraîner à l'écart. Ce n'est pas le moment.

— Ce ne sera jamais le moment, marmonnai-je en le suivant pour épargner à ma mère le spectacle d'une scène.

Je sirotai une gorgée de champagne et glissai en mode pilotage automatique par instinct de survie, une astuce à laquelle je ne recourais plus depuis des années. Gideon me présenta à des gens et je suppose que je m'en sortis honorablement – répondant aux moments appropriés et souriant quand il le fallait –, mais je n'étais pas vraiment à ce que je faisais. J'étais trop consciente du mur de glace qui s'était dressé entre nous. De ma colère aussi. Si j'avais voulu une seule preuve que Gideon n'entretenait pas de relations privilégiées avec ses partenaires sexuelles, je l'avais obtenue.

Quand le dîner fut annoncé, je passai dans la salle à manger à son bras. Je picorai sans appétit et bus quelques verres de vin en écoutant Gideon discuter avec les convives qui nous entouraient sans comprendre un traître mot de ce qu'il racontait, concentrée sur la cadence de son débit et la séduisante tessiture de sa voix. Il ne chercha pas à me faire participer à la conversation et j'en fus heureuse. J'aurais été bien incapable de tenir le moindre propos aimable.

Je ne m'intéressai à rien de ce qui se passait autour de moi jusqu'à ce qu'il se lève et se dirige vers la scène sous les applaudissements. Je me tournai alors sur mon siège et le regardai rejoindre le pupitre, admirant malgré moi la grâce de sa démarche et la perfection de son physique. Il lui suffisait de se mouvoir pour attirer l'attention et forcer le respect, ce qui était en soi une prouesse.

Il n'avait plus rien de commun avec l'homme qui s'était abandonné dans une limousine. Il était redevenu celui qu'il était la première fois que je l'avais vu dans le hall du Crossfire, sombre et impressionnant, sûr de son pouvoir et parfaitement maître de lui.

— En Amérique du Nord, commença-t-il, une femme sur quatre et un homme sur six ont été victimes d'abus sexuels durant leur enfance. En regardant autour de vous ce soir, il est fort probable qu'une des personnes attablées à vos côtés soit le survivant d'un tel traumatisme ou connaisse quelqu'un qui l'est. C'est là l'inacceptable vérité.

J'étais subjuguée. Gideon était un orateur brillant et sa voix de baryton fascinait. Pourtant, ce fut surtout le sujet de son discours, si familier pour moi, sa façon passionnée et parfois choquante de l'aborder qui m'émurent. Je commençai à me détendre, ma colère et mon malaise remplacés par l'émerveillement. La vision que j'avais de lui se modifia tandis que je devenais, au sein de cet auditoire captivé, un individu parmi d'autres. Je ne voyais plus l'homme qui venait de me blesser si cruellement, mais un orateur talentueux dissertant sur un sujet qui me tenait à cœur.

Quand il conclut son discours, je me levai et applaudis, aussi étonnée que lui par ma réaction. Heureusement, je fus aussitôt imitée par de nombreuses personnes, et je surpris les compliments que les invités autour de moi échangeaient à voix basse tout en gratifiant Gideon d'une ovation bien méritée.

— Vous avez beaucoup de chance, mademoiselle.

Je me tournai vers la femme qui venait de s'adresser à moi, une jolie rousse d'une quarantaine d'années.

— Nous sommes simplement... amis, répondis-je.

Elle soutint mon regard avec un sourire serein qui disait ouvertement qu'elle en doutait.

Les invités commencèrent à quitter leurs tables. J'étais sur le point de ramasser ma pochette pour rentrer chez moi quand un jeune homme s'approcha. Ses cheveux châtains étaient en bataille et son regard gris-vert inspirait la sympathie. La spontanéité de son sourire juvénile lui valut le premier sourire sincère de ma part depuis mon arrivée.

— Salut, dit-il comme si nous nous connaissions.

— Salut, répondis-je, incapable de me souvenir de lui.

Il laissa échapper un rire charmant.

— Je suis Christopher Vidal, le frère de Gideon.

— Ah, oui, bien sûr ! répondis-je, les joues en feu, honteuse de ne pas avoir été capable de le reconnaître au premier regard.

— Vous rougissez.

— Désolée, répondis-je avec un sourire penaud. Je ne sais trop comment avouer que j'ai lu un article sur vous sans me couvrir de ridicule.

— Je suis flatté que vous vous en souveniez. Ne me dites surtout pas que vous l'avez trouvé en page 6.

La page 6 des grands quotidiens faisait ses choux gras des potins concernant les célébrités new-yorkaises.

— Non, répondis-je vivement. Je crois que c'était dans *Rolling Stone*.

— Je survivrai, répondit-il. Vous dansez ?

Et il me tendit la main.

Je cherchai Gideon des yeux. Il était au bas des marches menant à la scène, entouré d'une nuée de personnes désireuses visiblement de lui parler – essentiellement des femmes.

— Il en a pour un moment, observa Christopher, une note amusée dans la voix.

Je m'apprêtai à détourner le regard quand je reconnus la femme qui se tenait près de Gideon – Magdalene Perez. J'attrapai ma pochette et parvins à sourire à Christopher.

— J'adore danser.

Nous gagnâmes la salle de bal bras dessus, bras dessous. L'orchestre venait d'attaquer une valse et nous nous laissâmes emporter par la musique. Christopher était un excellent danseur, souple et sûr de lui.

— Alors, comment avez-vous connu Gideon ?

— Je ne le connais pas, répondis-je en adressant un signe de tête à Cary comme il passait près de nous avec une blonde sculpturale. Je travaille au Crossfire et nous nous sommes croisés une ou deux fois.

— Vous travaillez pour lui ?

— Non, je suis assistante chez Waters, Field & Leaman.

— Ah, l'agence de pub.

— Oui.

— Gideon doit s'être sérieusement entiché pour vous inviter à une soirée comme celle-ci alors qu'il ne vous a croisée qu'une ou deux fois.

Je jurai intérieurement. Je savais que les gens se feraient des idées, mais j'étais plus soucieuse que jamais de m'épargner un surcroît d'humiliations.

— Gideon est en relation avec ma mère qui m'avait déjà invitée à ce dîner, il s'agit donc davantage de deux personnes se rendant à la même soirée avec un seul véhicule.

— Ce qui signifie que vous êtes libre ?

Je pris une profonde inspiration, me sentant subitement mal à l'aise.

— Disons que je ne suis pas prise.

Christopher me gratifia de son sourire aussi charmeur qu'enfantin.

— Ma soirée vient de prendre un tour nouveau, déclara-t-il.

Jusqu'à la fin de la valse, il s'ingénia à me régaler d'anecdotes sur le monde de la musique qui me firent beaucoup rire et chassèrent Gideon de mes pensées.

Quand la danse s'acheva, Cary s'avança vers moi pour succéder à Christopher. Cary et moi nous accordions parfaitement car nous avions pris des cours de danse ensemble. Je me détendis, heureuse de pouvoir compter sur son soutien moral.

— Tu t'amuses ? lui demandai-je.

— Je me suis pincé pendant le dîner quand j'ai réalisé que j'étais assis à côté de l'organisatrice de la *Fashion Week*. Et qu'elle flirtait avec moi !

Il eut un sourire mélancolique.

— Quand je me retrouve dans ce genre d'endroits... sapé comme je le suis ce soir... j'ai du mal à me dire que je ne rêve pas. Tu m'as sauvé la vie, Eva. Et tu l'as transformée de A à Z.

— Et toi, tu m'empêches constamment de sombrer dans la folie. Crois-moi, nous sommes quittes.

Sa main serra la mienne et son regard se durcit.

— Tu as l'air malheureux, Eva. Il s'est débrouillé pour tout faire foirer ?

— Je crois plutôt que c'est moi. On en parlera plus tard.

— Tu as peur que je le dérouille devant tout le monde ?

— Par égard pour ma mère, je préférerais que tu t'en abstiennes, soupirai-je.

Cary effleura mon front d'un baiser.

— Je l'ai prévenu. Il sait ce qui l'attend.

— Oh, Cary !

La gorge nouée, je souris alors même que je n'en avais pas envie. J'aurais dû me douter qu'il ne pourrait pas s'empêcher de jouer les grands frères protecteurs face à Gideon. C'était lui tout craché.

Gideon surgit à côté de nous.

— Je vous interromps.

Ce n'était pas une question.

Cary s'immobilisa et me regarda. Je hochai la tête. Il s'écarta en s'inclinant et fixa sur Gideon un regard brûlant de colère rentrée.

Gideon m'enlaça et mena la danse comme il menait tout le reste – avec assurance et autorité. Danser avec lui était une expérience différente de celle que je venais de partager avec mes deux précédents cavaliers. S'il était aussi doué que son frère et possédait la même aisance familière que Cary, il y avait dans son style, agressif et hardi, quelque chose de purement sexuel.

Me retrouver aussi près de l'homme avec qui j'avais vécu si récemment une expérience intime me chavirait les sens. Il sentait bon l'homme après l'amour, et sa façon audacieuse de me guider n'était pas sans rappeler la manière dont il avait pris les rênes un peu plus tôt dans la limousine, ce qui ne faisait qu'ajouter à mon trouble.

— Tu n'arrêtes pas de me fuir, marmonna-t-il en me gratifiant d'un regard renfrogné.

— Il m'a semblé que Magdalene avait pris la relève plutôt rapidement.

Il arqua les sourcils et resserra son étreinte.

— Jalouse ?

— Tu plaisantes ?

Je détournai les yeux. Il laissa échapper un soupir contrarié.

— Garde tes distances avec mon frère, Eva.

— Pourquoi ?

— Parce que je te le dis.

La colère s'empara de moi, ce qui me fit un bien fou après la vague de doutes et d'autorécriminations qui avait succédé à notre fulgurant coït. Je décidai de voir si une volte-face était fair-play dans le monde de Gideon Cross.

— Garde tes distances avec Magdalene, Gideon, lâchai-je.

— Ce n'est qu'une amie, rétorqua-t-il, crispé.

— Ce qui signifie que tu n'as pas encore couché avec elle ?

— Non ! Et je n'en ai pas envie. Écoute...

La musique décrut et il ralentit.

— Je dois partir. Tu es venue ici avec moi, et j'aimerais être celui qui te raccompagne, mais je ne voudrais pas non plus te forcer à partir si tu t'amuses. Tu préfères rester et rentrer avec Stanton et ta mère ?

Si je m'amusais ? Il se moquait de moi ou il ne comprenait vraiment rien à rien ? Pire, peut-être m'avait-il déjà passée en pertes et profits et se fichait-il de moi.

Je m'écartai de lui. J'avais besoin de ménager une distance entre nous. Son odeur me brouillait les idées.

— Ça ira. Oublie-moi.

— Eva, dit-il en tendant la main.

Je reculai et un bras m'enveloppa les épaules.

— Je m'occupe d'elle, Cross, fit Cary.

— Ne vous mettez pas en travers de mon chemin, Taylor, avertit Gideon.

— J'ai l'impression que vous faites ça très bien tout seul, ricana Cary.

Je déglutis péniblement.

— Ton discours était magnifique, Gideon, m'interposai-je. Ç'a été le point d'orgue de ma soirée.

L'insulte qui sous-tendait le compliment le fit visiblement fulminer. Il se passa la main dans les cheveux d'un geste rageur. Surprise, je l'entendis lâcher un juron, puis j'en compris la raison lorsqu'il sortit son portable vibrant de sa poche et consulta l'écran.

— Je dois y aller, annonça-t-il.

Il soutint mon regard, m'effleura la joue d'une caresse.

— Je t'appellerai, ajouta-t-il avant de disparaître.

— Tu as envie de rester ? demanda doucement Cary.

— Non.

— Je te raccompagne, dans ce cas.

— Ce n'est pas la peine.

J'avais envie d'être seule, de me plonger dans un bain chaud avec une bouteille de vin blanc frais à portée de main.

— Il vaut mieux que tu t'attardes un peu, Cary. C'est important pour ta carrière. On discutera quand tu rentreras. Ou demain. J'ai l'intention de lézarder toute la journée.

Il me scruta attentivement, puis :

— Tu es sûre ?

Je hochai la tête.

— Comme tu veux, céda-t-il d'un ton qui manquait de conviction.

— Ça ne t'ennuie pas de demander au voiturier d'aller chercher la limousine de Stanton pendant que je fais un saut aux toilettes ?

— Mais non, répondit-il en me caressant le bras. Je récupère ton étole au vestiaire et on se retrouve à l'entrée.

Mon escapade prit plus de temps que prévu. D'une part parce que je dus répondre aux salutations de plusieurs personnes qui m'interpellèrent – sans doute parce que Gideon m'avait escortée –, et d'autre part parce que, voyant le flot incessant de femmes qui franchissaient le seuil des toilettes les plus proches, je décidai de me rabattre sur celles situées à l'autre bout de la salle. Je m'attardai plus longtemps que requis dans la cabine, car en dehors de moi et de la préposée au ménage, les lieux étaient déserts.

Le comportement que Gideon avait eu avec moi m'avait tellement blessée que j'étais oppressée, et ses brusques changements d'humeur me plongeaient dans la confusion. Pourquoi m'avait-il caressé le visage avant de partir ? Pourquoi avait-il si mal pris le fait que je ne reste pas en permanence à ses côtés ? Et pourquoi donc avait-il menacé Cary ? Gideon donnait à l'expression « souffler le chaud et le froid » une nouvelle signification.

Je fermai les yeux et tâchai de me ressaisir. Franchement, je n'avais vraiment pas besoin de cela.

Je m'étais mise à nu émotionnellement parlant dans la limousine et je me sentais encore très vulnérable – un état que j'avais appris à éviter au cours d'innombrables séances de thérapie. Je ne voulais plus que rentrer chez moi, enfin libérée de l'obligation de faire comme si tout allait bien alors que j'avais l'impression d'être en miettes.

« C'est toi qui t'es mise dans cette situation, me rappelai-je. Assume. »

Je pris une profonde inspiration avant de sortir et découvris avec stupéfaction Magdalene, appuyée contre le lavabo, les bras croisés. Elle m'attendait visiblement, et me tombait dessus au plus mauvais moment, alors que mes défenses étaient au plus bas. J'hésitai une seconde, me ressaisis et m'approchai pour me laver les mains.

Elle se tourna face au miroir et étudia mon reflet. J'étudiai le sien. Elle était encore plus belle en vrai qu'en photo. Grande et mince, elle avait d'immenses yeux sombres, des lèvres pleines, des pommettes saillantes et de longs cheveux bruns lisses. Sa robe était discrètement sexy, fourreau de satin blanc cassé évasé qui contrastait avec sa peau ambrée. Elle avait tout d'un top model et dégageait un sex-appeal furieusement exotique.

Alors que je m'emparais de la serviette que me tendait l'employée, Magdalene s'adressa à elle en espagnol pour lui demander de nous laisser seules. Je ponctuai sa requête d'un *por favor, gracias*, qui me valut un haussement de sourcils de la part de Magdalene. Je lui retournai un regard aussi froid que celui dont elle me gratifiait.

— Mon Dieu ! murmura-t-elle dès que l'employée fut sortie.

Elle laissa ensuite échapper un « tss, tss » aussi irritant qu'un raclement d'ongles sur un tableau noir.

— Vous l'avez déjà baisé, lâcha-t-elle.

— Et pas vous, répliquai-je du tac au tac.

Cela parut la surprendre.

— En effet. Et vous savez pourquoi ?

Je sortis un billet de ma pochette et le déposai sur le plateau destiné aux pourboires.

— Parce qu'il n'a pas voulu.

— Et que je ne veux pas non plus, parce qu'il est incapable de s'investir dans une relation. Il est jeune, beau, riche et il en profite.

— Oui, acquiesçai-je. C'est ce qu'il fait.

Elle plissa les yeux et son beau visage s'altéra légèrement.

— Il n'a aucun respect pour les femmes qu'il baise. À l'instant où il vous l'a mise, vous avez cessé de l'intéresser. Comme toutes les autres avant vous. Moi, je suis toujours là parce qu'il sait que je suis la femme de sa vie.

Je maintins un calme de façade alors que le coup qu'elle venait de porter m'avait atteinte là où il risquait de faire le plus de dégâts.

— C'est pathétique, me contentai-je de répliquer.

Je sortis et ne m'arrêtai pas avant d'avoir atteint la limousine de Stanton. Je pressai la main de Cary en grimpant à l'intérieur et parvins miraculeusement à attendre que la voiture ait démarré avant de fondre en larmes.

— Hello, baby girl ! lança Cary quand j'apparus dans le salon en traînant les pieds le lendemain matin.

Vêtu d'un vieux pantalon de jogging confortable, les cheveux en bataille, il était affalé sur le canapé, les pieds en appui sur la table basse.

— Bien dormi ?

Je levai les pouces tout en me dirigeant vers la cuisine pour me servir un café. La vision d'un somptueux bouquet de roses rouges me fit hausser les sourcils. Elles embaumaient et je respirai avec délice leur parfum.

— Qu'est-ce que c'est que ça ? demandai-je.

— Livré pour toi il y a une heure.

Je détachai la carte de l'emballage de cellophane et l'ouvris.

Je pense toujours à toi.
Gideon

— Cross ? devina Cary.

— Oui, répondis-je en caressant ce que je supposai être son écriture.

Hardie, masculine, élégante. Un geste romantique de la part d'un homme qui n'avait pas une once de romantisme en lui. Je laissai tomber la carte sur le comptoir comme si elle me brûlait les doigts et allai me servir un café en priant pour que la caféine me donne force et bon sens.

140

— Tu n'as pas l'air impressionné, commenta Cary en baissant le son du match de base-ball qu'il était en train de regarder.

— Cross est toxique pour moi. Il est dangereux. Aussi dangereux que la détente d'un revolver. Je dois absolument garder mes distances.

Cary avait été en thérapie avec moi et ne me regardait pas de travers quand je recourais au jargon thérapeutique.

— Le téléphone n'a pas arrêté de sonner de la matinée, me signala-t-il. Je ne voulais pas te déranger, alors j'ai coupé la sonnerie.

Je me blottis sur le canapé et luttai contre l'envie compulsive de consulter la messagerie pour vérifier si Gideon avait appelé. Je voulais entendre sa voix et une explication sensée de ce qui s'était passé la veille.

— Tu as bien fait. En ce qui me concerne, tu peux la laisser coupée toute la journée.

— Que s'est-il passé ?

Je soufflai sur la vapeur qui s'échappait de ma tasse et pris une gorgée de café.

— Je l'ai baisé dans la limousine. Et après, il est devenu glacial.

Cary me contempla de ce regard émeraude qui en avait vu plus qu'il ne devrait être permis à qui que ce soit.

— Tu lui as mis la tête à l'envers ?

— Oui.

Le simple fait d'y penser m'agaçait. Le courant était passé entre nous. Je le *savais*. Je le voulais plus que tout au monde la veille. Et ce matin, je ne voulais plus rien avoir à faire avec lui.

— C'était intense, Cary. La meilleure expérience sexuelle de ma vie. Et il a ressenti la même chose que moi, j'en suis sûre. C'était la première fois qu'il le faisait dans une voiture. Il a un peu résisté au

141

début, mais je l'ai tellement chauffé qu'il n'a pas pu dire non.

— La première fois ? Vraiment ? s'étonna Cary en se passant la main sur sa barbe naissante. La plupart des mecs rayent en premier la baise dans une voiture de la liste des fantasmes à réaliser dès le secondaire. En fait, je ne connais personne qui ne l'ait jamais fait, à part quelques coincés et des types vraiment laids, et il n'est ni l'un ni l'autre.

Je haussai les épaules.

— J'imagine qu'il me considère comme une salope parce que je l'ai fait avant lui.

Cary se figea.

— C'est ce qu'il a dit ?

— Non. Il n'a strictement rien dit. C'est son « amie », Magdalene, qui l'a laissé entendre. Tu sais, la fille qui pose à côté de lui sur la plupart des photos que tu as imprimées ? Elle a décidé de se faire les griffes sur moi aux toilettes.

— Cette pétasse est jalouse.

— Plutôt sexuellement frustrée. Elle ne veut pas baiser avec lui parce que, apparemment, les filles qui s'y risquent atterrissent directement sur la pile des produits périmés.

— C'est ce qu'il t'a dit ? s'enquit Cary, et la colère perçait sous le calme apparent.

— Pas de cette façon. Il m'a expliqué qu'il ne couchait pas avec ses amies femmes. Il a des problèmes avec les femmes qui veulent davantage que s'envoyer en l'air, alors il range les femmes avec qui il couche et les femmes qu'il fréquente dans deux catégories distinctes.

Je repris une gorgée de café.

— Je l'ai prévenu que ce genre de dispositif ne marcherait pas avec moi et il a répondu qu'il réviserait sa copie. Mais je suppose que c'est le genre de type prêt à dire n'importe quoi pour parvenir à ses fins.

— À moins que tu ne lui aies flanqué la trouille.

Je le fusillai du regard.

— Ne commence pas à lui chercher des excuses. De quel côté es-tu ? Du sien ou du mien ?

— Du tien, baby girl, assura-t-il en me tapotant le genou. Et je le serai toujours.

Je refermai la main sur son avant-bras et en caressai la face interne du bout des doigts. Je ne sentais pas la multitude de fines cicatrices blanches, mais je savais qu'elles étaient là. Je ne les oubliais jamais. Jour après jour, je remerciais le ciel que Cary soit en vie, en bonne santé, et fasse partie de mon existence.

— Et toi, comment s'est passée ta soirée ?

— Je n'ai pas à me plaindre, fit-il, une lueur espiègle dans le regard. Je me suis envoyé la blonde aux gros seins dans un placard à balais. Et ses seins n'étaient pas en silicone.

— Tant mieux pour toi. Je suis certaine qu'elle a passé un bon moment.

— Je fais ce que je peux, commenta-t-il avec un clin d'œil avant d'attraper son portable. Qu'est-ce que tu veux manger ? Panini ? Chinois ? Indien ?

— Je n'ai pas faim.

— Tu as toujours faim. Si tu ne choisis rien, je vais cuisiner et tu seras obligée de manger ce que j'aurai préparé.

Je levai les mains en l'air en signe de reddition.

— D'accord, d'accord. Je m'en remets à ton choix.

Le lundi matin, j'arrivai au travail vingt minutes en avance pour éviter de croiser Gideon. Une fois mon bureau atteint sans incident, mon soulagement fut tel que je compris que j'étais loin d'être tirée d'affaire.

Mon humeur changeait sans arrêt, je ne savais plus où j'en étais.

Mark arriva, un grand sourire aux lèvres, surfant toujours sur la vague de ses succès de la semaine passée, et nous nous mîmes aussitôt au travail. J'avais consacré une partie de mon dimanche à réaliser une étude comparative du marché de la vodka, et il prit le temps de la parcourir et d'en discuter avec moi. Mark s'était également vu attribuer la campagne d'un fabricant de liseuses, et nous nous lançâmes dans la phase de travail préparatoire.

Occupée comme je l'étais, la matinée passa à toute allure et je n'eus pas le temps de penser à ma vie personnelle. Quand je répondis au téléphone et entendis Gideon, je n'y étais absolument pas préparée.

— Comment se passe ton lundi ? s'enquit-il.

Le son de sa voix m'arracha un frisson d'appréhension.

— Très chargé.

Un rapide coup d'œil à la pendule m'apprit qu'il était déjà midi moins vingt.

— Tant mieux. J'ai essayé de te joindre hier, ajouta-t-il après une pause. Je t'ai laissé plusieurs messages. J'avais envie d'entendre ta voix.

Je fermai les yeux le temps de prendre une longue inspiration. J'avais dû faire appel à toute ma volonté pour résister à l'envie d'écouter ma messagerie. J'avais même pris la précaution de demander à Cary de me ramener à la raison si je semblais sur le point de craquer.

— J'ai joué les ermites. Et j'ai travaillé un peu.

— Tu as reçu mes fleurs ?

— Oui. Elles sont superbes. Merci.

— Elles m'ont rappelé ta robe.

Que cherchait-il au juste ? Je commençai à me demander s'il ne souffrait pas de troubles de la personnalité multiple.

— Certaines femmes diraient que c'est très romantique.

— Seul m'importe ce que tu en dis toi, répliqua-t-il, un craquement m'apprenant qu'il venait de se lever. J'ai été tenté de passer te voir... J'en avais très envie.

Je soupirai.

— Je suis contente que tu ne sois pas venu.

Un long silence accueillit cette déclaration.

— Voilà qui est franc, commenta-t-il.

— Je ne voulais pas être méchante. Il se trouve juste que c'est la vérité.

— Écoute... J'ai arrangé un déjeuner dans mon bureau pour nous éviter de perdre de précieuses minutes en allées et venues.

Vu la façon abrupte dont il m'avait quittée, je m'étais demandé s'il aurait envie de me revoir. Je n'avais cessé de m'interroger à ce sujet depuis samedi soir et, tout en sachant qu'il fallait que je rompe définitivement avec lui, j'avais redouté un rejet. L'envie dévorante de partager de nouveau avec lui un moment d'intimité si pur et si parfait me taraudait.

Mais ce moment-là ne justifierait pas les autres, ceux durant lesquels il m'avait fait me sentir une moins que rien.

— Gideon, il n'y a aucune raison pour que nous déjeunions ensemble. Nous avons réglé la question vendredi et nous avons... définitivement conclu les choses samedi. Je préfère que nous en restions là.

— Eva, je sais que j'ai mal agi. Laisse-moi t'expliquer.

— Ce n'est pas nécessaire. Tout va bien.

— Absolument pas. Il faut que je te voie.

— Je n'ai pas envie de...

— On peut procéder simplement, Eva, ou tu peux compliquer les choses, m'interrompit-il d'un ton sec. Dans un cas comme dans l'autre, tu entendras ce que j'ai à te dire.

Je fermai les yeux, consciente que je ne pouvais espérer m'en tirer par un simple coup de téléphone.

— Très bien, dis-je. Je viendrai.

— Merci, répondit-il avant de laisser échapper un profond soupir. Je suis impatient de te voir.

Je raccrochai, puis m'efforçai de réfléchir à ce que j'allais lui dire, tout en tâchant de me cuirasser en vue du choc que j'allais ressentir immanquablement lorsque je le reverrais. La violence de la réaction physique qu'il déclenchait en moi était incontrôlable. J'allais pourtant devoir la surmonter et faire ce qu'il fallait pour cela.

Cédant devant l'inévitable, je me remis au travail et comparai un échantillonnage de prospectus à insérer entre des pages de magazines.

— Eva.

Je sursautai et fis pivoter ma chaise pour découvrir Gideon sur le seuil de mon bureau. Sa vue me coupa le souffle, comme chaque fois, et mon cœur palpita dans ma poitrine. Je jetai un coup d'œil à la pendule. Un quart d'heure venait de s'écouler sans que je m'en aperçoive.

— Gid... monsieur Cross. Ce n'était pas la peine de passer me chercher.

Son visage était impassible, mais une lueur ardente et orageuse brillait dans son regard.

— Tu es prête ?

J'ouvris mon tiroir pour récupérer mon sac.

— Monsieur Cross, fit la voix de Mark. Content de vous voir. Puis-je faire quelque chose pour... ?

— Je suis venu chercher Eva. Nous déjeunons ensemble.

Je relevai la tête à l'instant où Mark haussait les sourcils, mais très vite, cependant, il retrouva son expression bon enfant.

— Je serai de retour à 13 heures, lui assurai-je.

— À tout à l'heure, Eva. Bon appétit.

Gideon posa la main au creux de mes reins pour me guider vers les ascenseurs, ce qui nous valut un regard étonné de la part de Megumi quand nous passâmes devant le comptoir de l'accueil. Tandis qu'il appelait l'ascenseur, je me dandinai d'un pied sur l'autre. J'aurais tellement voulu passer la journée sans voir cet homme dont les caresses m'étaient une drogue.

Il frôla du bout des doigts la manche de mon chemisier.

— Chaque fois que je ferme les yeux, je te revois dans cette robe rouge. J'entends les gémissements qui s'échappent de ta bouche quand tu es excitée. Je te sens glisser le long de mon sexe, m'enserrant aussi fort qu'un poing, et je me souviens que tu m'as fait jouir si fort que c'était douloureux.

— Arrête.

Je détournai les yeux, incapable de soutenir le regard dont il me couvait.

— C'est plus fort que moi.

L'arrivée de l'ascenseur fut un soulagement. Il me prit la main et me tira dans la cabine. Une fois qu'il eut inséré sa clef dans le panneau de commande, il m'attira à lui.

— Je vais t'embrasser, Eva.

— Je ne v...

Sa bouche avait déjà recouvert la mienne. Je résistai aussi longtemps que je pus, puis cédai sous l'assaut sensuel de sa langue. J'avais envie de ce baiser depuis que j'avais remis du gloss dans la limousine. Il me garantissait que ce que nous avions partagé avait de la valeur à ses yeux, que c'était aussi important pour lui que pour moi.

Je me sentis une fois de plus abandonnée quand il s'écarta de moi.

— Viens, dit-il en récupérant sa clef tandis que les portes s'ouvraient.

La réceptionniste rousse ne dit rien, mais me gratifia d'un regard étrange. Scott, le secrétaire de Gideon, se leva à notre entrée.

— Bonjour, mademoiselle Tramell, me salua-t-il.

— Bonjour, Scott.

— Aucun appel, Scott, l'avertit Gideon.

— Oui, bien sûr.

Quand j'entrai dans le luxueux bureau, mon regard fut aussitôt attiré par le canapé. Le déjeuner nous attendait sur le bar – deux assiettes surmontées de cloches métalliques.

— Je peux te débarrasser de ton sac ? demanda-t-il.

Je me retournai. Il avait retiré sa veste et l'avait pliée sur son bras. Il se tenait là, en pantalon et gilet, sa chemise d'un blanc immaculé, ses épais cheveux bruns encadrant son visage, le regard d'un bleu incroyable. En un mot comme en mille, je le trouvai éblouissant. Je n'arrivais pas à croire que j'avais fait l'amour à un homme aussi parfait.

Cela dit, cet acte n'avait pas signifié la même chose pour lui que pour moi.

— Eva ?

— Tu es très beau, Gideon.

Les mots m'avaient échappé. Il arqua les sourcils, puis un éclair de tendresse tempéra le feu de son regard.

— Heureux que ce que tu vois te plaise.

Je lui tendis mon sac et m'éloignai, soucieuse de ménager autant d'espace que possible entre nous. Il accrocha sa veste et mon sac au portemanteau, puis se dirigea vers le bar.

Je croisai résolument les bras.

— Que les choses soient claires, Gideon. Je ne veux plus te voir.

8

Gideon se passa la main dans les cheveux.

— Tu ne penses pas ce que tu dis.

J'étais soudain épuisée de me bagarrer contre moi-même à cause de lui.

— Si, je le pense vraiment. Toi et moi... c'était une erreur.

— Non, répliqua-t-il. C'est la façon dont je me suis comporté ensuite qui était une erreur.

Je le dévisageai, surprise par la vigueur de sa riposte.

— Je ne parle pas de ce qui s'est passé samedi, Gideon. Je parle du fait que j'ai accepté cet accord délirant que tu m'as proposé. Je savais dès le début que ça ne pouvait pas marcher. J'aurais dû écouter mon instinct.

— Est-ce que tu as envie d'être avec moi, Eva ?

— Non. C'est justem...

— Pas comme on en a discuté au bar. Autrement. Plus que cela.

Mon cœur s'emballa.

— Qu'est-ce que tu veux dire ?

— Je veux être avec toi, lâcha-t-il en s'approchant de moi.

— Ce n'est pas l'impression que tu donnais samedi.

D'instinct, je croisai étroitement les bras.

— J'étais… énervé.

— Et alors ? Moi aussi.

Ses mains s'approchèrent de ses hanches comme s'il s'apprêtait à y caler les poings, mais il croisa finalement les bras.

— Bon sang, Eva !

Je le regardai lutter contre son malaise, et l'espoir flamba en moi.

— Si c'est tout ce que tu as à dire, je m'en vais.

— Certainement pas !

— Écoute, si tu dois faire la tête chaque fois qu'on s'envoie en l'air, ça ne peut que déboucher sur une impasse.

Il cherchait visiblement ses mots.

— J'ai l'habitude de prendre le contrôle. J'en ai besoin. Et tu as tout chamboulé dans la limousine. C'est ça que j'ai eu du mal à gérer.

— Tu crois ?

— Eva, je n'ai jamais vécu une expérience pareille. Je ne pensais pas que ça puisse m'arriver un jour. Maintenant que je sais que c'est possible… je ne veux plus rien d'autre. Je te veux toi.

— C'est juste sexuel, Gideon. Et j'ai beau avoir trouvé ça fabuleux, je sais que c'est dangereux quand les partenaires ne sont pas faits l'un pour l'autre.

— Ce sont des conneries. J'ai reconnu que j'avais mal agi. Je ne peux pas effacer ce qui s'est passé, mais je te garantis que je ne supporterai pas que tu m'envoies promener à cause de ça. Tu m'as expliqué tes règles, je me suis efforcé de m'y adapter, mais tu ne veux pas consentir le moindre effort de ton côté, asséna-t-il, le visage crispé de frustration. Fais au moins un foutu pas dans ma direction, Eva.

Je le dévisageai, me demandant sur quoi tout cela allait déboucher.

— Qu'est-ce que tu veux, Gideon ? demandai-je doucement.

Il m'attira vers lui, me caressa la joue.

— Je veux continuer à ressentir ce que je ressens quand je suis avec toi. Dis-moi juste ce qu'il faut que je fasse. Et pardonne-moi mes errements par avance. C'est nouveau pour moi. Il va me falloir un temps d'adaptation.

Je posai la main sur son cœur et sentis qu'il battait très fort. Son anxiété et sa passion m'excitaient. Comment étais-je censée répondre à cette demande ? Avec mes tripes ou avec mon cerveau ?

— Tu n'as jamais fait quoi ?

— Ce qu'il faut pour vivre ce que je veux vivre avec toi. Au lit et en dehors du lit.

Un flot de bonheur aussi intense qu'absurde me submergea.

— Tu te rends compte du temps et des efforts que tu vas devoir consacrer à cette relation, Gideon ? Moi, je suis déjà épuisée. En outre, j'ai des projets personnels, j'ai mon nouveau travail... ma mère cinglée...

Je plaquai deux doigts sur sa bouche avant qu'il ait le temps d'objecter.

— ... mais tu vaux la peine que j'essaie, et j'ai envie de toi comme une folle. Donc, je n'ai pas le choix, n'est-ce pas ?

— Oh, toi ! s'exclama-t-il en me soulevant.

Il passa un bras sous mes fesses pour m'obliger à lui enserrer la taille de mes jambes.

Il me gratifia d'un baiser dépourvu de douceur, puis frotta son nez contre le mien.

— On y arrivera, souffla-t-il.

— Tu dis ça comme si ça allait être simple.

Je savais que j'étais exigeante. Et il le serait visiblement autant que moi.

— La simplicité est ennuyeuse, déclara-t-il en me portant jusqu'au bar pour me déposer sur un tabouret.

Il souleva la cloche de l'assiette qui se trouvait devant moi, révélant un énorme hamburger entouré de frites. Entre la cloche et le plateau de granit placé sous l'assiette, le contenu était encore chaud.

— Miam, fis-je, réalisant tout à coup à quel point j'avais faim.

Il déplia ma serviette d'une flexion du poignet et la drapa sur mes genoux – en pressant un au passage –, puis s'assit à côté de moi.

— Alors, comment procédons-nous ?

— Ma foi, la méthode éprouvée consiste à saisir la chose entre tes mains et à l'approcher de ta bouche.

Le coup d'œil malicieux qu'il me lança me fit sourire. C'était bon de sourire. C'était bon d'être avec lui. Cette sensation durait généralement... peu de temps. Je croquai dans mon burger et laissai échapper un gémissement de plaisir. C'était un cheeseburger tout ce qu'il y a de classique, mais il avait un goût divin.

— C'est bon, pas vrai ? commenta-t-il.

— Très bon. En fait, je pense qu'un type qui s'y connaît autant en burgers mérite que je le garde, répondis-je en m'essuyant la bouche et les mains. C'est quoi ton record de durée en matière de relation exclusive ?

Il reposa son hamburger sur son assiette avec un calme inquiétant.

— J'imagine que c'était implicite mais, afin d'éviter tout malentendu, sache que j'exige l'exclusivité absolue, Eva. Aucun autre homme dans ta vie.

Son ton sans réplique et son regard glacial me firent frémir. Je savais qu'il y avait en lui une zone obscure ; j'avais appris depuis longtemps à me tenir à distance

153

des hommes dont le regard comportait des ombres dangereuses. Pourtant, mon signal d'alarme ne retentissait pas en présence de Gideon comme il aurait peut-être dû.

— Mais tu n'as rien contre les femmes ? risquai-je, histoire de détendre un peu l'atmosphère.

Il tressaillit, puis :

— Je sais que ton colocataire est bisexuel. Tu l'es aussi ?

— Ça te dérangerait ?

— Te partager me dérangerait. C'est hors de question. Ton corps m'appartient, Eva.

— Et le tien m'appartient aussi ? Exclusivement ?

— Oui, répondit-il, le regard brûlant. Et j'attends de toi que tu en uses fréquemment et excessivement.

Ma foi, dans ce cas...

— Tu m'as déjà vue nue, observai-je d'un ton taquin. Tu connais la marchandise. Moi pas. L'aperçu que j'ai eu de ton corps jusqu'ici me plaît beaucoup, mais...

— On peut arranger ça tout de suite.

À l'idée de le regarder me faire un strip-tease, je me trémoussai nerveusement sur mon siège. Il le remarqua et sa bouche s'incurva sur un sourire coquin.

— Il ne vaut mieux pas, m'empressai-je de répliquer. Je suis déjà arrivée en retard vendredi après-midi.

— Ce soir, dans ce cas.

— Ce soir, acquiesçai-je, la bouche sèche.

— Je ferai en sorte de me libérer en fin d'après-midi, annonça-t-il avant de se remettre à manger, parfaitement à l'aise avec le fait que nous venions de noter *5 à 7 torride* dans nos agendas mentaux respectifs.

— C'est inutile, répondis-je en ouvrant la minibouteille de ketchup à côté de mon assiette. J'ai prévu d'aller à mon club de gym après le travail.

— On ira ensemble.

— Vraiment ?

Je retournai la bouteille pour en frapper le fond avec la paume. Il me la prit des mains et se servit de son couteau pour déposer le ketchup sur mon assiette.

— Il est sans doute préférable que je brûle un peu d'énergie avant de me retrouver nu avec toi. J'imagine que tu veux être en mesure de marcher demain matin.

Je le dévisageai, stupéfiée par le ton d'évidence sur lequel il venait de faire cette déclaration, et son air à la fois amusé et contrit qui me disait qu'il ne plaisantait pas tout à fait. Mon sexe se mit à palpiter. Je m'imaginais sans peine devenant plus que sérieusement accro à Gideon Cross.

Je croquai quelques frites en songeant que quelqu'un d'autre l'était déjà.

— Magdalene risque de me poser un problème, avouai-je.

Il fit passer la bouchée qu'il venait d'avaler avec une gorgée d'eau.

— Elle m'a dit qu'elle t'avait parlé et que ça ne s'était pas très bien passé.

J'admirai l'habileté machiavélique de Magdalene qui s'était empressée de me couper l'herbe sous le pied. J'allais devoir me méfier d'elle, et Gideon allait devoir faire quelque chose à son sujet. Cesser toute relation avec elle, point final.

— En effet, ça ne s'est pas bien passé, acquiesçai-je. Je n'ai pas apprécié qu'elle me dise que tu n'as aucun respect pour les femmes que tu baises et que, dès l'instant où tu me l'avais mise, j'avais cessé de t'intéresser.

Gideon se figea.

— Elle a dit cela ?

— Mot pour mot. Elle a précisé aussi qu'elle-même était toujours là parce que tu sais qu'elle est la femme de ta vie.

— Vraiment ? demanda-t-il d'une voix coupante.

Je sentis mon ventre se nouer, sachant que les choses pouvaient se passer très bien ou très mal en fonction de la réaction de Gideon.

— Tu ne me crois pas ?

— Bien sûr que si.

— C'est pour ça que je te dis que Magdalene pourrait être un problème, insistai-je.

— Ce ne sera pas le cas. Je lui parlerai.

Je détestais l'idée qu'il lui parle, cela me rendait malade de jalousie. Autant régler la question tout de suite, décidai-je.

— Gideon...

— Oui ? fit-il en attaquant ses frites.

— Je suis très jalouse. Ça peut me rendre complètement hystérique. Ce serait peut-être bien que tu y réfléchisses et que tu te demandes dans la foulée si tu es prêt à avoir une relation avec quelqu'un qui a des problèmes d'estime de soi, ce qui est mon cas. C'est du reste l'une des raisons qui m'ont incitée à te dire que je n'étais pas intéressée la première fois que tu m'as proposé de coucher avec toi. Je savais que subir le spectacle de toutes ces femelles qui salivent dès qu'elles posent les yeux sur toi sans avoir le droit de dire quoi que ce soit m'aurait rendue dingue.

— Tu as le droit, maintenant.

— Tu ne me prends pas au sérieux, lui reprochai-je en secouant la tête.

— Je n'ai jamais été aussi sérieux de ma vie, assura-t-il.

Il cueillit une gouttelette de sauce au coin de ma bouche, puis lécha son doigt.

— Tu n'es pas la seule à être possessive. Je suis très jaloux de ce qui m'appartient.

Je n'en doutais pas un seul instant.

Je mordis dans mon burger en songeant à la nuit qui nous attendait. J'avais tellement hâte. Je mourais d'impatience de le voir nu, de faire courir mes mains et ma bouche sur son corps, de le rendre fou. Et j'avais désespérément envie d'être allongée sous lui, de le sentir me pilonner et exploser en moi...

— Si tu continues à entretenir ce genre de pensées, déclara-t-il d'une voix rauque, je te garantis que tu seras de nouveau en retard.

Je lui adressai un regard stupéfait.

— Comment sais-tu à quoi je pense ?

— Tu as une expression particulière quand tu es excitée. J'ai d'ailleurs l'intention de la faire apparaître aussi souvent que possible.

Il se leva, tira une carte de visite de sa poche et la posa près de moi. Il y avait noté le numéro de téléphone de son domicile et celui de son portable.

— Je me sens idiot de te demander ça après la conversation que nous venons d'avoir, mais j'aimerais que tu me donnes ton numéro de portable.

— Encore faudrait-il que j'en aie un.

— Où est passé celui sur lequel je t'ai vue composer un texto la semaine dernière ?

Je plissai le nez.

— J'ai découvert que ma mère s'en servait pour surveiller mes allées et venues. Elle est un poil... hyperprotectrice.

— Je vois.

Il me caressa la joue.

— C'est à ça que tu faisais allusion quand tu m'as dit qu'elle espionnait chacun de tes faits et gestes ?

— Malheureusement, oui.

— Bien, on s'occupera de te trouver un nouveau portable avant d'aller au club de gym, décida-t-il. C'est plus prudent. Je veux pouvoir te joindre à tout moment.

Je reposai ce qui restait de mon hamburger – il était si gros que j'étais incapable de le terminer – et m'essuyai les lèvres et les mains avec ma serviette.

— C'était délicieux, je te remercie.

— Tout le plaisir était pour moi, dit-il en se penchant pour déposer un rapide baiser sur mes lèvres. Tu veux peut-être te rafraîchir ?

— Oui. J'aurais besoin de ma brosse à dents qui est dans mon sac.

Quelques minutes plus tard, je me retrouvai dans un cabinet de toilette dissimulé derrière une porte qui se fondait parfaitement dans le mur lambrissé d'acajou où étaient fixés les écrans plats. Nous nous brossâmes les dents côte à côte devant le double lavabo, échangeant des regards par le truchement du miroir. C'était un acte si banal, si normal, et pourtant nous paraissions tous deux y prendre beaucoup de plaisir.

— Je te raccompagne, annonça-t-il un instant plus tard en se dirigeant vers le portemanteau.

Je le suivis, mais m'arrêtai devant son bureau dont j'effleurai le plateau.

— C'est ici que tu passes le plus clair de tes journées ?

— Oui, répondit-il en enfilant sa veste.

J'eus envie de le mordre tant je le trouvai exquis.

Au lieu de quoi je me perchai sur le bureau devant son siège, jetai un coup d'œil à ma montre. J'avais à peine le temps de regagner mon bureau. Je fus toutefois incapable de résister à la tentation d'exercer mes nouveaux droits.

— Assieds-toi, ordonnai-je en désignant le fauteuil de cuir.

Il arqua les sourcils, mais obtempéra sans discuter.

J'écartai les cuisses et lui fis signe d'approcher.

— Plus près.

Il fit rouler son siège, emplissant l'espace entre mes jambes, referma les bras autour de mes hanches et leva les yeux sur moi.

— Un jour, Eva, je te prendrai ici même.

— Pour l'instant, je me contenterai d'un baiser, murmurai-je en m'inclinant pour capturer sa bouche.

Prenant appui sur ses épaules, je léchai ses lèvres entrouvertes, puis m'immisçai entre elles pour le taquiner tendrement.

Un soupir lui échappa, et il approfondit notre baiser avec une fougue qui m'embrasa tout entière.

— Un jour, chuchotai-je contre ses lèvres, je m'age-nouillerai sous ce bureau pour te sucer. Peut-être pendant que tu seras au téléphone, occupé à jouer avec tes millions comme au Monopoly. « Nous vous invitons à repasser par la case départ et à toucher deux cents dollars, monsieur Cross. »

Je sentis son sourire.

— Je vois clair dans ton jeu. Tu as l'intention de me faire perdre la tête avec ton petit corps sexy et de me faire jouir dans tous les lieux possibles et imaginables.

— T'en plaindrais-tu ?

— J'en salive d'avance, mon ange.

Le petit nom me déconcerta, bien que sa douceur me plût.

— Mon ange ? répétai-je.

Il fredonna son assentiment et m'embrassa.

Je n'en revenais pas. En une heure, nous étions passés d'un extrême à l'autre, et je quittai le bureau de Gideon dans un état d'esprit radicalement opposé à celui qui avait été le mien en entrant. Le contact de sa main au creux de mes reins me faisait vibrer d'impatience, et la tristesse qui m'habitait en arrivant s'était envolée.

J'adressai un signe de la main à Scott et gratifiai la réceptionniste austère d'un sourire éclatant.

— Je crois qu'elle ne m'aime pas beaucoup, murmurai-je à Gideon tandis que nous attendions l'ascenseur.

— Qui ?

— Ta réceptionniste.

Il lui jeta un coup d'œil, et elle sourit de toutes ses dents.

— En revanche, toi, elle t'aime bien, constatai-je.

— Je lui garantis son salaire.

— C'est sûrement pour ça, oui. Ce n'est pas du tout parce que tu es l'homme le plus sexy de la terre.

— C'est ce que tu penses de moi ? demanda-t-il en m'emprisonnant contre le mur entre ses bras.

Je plaquai les mains sur son abdomen, et m'humectai les lèvres lorsque ses muscles durcirent.

— Simple observation.

— Toi, tu me plais, déclara-t-il avant de m'embrasser avec douceur.

— Toi aussi, tu me plais. Je te rappelle cependant que tu es sur ton lieu de travail.

— Et je te rappelle que je suis le patron.

Quand les portes de l'ascenseur coulissèrent, je passai sous le bras de Gideon et pénétrai dans la cabine. Il s'engouffra à ma suite, me contourna à la façon d'un prédateur pour se glisser derrière moi, et m'attira contre lui. Il glissa les mains dans les poches avant de mon pantalon et déploya les doigts en éventail pour me plaquer contre lui. La sensation de ses mains chaudes à proximité de l'endroit où je brûlais de le sentir fut une véritable torture. En guise de représailles, j'ondulai du bassin. Son sexe durcit.

— Un peu de tenue, me tança-t-il d'un ton bourru. J'ai une réunion dans un quart d'heure.

— Tu penseras à moi pendant ta réunion ?

— Sans aucun doute. Et tu penseras à moi pendant que tu seras assise à ton bureau. C'est un ordre, mademoiselle Tramell.

J'appuyai la tête contre son torse, ravie par son ton autoritaire.

— Je ne vois pas comment je pourrais faire autrement, monsieur Cross. Où que je sois, je pense toujours à vous.

Au vingtième étage, il sortit de l'ascenseur avec moi.

— Merci pour ce déjeuner, dit-il.

— Ça, c'est ma réplique. À plus tard, monsieur Noir Danger.

Le surnom dont je l'avais affublé me valut un regard étonné.

— À 17 heures. Ne me fais pas attendre.

Les portes d'un des ascenseurs s'ouvrirent, et Megumi en sortit. Gideon y entra et demeura le regard rivé au mien jusqu'à ce que les portes se referment.

— Waouh ! souffla Megumi. Tu as décroché le jackpot. Je suis verte d'envie.

Je ne trouvai rien à répondre. Ce qui m'arrivait était si nouveau que j'avais du mal à y croire. Et dans un recoin de mon esprit, je ne pouvais m'empêcher de penser qu'un tel bonheur ne pouvait pas durer. Tout se passait trop bien.

Je m'empressai de gagner mon box et me mis aussitôt au travail.

— Eva ? fit Mark un instant plus tard. Je peux te parler une minute ?

— Bien sûr.

J'attrapai ma tablette, bien que son expression comme son ton laissent à penser que je n'en aurais peut-être pas besoin. Quand il referma la porte de son bureau derrière moi, mon appréhension grimpa d'un cran.

— Tout va bien ? risquai-je.

— Oui.

Il attendit que je me sois assise et prit place près de moi.

— Je ne sais pas comment te dire ça...

— Dis-le comme ça te vient, je ferai le tri.

Il posa sur moi un regard de compassion teintée d'embarras.

— Je ne suis pas censé m'immiscer dans ta vie privée, commença-t-il. Je ne suis que ton supérieur, ce qui suppose une frontière entre nous, mais je me sens obligé de la franchir par affection pour toi, Eva. Et parce que j'aimerais que tu travailles ici le plus longtemps possible.

Mon estomac se contracta.

— Moi aussi, Mark. J'adore mon job.

— Bon, tant mieux. Ça me fait plaisir, m'assura-t-il avec un bref sourire. Simplement... fais attention avec Cross, d'accord ?

J'étais stupéfiée par le tour que prenait la conversation.

— D'accord.

— Il est brillant, riche et très séduisant, je comprends donc parfaitement qu'il t'attire. J'ai beau adorer Steven, je reconnais que son charisme ne me laisse pas indifférent. Il provoque cet effet-là, c'est ainsi.

Il avait débité sa tirade à toute allure et remua sur son siège, visiblement embarrassé.

— Je comprends également qu'il s'intéresse à toi. Tu es belle, intelligente, honnête, prévenante... je pourrais continuer comme ça un moment parce que tu es vraiment une fille formidable.

— Merci, dis-je, mal à l'aise, mais espérant que cela ne se voyait pas.

Cette mise en garde de la part de quelqu'un qui m'appréciait et le fait que les autres me voyaient comme la proie de la semaine de Gideon Cross ravivaient en moi un profond sentiment d'insécurité.

— Je ne voudrais pas que tu souffres, marmonna-t-il, l'air aussi malheureux que moi. En partie pour des raisons égoïstes, je le reconnais. Je ne voudrais pas perdre une bonne assistante parce qu'elle ne veut plus travailler dans le même immeuble que son ex.

— Mark, je suis très touchée que tu t'inquiètes pour moi et que tu me trouves à ce point précieuse, mais tu n'as aucun souci à te faire. Je suis une grande fille. En outre, rien ne pourra me pousser à abandonner cet emploi.

Il laissa échapper un soupir, à l'évidence soulagé.

— Parfait. Refermons cette parenthèse et remettons-nous au boulot.

La page était tournée. Un peu plus tard, cependant, je ne pus résister à la tentation de souscrire une alerte Google sur Gideon Cross, me condamnant ainsi à de futures tortures.

Gideon fut aussi ponctuel que je m'y attendais et, tandis que nous descendions au rez-de-chaussée dans une cabine bondée, il ne parut pas remarquer que j'étais d'humeur introspective. Plus d'une femme jeta des regards furtifs dans sa direction, mais je m'en moquai.

Une fois franchis les tourniquets du hall, il m'attrapa la main et entrelaça ses doigts aux miens. Ce geste à la fois si banal et si intime signifiait tant pour moi à ce moment-là que j'y répondis instinctivement d'une pression des doigts. Il fallait que je fasse attention. Dès l'instant où je lui serais reconnaissante du temps qu'il me consacrait, ce serait le commencement de la fin. Si je perdais le respect de moi-même, je perdrais aussi le sien.

Le SUV Bentley était garé le long du trottoir et le chauffeur de Gideon attendait à côté de la portière arrière.

— J'ai envoyé chercher ma tenue de sport au cas où tu persisterais à vouloir faire un tour à ton club de gym – l'Équinoxe, c'est ça ? Sinon, on peut aller au mien.

— Où se trouve-t-il ?

— Mon préféré est le CrossTrainer, sur la 35e Rue.

Bien que curieuse de savoir comment il connaissait le nom de mon club, je dressai l'oreille en entendant le mot « Cross ».

— Tu ne serais pas par hasard propriétaire de ton club de gym ?

— De toute la chaîne, en fait, admit-il avec un grand sourire. En général, je pratique différents arts martiaux avec un prof particulier, mais il m'arrive aussi d'utiliser le gymnase.

— Toute la chaîne, répétai-je. J'aurais dû m'en douter.

— À toi de choisir, dit-il, prévenant. J'irai où tu iras.

— Tu penses bien que je meurs d'envie de découvrir ton club.

Il m'ouvrit la portière et je grimpai à l'intérieur. Je posai mon sac à main et mon sac de sport sur mes genoux et tournai la tête vers la vitre quand la voiture démarra. La berline qui roulait à notre hauteur était si proche que je n'aurais pas eu besoin de me pencher pour la toucher. Je n'étais pas encore habituée à la circulation aux heures de pointe. À San Diego, il arrivait que les voitures roulent pare-chocs contre pare-chocs, mais c'était à une allure d'escargot. À New York, en revanche, les automobilistes persistaient quoi qu'il advienne à rouler le plus vite possible, si bien que je me surprenais à fermer les yeux en priant pour rester en vie jusqu'à la fin du trajet.

C'était là un monde entièrement nouveau. Nouvelle ville, nouvel appartement, nouveau job, nouvel homme.

Cela faisait beaucoup de changements d'un coup et expliquait que je me sente quelque peu déstabilisée.

Je jetai un coup d'œil à Gideon et découvris qu'il me contemplait, l'air indéchiffrable. Un mélange de désir impérieux et d'anxiété s'empara de moi. J'ignorais ce que je faisais avec lui. Je savais juste qu'il ne pouvait en être autrement même si je l'avais voulu.

9

Nous nous arrêtâmes d'abord dans une boutique de téléphonie mobile. La vendeuse qui s'occupa de nous parut plus que sensible au charisme de Gideon. Elle semblait sur le point de défaillir chaque fois qu'il manifestait le moindre signe d'intérêt, et se lançait aussitôt dans des explications inutilement détaillées.

J'essayais de m'écarter d'eux afin de trouver quelqu'un qui serait disposé à m'aider, moi, mais l'étau dans lequel Gideon enserrait ma main ne m'y autorisa pas. Il y eut une discussion au moment de passer à la caisse. Gideon estimait que la facture lui incombait alors que l'achat du téléphone et l'abonnement étaient à mon nom.

— Je t'ai déjà laissé choisir l'opérateur, soulignai-je en repoussant sa carte bancaire pour tendre la mienne à la caissière.

— Je l'ai fait pour des raisons pratiques, répliqua-t-il. Si on est chez le même opérateur, tu pourras m'appeler gratuitement.

Il glissa habilement sa carte sous le nez de la caissière.

— Si tu ne ranges pas ta carte immédiatement, je ne t'appellerai pas du tout !

Cet argument massue me permit d'obtenir gain de cause, mais il ne put masquer sa contrariété.

Le temps de rejoindre la voiture, son humeur semblait de nouveau au beau fixe.

— Au gymnase, Angus, dit-il au chauffeur quand nous nous installâmes sur la banquette arrière.

Il sortit son téléphone, enregistra mon numéro dans sa liste de contacts, puis s'empara de mon nouveau portable et y entra ses propres numéros.

Il venait à peine de terminer quand nous nous garâmes devant le CrossTrainer. Sans surprise, je découvris que ce temple du fitness qui s'élevait sur deux étages avait tout pour combler les attentes des sportifs les plus acharnés. Chaque centimètre carré de ce bâtiment ultramoderne m'impressionna, jusqu'aux vestiaires des femmes qui semblaient tout droit sortis d'un film de science-fiction.

Mais lorsque je retrouvai Gideon dans le hall après m'être changée, l'admiration que les lieux avaient suscitée en moi se transforma en éblouissement face à leur propriétaire.

Je m'immobilisai si abruptement que la personne qui me suivait me heurta. Je parvins à peine à bredouiller des excuses ; j'étais trop occupée à dévorer Gideon des yeux. Ses jambes musclées étaient parfaitement proportionnées, quant à ses bras, ils me firent carrément saliver. Ses épaules étaient puissantes, ses biceps sculptés, et les veines qui saillaient sur ses avant-bras ajoutaient à l'ensemble une touche de masculinité très sexy. Il avait rabattu ses cheveux en arrière, mettant ainsi ses traits en valeur.

Dire que je connaissais cet homme-là intimement... Confronté à la preuve irréfutable de ce que son physique avait d'exceptionnel, mon esprit peinait à intégrer ce fait.

Gideon, quant à lui, me fixait en fronçant les sourcils.

S'écartant du mur contre lequel il était appuyé, il me rejoignit et se mit à tourner autour de moi, ses doigts courant sur la bande de peau nue visible entre le bas de mon top et la taille de mon pantalon de yoga. Quand il s'immobilisa devant moi, je nouai les bras autour de son cou, l'obligeai à incliner la tête et déposai un baiser aussi taquin que sonore sur ses lèvres. Mon accueil enthousiaste ne le dérida que très légèrement.

— Qu'est-ce que c'est que cette tenue ?

— Ma tenue de sport.

— On a l'impression que tu es nue avec ce haut.

— Je croyais que tu aimais me voir nue, répliquai-je, secrètement ravie d'avoir choisi ce haut ce matin-là, alors que j'étais loin de me douter qu'il m'accompagnerait au club de gym.

Il formait un triangle maintenu par de longues bretelles qui passaient par-dessus les épaules, se croisaient dans le dos et s'ajustaient sous les côtes par des velcros. C'était un modèle spécialement conçu pour les poitrines généreuses, et je l'affectionnais tout particulièrement. Ce qui faisait tiquer Gideon, je le savais, c'était sa couleur chair, assortie aux rayures latérales de mon pantalon.

— J'aime te voir nue en privé, marmonna-t-il. Je vais devoir t'accompagner chaque fois que tu iras au gymnase.

— Je ne m'en plaindrai pas. Tu es plutôt agréable à regarder.

Je n'ajoutai pas que sa possessivité faisait naître en moi une excitation perverse après la souffrance que son attitude glaciale de samedi soir m'avait infligée. Deux attitudes radicalement opposées qui seraient, à n'en pas douter, suivies d'une kyrielle d'autres, tout aussi déstabilisantes.

— Débarrassons-nous de cette corvée, déclara-t-il en me prenant par la main pour m'entraîner à sa suite, raflant au passage deux serviettes estampillées *CROSS*. Je ne pense qu'à te baiser.

— Je ne pense qu'à me faire baiser.

— Un peu de tenue, Eva, gronda-t-il en resserrant son étreinte sur ma main au point de me faire mal. Par quoi veux-tu commencer ? Haltères ? Machines ? Tapis de course ?

— Tapis de course. J'ai besoin de courir un peu.

Tandis que nous nous dirigions vers les tapis, j'observai du coin de l'œil la façon dont les femmes le suivaient du regard, et ne tardai pas à m'apercevoir qu'elles avaient tendance à lui emboîter le pas. Je ne pouvais pas le leur reprocher, car j'avais autant envie qu'elles de le voir en pleine action.

Une fois parvenus au bout de la rangée apparemment infinie de tapis de course et de vélos, nous dûmes nous rendre à l'évidence : il ne restait plus deux tapis de course côte à côte.

Gideon s'approcha d'un homme qui courait entre deux tapis libres.

— Je vous serais infiniment reconnaissant si vous aviez l'amabilité de passer sur l'un ou sur l'autre.

L'homme me jeta un coup d'œil et sourit.

— Sans problème.

— Merci, c'est très aimable à vous.

Gideon grimpa sur le tapis que l'homme venait de libérer et m'indiqua celui qui se trouvait à côté de lui. Avant qu'il compose son programme, je me penchai vers lui.

— Ne dépense pas toute ton énergie. Je veux que tu me prennes en missionnaire la première fois. Je fantasme comme une folle à l'idée de te sentir au-dessus de moi.

Il me gratifia d'un regard on ne peut plus explicite.

— Tu n'as pas idée de ce qui t'attend, Eva.

Saisie d'un délicieux vertige accompagné d'un sursaut de puissance féminine, je grimpai sur mon tapis de course que je réglai à une allure de marche rapide. Tout en m'échauffant, j'allumai mon Ipod en mode aléatoire, puis adaptai mes foulées au rythme de *Sexy Back* par Justin Timberlake et passai à la vitesse supérieure. Pour moi, courir est un exercice autant physique que mental. J'aimerais courir assez vite pour échapper à tout ce qui me bouleverse.

Au bout de vingt minutes, je ralentis, puis m'arrêtai et jetai un regard à Gideon qui courait avec la fluidité d'une mécanique bien huilée. Il regardait CNN sur l'un des écrans fixés en hauteur, mais tourna la tête et me sourit pendant que j'essuyais mon visage en nage.

Je bus au goulot de ma bouteille d'eau minérale tout en me dirigeant vers les machines et en choisis une qui me permettrait de l'observer.

Il monta jusqu'à quarante-cinq sur le tapis de course, puis passa aux haltères, s'appliquant lui aussi à me garder dans son champ de vision. Tandis que je le regardais s'exercer, je ne pus que constater à quel point il était viril. Certes, j'avais une connaissance intime de ce que dissimulait son short, mais pour un homme qui passait ses journées derrière un bureau, Gideon Cross était vraiment dans une forme éblouissante.

Alors que j'attrapais une balle de fitness, l'un des animateurs du club s'approcha de moi. Il était évidemment aussi bien bâti que sa fonction l'exigeait dans un club de gym haut de gamme.

— Salut, lança-t-il avec un sourire de star qui révéla une rangée de dents à l'alignement parfait. C'est la première fois que tu viens, non ? Je ne t'ai encore jamais vue.

— Oui, c'est la première fois.

— Je m'appelle Daniel, dit-il en me tendant la main.

— Eva, répondis-je en la lui serrant.

— Tu as tout ce dont tu as besoin, Eva ?

— Jusqu'ici tout va bien, je te remercie.

— Quel parfum de smoothie as-tu choisi ?

— Pardon ?

— Tu n'as pas pris de smoothie lors de ton inscription ? s'étonna-t-il en croisant les bras, et je crus que les manches de son polo allaient craquer sous la pression de ses biceps. C'est un passage obligé, pourtant.

— Je ne suis pas passée par la voie normale, avouai-je en haussant les épaules, l'air contrit.

— On t'a fait visiter le club, au moins ? Sinon, je serais ravi de t'accompagner.

Il me frôla le coude tout en désignant l'escalier de sa main libre.

— Tu as aussi droit à une heure gratuite de cours particulier. On peut faire ça ce soir ou prendre un rendez-vous pour un autre jour de la semaine. Je serais heureux de t'emmener au bar à vitamines, histoire de te donner l'impression de faire vraiment partie du club.

— Je ne peux pas. Je ne suis pas membre du club, avouai-je en plissant le nez.

— Je vois, dit-il avec un clin d'œil. Tu as souscrit un pass temporaire ? Tu as bien fait. Difficile de se décider tant qu'on n'a pas fait un tour complet. En tous les cas, je peux t'assurer que le CrossTrainer est le meilleur club de gym de Manhattan.

Gideon se matérialisa au côté de Daniel.

— Le tour complet est garanti quand on est la petite amie du propriétaire, déclara-t-il en se plaçant derrière moi pour m'enlacer.

L'expression « petite amie » résonna en moi, déclenchant une montée d'adrénaline. J'avais beau savoir que je l'étais bel et bien à ses yeux, l'entendre à voix haute me comblait.

Daniel se raidit et recula d'un pas.

— Monsieur Cross, c'est un honneur de vous rencontrer.

— Daniel me vantait les mérites des lieux, expliquai-je à Gideon tandis qu'ils échangeaient une poignée de main.

— Je croyais l'avoir déjà fait.

Ses cheveux étaient humides de transpiration et il sentait divinement. Je n'aurais jamais cru possible qu'un homme en sueur puisse sentir aussi bon.

Gideon me caressa les bras et déposa un baiser au sommet de mon crâne.

— Allons-y, me dit-il. À plus tard, Daniel.

— Merci, Daniel, fis-je en lui adressant un signe de la main tandis que nous nous éloignions.

— Quand tu veux, répondit-il.

— Compte là-dessus, marmonna Gideon. Il n'arrêtait pas de lorgner tes seins.

— Normal, ils sont superbes.

Il ne put retenir un grommellement et je réprimai un sourire.

Il m'appliqua une claque si ferme sur les fesses que je fis un pas en avant et sentis la chair me cuire à travers mon pantalon.

— L'espèce de pansement qui te tient lieu de tee-shirt ne laisse aucune place à l'imagination. Ne t'attarde pas trop sous la douche, me conseilla-t-il comme nous atteignions les vestiaires des femmes. Tu ne vas pas tarder à transpirer de nouveau.

— Attends, dis-je en lui attrapant le bras avant qu'il rejoigne les vestiaires des hommes. Ça te dégoûterait si je te disais que je ne veux pas que tu te douches ?

Que j'aimerais trouver un endroit le plus près possible pour pouvoir te sauter dessus alors que tu es encore en nage ?

Le regard de Gideon s'assombrit dangereusement.

— Je commence à m'inquiéter pour ta sécurité, Eva. File chercher tes affaires. Il y a un hôtel au coin de la rue.

Nous ne nous changeâmes ni l'un ni l'autre et, moins de cinq minutes plus tard, nous étions dehors. Gideon marchait si vite que j'avais du mal à le suivre. Quand il s'arrêta brusquement pour m'enlacer et m'embrasser à pleine bouche au beau milieu du trottoir bondé de monde, je m'y attendais si peu que je ne pus que répondre à son baiser. Nos lèvres fusionnèrent dans un élan de passion d'une spontanéité qui me comprima douloureusement le cœur. Une salve d'applaudissements s'éleva autour de nous.

Lorsqu'il me relâcha, j'avais le tournis et j'étais à bout de souffle.

— C'était quoi, exactement ? haletai-je.

— Un prélude, riposta-t-il avant de m'entraîner au pas de charge vers l'hôtel voisin.

Je n'eus pas le temps d'en lire le nom que nous passions devant le portier pour foncer vers l'ascenseur. Je devinai que l'hôtel lui appartenait avant même que le gérant le salue par son nom.

Alors que les portes se refermaient sur nous, Gideon laissa tomber son sac de sport sur le sol de la cabine et tenta de m'extirper de mon top. J'étais encore occupée à l'en empêcher lorsque les portes de l'ascenseur se rouvrirent. Il ramassa son sac. Nous ne croisâmes personne, ni sur le palier ni le long du couloir. Il ouvrit une porte à l'aide d'un passe magnétique apparu mystérieusement dans sa main et, quelques secondes plus tard, nous étions dans une chambre.

Je glissai les mains sous son tee-shirt pour palper sa peau moite, éprouver la fermeté de ses muscles.

— Déshabille-toi, ordonnai-je. Tout de suite.

Il se déchaussa en riant, puis fit passer son tee-shirt par-dessus sa tête.

Ô mon Dieu... Il était nu, entièrement nu, une fois que son short eut atterri par terre, et ce spectacle provoqua un court-circuit au niveau de mes synapses. Il n'avait pas une once de graisse superflue. Uniquement des muscles longs, fuselés... Les plus beaux abdominaux que j'aie jamais vus, et ce triangle de muscles tellement sexy juste en dessous, que Cary appelait l'« aine d'Apollon ». Il était la virilité même, l'incarnation de tous mes fantasmes.

— Je suis morte et je suis arrivée au paradis, murmurai-je en le dévorant des yeux.

— Mais tu es toujours habillée, observa-t-il en s'attaquant illico à mes vêtements, me dépouillant de mon top avant que j'aie le temps de dire ouf !

Il fit tout aussi prestement un sort à mon pantalon, et je mis un tel empressement à me déchausser que je perdis l'équilibre et tombai sur le lit. Je n'avais pas retrouvé mon souffle qu'il était sur moi.

Nous roulâmes sur le matelas, nos membres s'entremêlant, sa chair enflammant la mienne. L'odeur de sa peau avait sur moi un effet à la fois aphrodisiaque et enivrant qui excitait si fort mon désir que je crus perdre la tête.

— Dieu que tu es belle, Eva...

Il prit l'un de mes seins en coupe avant d'en aspirer la pointe entre ses lèvres. Le contact de sa langue m'arracha un cri et mon vagin se contracta au rythme de la succion de sa bouche. Mes mains exploraient avidement son corps, palpant, pétrissant, cherchant les points qui le faisaient gronder et gémir. J'emprisonnai ses jambes entre les miennes et tentai de le faire basculer sur le flanc, mais il était bien trop lourd et trop fort.

Il leva la tête, sourit.

— C'est mon tour, cette fois, déclara-t-il.

Ce que je ressentis face à ce sourire et à la chaleur de son regard fut si intense que j'en eus mal. C'était trop rapide. J'avais l'impression de tomber dans un gouffre à toute allure.

— Gideon...

Il m'embrassa avec fougue, sa langue investissant ma bouche de cette façon qui n'appartenait qu'à lui. J'étais sûre qu'il pourrait me faire jouir rien qu'en m'embrassant s'il prolongeait suffisamment l'instant. Tout m'excitait en lui, depuis son physique jusqu'à la façon dont il me regardait, me touchait. La force de son désir et les exigences muettes qu'il transmettait à mon corps, l'intensité avec laquelle il me donnait du plaisir et en tirait de moi en retour me rendaient folle.

Mes mains s'enfouissaient dans la soie humide de ses cheveux. Son torse si ferme agaçait les pointes durcies de mes seins et le poids de son corps sur le mien suffisait à me rendre moite de désir.

— J'adore ton corps, me murmura-t-il à l'oreille.

Ses lèvres glissèrent jusqu'à ma gorge tandis que sa main me caressait le flanc depuis le sein jusqu'à la hanche.

— Je ne me lasse pas de le toucher.

— Tu n'y as pas encore consacré beaucoup de temps, le taquinai-je.

— Je crois que je n'en consacrerai jamais assez.

Il me mordilla l'épaule, la lécha doucement, descendit plus bas, jusqu'à attraper l'autre mamelon entre ses dents. Il tira dessus et je cambrai le dos en laissant échapper un petit cri. Il apaisa ce simulacre de morsure d'une tendre succion, puis traça un chemin de baisers vers mon ventre.

— Je n'ai encore jamais éprouvé un pareil désir, souffla-t-il.

— Qu'est-ce que tu attends pour l'assouvir ?

— C'est trop tôt, murmura-t-il avant de tracer de la pointe de la langue des cercles autour de mon nombril. Tu n'es pas prête.

— Quoi ? m'écriai-je, sidérée. Mais enfin, je ne suis on ne peut plus prête !

Comme je lui tirais les cheveux pour l'obliger à remonter, il m'emprisonna les poignets et les plaqua sur le matelas.

— Tu as une petite chatte très étroite, Eva. Je risque de te faire mal si tu n'es pas parfaitement détendue.

Je frémis de la tête aux pieds. Qu'il parle de mon sexe aussi crûment m'excitait. Ses lèvres glissèrent plus bas sur mon ventre et je me raidis.

— Non, Gideon ! Il faut d'abord que je me lave.

Ignorant ma requête, il enfouit le visage entre mes cuisses. Je luttai pour me libérer, en proie à une honte inattendue qui me fit rougir jusqu'à la racine des cheveux. Il me mordilla délicatement l'intérieur de la cuisse.

— Arrête, Eva.

— S'il te plaît, ne fais pas ça. Tu n'es pas obligé.

Il m'adressa un regard si dur que je cessai aussitôt de me débattre.

— Tu crois que le désir que j'ai de ton corps est différent de celui que tu as du mien ? demanda-t-il d'un ton coupant. J'ai envie de toi, Eva.

J'humectai mes lèvres sèches, si troublée par la force animale de son désir que je fus incapable d'articuler un mot. Avec un doux gémissement, il reprit son exploration intime, caressant ma fente moite de la langue, en écartant habilement les replis si sensibles, plongeant dans ma chair palpitante. J'ondulai frénétiquement des hanches, mon corps le suppliant de continuer. C'était si bon que j'aurais pu en pleurer de bonheur.

— Mon Dieu, Eva... Je ne pense qu'à te lécher la chatte depuis que je te connais.

Quand sa langue à la douceur veloutée passa sur mon clitoris, j'enfonçai la tête dans l'oreiller.

— Oui... haletai-je. Comme ça... Fais-moi jouir.

Il s'exécuta docilement. Une douce succion, un petit coup de langue appliqué avec juste ce qu'il fallait de fermeté, et mon corps se tordit sous la puissance de l'orgasme qui me traversa de part en part. Sa langue investit mon vagin qui se contractait follement. Les gémissements dont il accompagnait ses caresses lascives intensifièrent mon plaisir et le prolongèrent à l'infini. Des larmes me piquèrent les yeux et coulèrent sur mes tempes, le raz-de-marée de la jouissance ayant balayé la digue qui tenait mes émotions à distance.

Gideon n'en resta pas là. Il fit lentement passer la pointe de sa langue sur le pourtour de mon sexe, puis lapa mon clitoris palpitant jusqu'à ce que j'explose de nouveau. Deux doigts me pénétrèrent alors, s'incurvèrent savamment pour caresser un point sensible. Je résistai à ce nouvel assaut sensuel en m'agitant en tous sens mais, quand sa bouche aspira mon clitoris, je volai de nouveau en éclats avec un cri rauque. C'est alors que trois doigts m'envahirent, des doigts qui me vrillaient, m'élargissaient.

— Non, haletai-je, le corps en feu, la tête roulant de droite et de gauche sur l'oreiller. Je n'en peux plus...

— Encore une fois, me supplia-t-il d'une voix enrouée. Rien qu'une fois, et après je te baise.

— Je ne peux pas...

— Si, tu peux.

Il souffla doucement sur ma chair moite et la fraîcheur sur ma peau enfiévrée me mit de nouveau les nerfs à vif.

— J'adore te regarder jouir, Eva. J'adore la façon dont ton corps se tord et les petits bruits que tu fais...

Il me caressa si habilement qu'un nouvel orgasme monta lentement en moi et se propagea en une délicieuse onde de plaisir, pas moins dévastateur que les précédents en dépit de sa douceur.

Flottant encore dans les brumes du plaisir, je sentis Gideon se lever. J'entendis vaguement un tiroir s'ouvrir, suivi du froissement d'un emballage qu'on déchire. Le matelas s'affaissa quand il revint. Il me tira sans ménagement au centre du lit, puis s'étendit sur moi, cala les biceps de part et d'autre de mes bras qu'il pressa contre mes côtes, m'emprisonnant complètement.

Je fixai son visage à la beauté presque austère. Le désir lui crispait les traits, tendait la peau sur ses pommettes et sa mâchoire. Ses pupilles étaient tellement dilatées que ses iris paraissaient noirs. C'était là, devinai-je, le visage d'un homme qui ne se dominait plus. Je savais qu'il s'était maîtrisé jusque-là autant pour me donner du plaisir que pour me préparer à ce qui allait suivre.

Mes poings se refermèrent impatiemment. Il avait veillé à me faire jouir encore et encore, à partir de maintenant il ne serait plus question que de sa jouissance à lui.

— Baise-moi, ordonnai-je en le défiant du regard.

— Eva.

Mon prénom franchit ses lèvres en même temps qu'il me pénétrait d'une vigoureuse poussée.

J'ouvris la bouche pour aspirer une bouffée d'air. Il était imposant, aussi dur que le granit, et fiché en moi si profondément... C'était d'une intensité inouïe. Émotionnellement, mentalement. Je ne m'étais encore jamais sentie aussi complètement... prise. Possédée.

Mon histoire étant ce qu'elle était, je n'aurais jamais cru possible d'accepter de me sentir freinée pendant un rapport sexuel, mais la domination que Gideon exerçait sur mon corps était si totale qu'elle embrasait mon désir. Jamais encore je n'avais été aussi pressée de passer à l'action, ce qui semblait délirant après les orgasmes en série dont il venait de m'abreuver.

Je me contractai autour de lui, savourant la sensation de son sexe qui m'emplissait toute.

Il pressa son bassin contre le mien comme pour dire : « Tu me sens ? Je suis en toi. Tu m'appartiens. »

Son corps se raidit, les muscles de son torse et de ses bras se contractèrent tandis qu'il se retirait lentement, presque entièrement. Ses abdominaux se crispèrent, et ce fut le seul avertissement auquel j'eus droit avant qu'il revienne en moi d'un coup de reins brutal.

Un cri franchit mes lèvres.

— C'est divin d'être en toi...

L'étreinte de ses bras s'affermit autour de moi, et il commença à aller et venir à un rythme soutenu, me plaquant les hanches contre le matelas à chacun de ses puissants coups de boutoir. Le plaisir crépita de nouveau en moi au rythme de ses poussées. « Oui, comme ça, pensai-je. C'est comme ça que je te veux. »

Le visage enfoui au creux de mon cou, il me maintenait étroitement en place pour me pilonner tout son soûl tout en débitant d'une voix altérée des propos qui m'excitaient violemment.

— Je n'ai jamais bandé aussi dur... Je te prends si profond... Je la sens contre mon ventre... Je sens ma queue aller et venir en toi.

J'avais cru que cette fois il ne serait question que de lui, mais il était toujours avec moi, concentré sur moi, ses hanches ondoyant savamment pour accroître mon plaisir. Un gémissement m'échappa, puis sa bouche recouvrit la mienne. J'enfonçai les ongles dans ses fesses, luttant contre le besoin dévorant d'accompagner ses coups de reins frénétiques.

Nous étions haletants, en sueur, nos corps brûlants glissaient l'un contre l'autre. À l'approche de la lame de fond de l'orgasme, mon corps entier se contracta, frémit irrépressiblement. Lâchant un juron, Gideon glissa la main sous moi, la referma sur mes fesses, et me souleva afin que l'extrémité de son sexe frotte encore et encore là où je réclamais sa caresse.

— Jouis, Eva, exigea-t-il d'une voix rude. Jouis, maintenant.

L'orgasme d'une force inouïe qui me secoua m'arracha un sanglot ; les sensations qui se déployaient en moi étaient d'autant plus violentes que mon corps était comme emprisonné par le sien.

Gideon releva la tête. Un long frisson le parcourut comme il criait mon nom en m'étreignant si fort que je pouvais à peine respirer. Le va-et-vient de son sexe s'accéléra avant qu'il se déverse en moi interminablement.

Je serais incapable de dire combien de temps nous demeurâmes ainsi, épuisés, nos bouches glissant sur l'épaule et la gorge de l'autre pour l'apaiser. Mon corps n'était plus que fourmillements et pulsations.

— Waouh ! parvins-je finalement à articuler.

— Tu vas me tuer, marmonna-t-il contre ma joue. On va se tuer l'un l'autre à ce jeu-là.

— Mais je n'ai rien fait.

Il m'avait dominée complètement, et j'avais trouvé cela sacrément excitant.

— Si, tu as respiré.

Je m'esclaffai et resserrai mon étreinte. Il souleva la tête, frotta le bout de son nez contre le mien.

— On mange, et après, on recommence.

— Tu te sens d'attaque pour recommencer ? demandai-je, interdite.

— Toute la nuit, assura-t-il.

Il ponctua sa réponse d'un mouvement du bassin qui m'apprit qu'il était encore relativement dur.

— Tu es une machine, déclarai-je. Ou alors un dieu.

— C'est toi qui me mets dans cet état.

Il déposa un baiser sur mes lèvres, puis se retira et se débarrassa du préservatif. Il l'enveloppa dans un mouchoir en papier qu'il avait sorti du tiroir de la table de chevet, puis lança le tout dans la corbeille à papier.

— On va se doucher, après on commandera de quoi dîner au restaurant de l'hôtel. À moins que tu ne préfères descendre ?

— Je ne suis pas sûre de pouvoir marcher.

Il me décocha un sourire si radieux que mon cœur cessa de battre pendant une minute.

— Content de ne pas être le seul.

— Tu as l'air en pleine forme.

— Je me sens phénoménalement bien.

Il s'adossa à la tête de lit et écarta les cheveux de mon front. Ses traits étaient détendus, son sourire tendre et chaleureux.

Il me sembla pourtant apercevoir autre chose dans son regard et ma gorge se serra d'appréhension.

— Viens te doucher avec moi, proposa-t-il en laissant courir sa main le long de mon bras.

— Accorde-moi une minute, le temps de rassembler mes esprits, et je te rejoins.

— D'accord.

Il se leva et se dirigea vers la salle de bains, m'offrant une vue imprenable sur son dos sculpté et ses fesses parfaites, qui me tira un soupir appréciateur.

Un instant plus tard, un bruit d'eau me parvint. Je réussis à me redresser, pivotai pour m'asseoir au bord du lit, le corps parcouru de ce léger et délicieux frémissement d'après l'amour. Mon regard tomba sur le tiroir entrouvert de la table de chevet ; il contenait des préservatifs.

Mon estomac se noua. L'hôtel était trop sélect pour glisser des préservatifs à côté de la Bible.

D'une main mal assurée, j'ouvris complètement le tiroir et découvris une quantité impressionnante d'accessoires, incluant un flacon de lubrifiant et un tube de gel spermicide. Mon cœur se mit à cogner sourdement. Je refis mentalement le trajet qui nous avait menés du club de gym à l'hôtel. Gideon n'avait pas demandé quelles chambres étaient libres. Même s'il possédait un passe-partout, il aurait normalement dû s'informer de la disponibilité des chambres avant d'en prendre une... À moins qu'il ne sache déjà que celle-ci serait libre.

De toute évidence, cette chambre était la sienne – une garçonnière équipée de tout ce dont il avait besoin pour passer du bon temps avec des femmes censées lui en donner.

Je me levai, et tandis que je m'approchais de l'armoire, j'entendis la porte de la douche s'ouvrir, puis se refermer. Je saisis les poignées des portes à claire-voie et tirai. Quelques vêtements d'homme étaient suspendus dans la penderie – des chemises et des pantalons de costume, des pantalons de sport et des jeans. Un grand froid m'envahit, en même temps qu'une douloureuse nausée qui balaya le bien-être post-orgasmique dans lequel je baignais encore.

La partie basse de l'armoire comportait deux colonnes de tiroirs. Ceux de droite contenaient des tee-shirts soigneusement pliés, des caleçons et des chaussettes. Dans le tiroir du haut de la partie gauche, je découvris des sex-toys dans leur emballage d'origine. Je n'ouvris pas les tiroirs du dessous. J'en avais assez vu.

J'enfilai mon pantalon, piquai l'une des chemises de Gideon. Tout en l'enfilant, je récitai mentalement les étapes, apprises en thérapie, qui permettaient de retrouver le contrôle de soi : « Aborder ouvertement le problème. Exprimer ce qui a déclenché des sentiments négatifs vis-à-vis du partenaire. Affronter l'élément déclencheur jusqu'à le définir clairement. »

Si j'avais été moins bouleversée par la profondeur de mes sentiments pour Gideon, j'aurais peut-être réussi à faire tout cela. Si cette découverte n'avait pas eu lieu juste après avoir fait l'amour d'une manière hallucinante, j'aurais certainement été moins à vif, moins vulnérable. Je n'avais rien vu venir. Je me sentais sale, utilisée, profondément meurtrie. Cette révélation m'avait heurtée de plein fouet, et comme un enfant je voulais rendre coup pour coup.

Je raflai les préservatifs, le lubrifiant et les sex-toys, et les jetai en vrac sur le lit. Puis, alors même que Gideon m'appelait d'une voix à la fois taquine et amusée, je ramassai mon sac et quittai la chambre.

10

Je baissai la tête en passant devant le comptoir de la réception et m'esquivai par une porte latérale. J'étais rouge de honte au souvenir du salut que le gérant avait adressé à Gideon avant que nous montions dans l'ascenseur. Qu'avait-il dû penser de moi ? Il savait forcément quel usage Gideon réservait à cette chambre. L'idée de n'être qu'un nom de plus sur la liste de ses conquêtes m'était insupportable. C'était pourtant ce que j'étais devenue en franchissant le seuil de cet hôtel.

Ç'aurait donc été si difficile de s'arrêter à la réception pour demander une chambre qui ne soit rien qu'à nous ?

Je marchai au hasard. La nuit était tombée et la ville vibrait d'une énergie qui n'avait rien à voir avec celle de la journée. Des street cars jalonnaient le trottoir, côtoyant les stands de vendeurs à la sauvette.

Le flot d'adrénaline qui s'était répandu en moi quand j'avais pris la fuite se dissipait progressivement. Je jubilai à la pensée de Gideon émergeant de la salle de bains, découvrant la chambre vide et sa panoplie d'accessoires répandue sur le lit... Je retrouvai lentement mon calme et fus bientôt en état de réfléchir à ce qui venait de se passer.

Était-ce pure coïncidence que Gideon m'ait invitée dans un club de gym situé, comme par hasard, à côté de sa garçonnière ?

Je me remémorai la conversation que nous avions eue dans son bureau à l'heure du déjeuner, la façon dont il avait bataillé, cherchant ses mots pour me garder. La tournure prise par les événements le laissait sans doute aussi déconcerté et déstabilisé que moi, et je savais à quel point il était facile de tomber dans des schémas archaïques. Après tout, n'était-ce pas ce que j'étais en train de faire en prenant la fuite ? Mes longues années de thérapie m'avaient pourtant appris que la fuite n'est jamais une solution face à la souffrance.

Bourrelée de remords, j'entrai dans une pizzeria et m'assis à une table. Je commandai un verre de syrah et une margarita dans l'espoir d'apaiser mon angoisse et de parvenir à réfléchir posément.

Quand le serveur m'apporta mon verre, j'en bus la moitié d'un trait sans prendre le temps de le savourer. Gideon me manquait déjà... Son odeur était partout sur moi – celle de sa peau, celle de son sexe. Les yeux me picotèrent, et je laissai les larmes couler sur mes joues bien que je sois au beau milieu d'un restaurant. Ma pizza arriva et je l'entamai sans entrain. Je lui trouvai un goût de carton, mais doutai que le talent du cuisinier fût en cause.

Je tirai vers moi la chaise sur laquelle j'avais posé mon sac et en sortis mon portable dans l'intention de laisser un message sur le répondeur du Dr Travis. Il avait proposé de poursuivre nos séances par webcam le temps que je trouve un nouveau thérapeute à New York et j'avais accepté. C'est là que je découvris les vingt et un appels manqués de Gideon ainsi qu'un

SMS. *J'ai encore tout gâché. Ne romps pas avec moi. Parle-moi. Stp.*

Les larmes roulèrent de nouveau sur mes joues. Je pressai le téléphone contre mon cœur, ne sachant que faire. Je n'arrivais pas à chasser de mon esprit des images de Gideon en compagnie d'autres femmes. Je ne pouvais m'empêcher de l'imaginer en train de posséder une autre que moi sur ce même lit, de la rendre folle de plaisir, d'user de son corps jusqu'à plus soif...

De telles pensées étaient aussi stériles qu'irrationnelles ; je me sentais mesquine et j'avais la nausée.

Je sursautai quand le téléphone vibra contre mon cœur et faillis le lâcher. Le nom de Gideon s'afficha à l'écran – il était le seul à connaître le numéro, de toute façon. J'hésitai à laisser la messagerie s'enclencher, puis décidai que je ne pouvais pas ignorer plus longtemps ses appels. Autant j'avais eu envie de le faire souffrir un instant plus tôt, autant cette idée m'était soudain insupportable.

— Allô ?

Je reconnus à peine ma propre voix tant elle était chargée de larmes et d'émotion.

— Eva ! Dieu merci, s'écria Gideon sans chercher à cacher son anxiété. Où es-tu ?

Je regardai autour de moi, mais le nom du restaurant n'était visible nulle part.

— Je ne sais pas. Je... je suis désolée, Gideon.

— Non, Eva. Tout est ma faute. Il faut que je te retrouve. Décris-moi l'endroit où tu es. Tu y es allée à pied ?

— Oui.

— Je sais par quelle porte tu es sortie. Quelle direction as-tu prise ?

Il avait le souffle court et j'entendais le bruit de la circulation et des coups de klaxon en arrière-plan.

— Sur la gauche.

— Tu as tourné dans une autre rue ensuite ?

— Je ne crois pas. Je ne sais plus. Je suis dans un restaurant italien, ajoutai-je en cherchant du regard un serveur auprès de qui me renseigner. Il y a une terrasse devant... et une barrière en fer forgé. Une porte-fenêtre... Seigneur, Gideon, je...

Il apparut sur le seuil du restaurant, son portable vissé à l'oreille. Je le vis se figer quand il me repéra, assise au fond de la salle. Il fourra son portable dans la poche de son jean – l'un de ceux que j'avais aperçus dans l'armoire à l'hôtel –, dépassa sans lui accorder un regard l'hôtesse qui s'apprêtait à l'aborder et fonça droit sur moi. J'eus à peine le temps de me lever qu'il m'attirait contre lui pour me serrer très fort.

— Eva.

Il tremblait légèrement. Je lui rendis son étreinte, et son frais parfum de savonnette me fit réaliser que j'avais grand besoin de prendre une douche, moi aussi.

— Je ne peux pas être vu ici, dit-il d'une voix altérée en encadrant mon visage de ses mains. Je ne peux pas être vu en public en ce moment. Tu veux bien venir chez moi ?

Ma méfiance dut se lire sur mes traits, car il pressa les lèvres sur mon front et murmura :

— Ce ne sera pas comme à l'hôtel, je te le promets. En dehors des employées de maison, ma mère est la seule femme qui ait jamais mis les pieds chez moi.

— C'est idiot, marmonnai-je. Je me comporte comme une idiote.

— Non, souffla-t-il. Si tu m'avais emmené dans un endroit que tu réserves à tes rencontres avec d'autres hommes, j'aurais pété un câble, moi aussi.

Un serveur s'approcha et nous nous séparâmes.

— Désirez-vous le menu, monsieur ? s'enquit-il.

— Inutile, répondit Gideon en sortant son portefeuille de sa poche. Nous partons, ajouta-t-il en lui tendant sa carte bancaire.

Nous prîmes un taxi et Gideon garda ma main dans la sienne durant tout le trajet. Je n'aurais pas dû être aussi nerveuse dans l'ascenseur privé qui nous conduisait au penthouse qu'il occupait sur la Cinquième Avenue. Ces hauts plafonds, cette architecture d'avant-guerre n'avaient rien de nouveau pour moi, et qu'un homme qui semblait posséder la moitié de la ville vive dans ce genre d'endroit n'était en rien surprenant. Quant à la vue privilégiée sur Central Park... elle allait de soi, elle aussi. Mais la tension de Gideon était tellement palpable que je finis par me rendre compte que c'était lui qui était nerveux.

Lorsque les portes de l'ascenseur s'ouvrirent sur le palier de marbre de son appartement, il serra ma main très fort avant de la relâcher. Il déverrouilla la double porte d'entrée, me poussa doucement à l'intérieur et observa anxieusement ma réaction.

Son appartement était à son image : superbe. Très différent en revanche de son bureau, si moderne et si froid. L'endroit était chaleureux, rempli d'antiquités et d'objets d'art somptueusement mis en valeur par les tapis d'Aubusson qui recouvraient le parquet étincelant.

— C'est... fascinant, murmurai-je.

Je me sentais privilégiée. J'avais là un aperçu du Gideon inconnu du public que je mourais d'envie de connaître.

— Entre, dit-il en m'incitant à m'aventurer dans l'appartement. Je veux que tu dormes ici ce soir.

— Je n'ai pas mes affaires et...

— Tu n'as besoin que de la brosse à dents qui est dans ton sac. Nous passerons prendre le reste chez toi demain matin. Je te promets que tu seras à l'heure au travail.

Il m'attira contre lui et posa le menton sur le sommet de mon crâne.

— J'aimerais vraiment que tu restes, Eva. Je ne t'en veux pas d'avoir quitté l'hôtel, mais tu m'as vraiment fait très peur. J'ai besoin de t'avoir un peu près de moi.

— J'ai besoin que tu me serres dans tes bras, murmurai-je en glissant les mains sous son tee-shirt pour caresser la peau soyeuse de son dos. Et j'ai aussi besoin de prendre une douche.

Il enfouit le nez dans mes cheveux, inhala profondément.

— J'aime bien sentir mon odeur sur toi.

Il me guida à travers le salon, puis le long du couloir qui menait à sa chambre.

Une exclamation admirative m'échappa quand il alluma la lumière. Un grand lit bateau dominait l'espace. Il était en bois sombre et garni de draps ivoire. Le reste du mobilier était assorti au lit, rehaussé de vieil or. Un espace chaleureux et masculin, aux murs dépouillés de tout ornement susceptible de détourner l'attention de la vue sur Central Park et les magnifiques immeubles résidentiels situés de l'autre côté du parc – mon côté de Manhattan.

— La salle de bains est là, m'indiqua-t-il.

Tandis que je m'approchais du lavabo, qui avait été apparemment conçu à partir d'un ancien placard d'acajou aux pieds ouvragés, il sortit des serviettes de toilette d'une armoire assortie et les drapa sur le porte-serviettes, se déplaçant avec cette aisance que j'admirais tant. Le voir ainsi chez lui, en tenue décontractée, me touchait. Et savoir que j'étais la seule femme à avoir eu ce privilège ne faisait que m'émouvoir davantage.

— Merci, murmurai-je.

Il me jeta un coup d'œil et parut comprendre que je ne le remerciais pas seulement pour les serviettes. Son regard ardent me transperça.

— C'est bon de t'avoir chez moi.

— Je ne sais pas par quel miracle je me retrouve ici, mais ça me plaît. Vraiment.

— C'est important de le savoir ? demanda-t-il en s'approchant de moi pour déposer un baiser sur le bout de mon nez. Je te laisserai un tee-shirt sur le lit. Caviar et vodka, ça te dit ?

— C'est toujours mieux qu'une pizza, plaisantai-je.

Il sourit.

— Ossetra réserve spéciale de Petrossian.

— Au temps pour moi, répondis-je en lui rendant son sourire. C'est nettement mieux qu'une pizza.

Je me douchai, enfilai l'immense tee-shirt Cross Industries que Gideon m'avait prêté, puis appelai Cary pour le prévenir que je ne rentrerais pas de la nuit et lui relater brièvement l'incident de l'hôtel.

Il émit un long sifflement.

— Je t'avoue que je ne sais pas quoi dire.

Que Cary fût à court de mots était on ne plus éloquent.

Je rejoignis Gideon au salon et nous nous assîmes par terre devant la table basse pour déguster ce caviar exceptionnel accompagné de mini-toasts et de crème fraîche. Nous regardâmes la rediffusion d'une série télé policière qui se passait à New York et dont une des scènes avait justement été tournée devant le Crossfire Building.

— Je crois que je trouverais assez gratifiant de voir un immeuble qui m'appartient dans une série de ce genre, commentai-je.

— Tant qu'ils ne bloquent pas la rue des heures durant pour les besoins du tournage, c'est supportable.

Je lui donnai un petit coup d'épaule.

— Râleur, va.

Nous grimpâmes dans le grand lit de Gideon peu après 22 heures et regardâmes la deuxième partie d'une émission, blottis l'un contre l'autre. L'atmosphère était chargée de tension sexuelle, mais il ne fit aucune tentative d'approche, et je calquai mon attitude sur la sienne. Je le soupçonnai d'essayer encore de se racheter après l'épisode de l'hôtel, de chercher à prouver qu'il était prêt à passer du temps avec moi sans que cela implique forcément de « baiser activement ».

La manœuvre opéra. En dépit du désir fou qu'il m'inspirait, cette soirée « en amoureux » ne manquait pas de charme.

Gideon dormait dans le plus simple appareil et je me blottis contre lui avec délice. Je passai une jambe sur les siennes, un bras autour de sa taille et calai la joue sur son torse, là où battait son cœur. Je ne me souviens pas de la fin de l'émission, j'en déduis donc que je me suis endormie avant.

Quand je m'éveillai, la chambre était plongée dans la pénombre. Je basculai sur le dos, me redressai pour lire l'heure au réveil posé sur la table de chevet de Gideon et découvris qu'il était 3 heures du matin. Je dors habituellement d'une traite et supposai que le fait de me retrouver dans une chambre inconnue avait affecté mon sommeil. Puis Gideon poussa un gémissement et s'agita, et je réalisai que c'était cela qui m'avait réveillée. Le son qui avait franchi ses lèvres évoquait une plainte, au terme de laquelle il aspirait l'air entre ses dents.

— Ne me touche pas, articula-t-il durement. Écarte tes sales pattes de moi !

Je me pétrifiai, le cœur battant la chamade. Sa voix était chargée d'une fureur glaçante.

— Espèce de malade !

Il commença à se tordre et à donner des coups de pied, repoussant les couvertures. Puis il cambra le dos en laissant échapper un gémissement étrangement érotique.

— Arrête. Ah ! Bordel... ça fait mal !

Il se débattit, son corps se tordit. Je ne pus supporter cela plus longtemps.

— Gideon.

Parce qu'il arrivait à Cary de faire des cauchemars, je savais qu'il valait mieux ne pas le toucher. Je me contentai donc de m'agenouiller à côté de lui et de l'appeler.

— Gideon, réveille-toi.

Il s'immobilisa brusquement, puis retomba sur le dos, tendu, aux aguets. Son torse se soulevait au rythme de sa respiration haletante et son sexe était érigé contre son ventre.

J'avais le cœur serré, mais je fis l'effort de m'exprimer d'un ton ferme.

— Gideon, tu es en train de rêver. Réveille-toi.

Il s'affaissa comme un ballon qui se dégonfle.

— Eva... ?

— Je suis là.

Je me déplaçai afin que le rayon de lune éclaire son visage. Aucune lueur ne m'indiqua qu'il avait les yeux ouverts.

— Tu es réveillé ?

Son souffle se calma, mais il ne me répondit pas. Il agrippait le drap de dessous de ses poings. J'ôtai mon tee-shirt, puis approchai timidement la main de

192

son bras. Constatant qu'il ne réagissait pas, je suivis du bout des doigts les muscles saillants de son biceps.

— Gideon ?

Il se réveilla en sursaut.

— Quoi ? Qu'est-ce qui se passe ?

Je m'assis sur les talons, les mains à plat sur les cuisses. Il me regarda en clignant des yeux avant de se passer la main dans les cheveux. À la rigidité de son corps, je devinai que le cauchemar s'accrochait encore à lui.

— Qu'est-ce qui se passe ? répéta-t-il d'un ton bourru en basculant sur le flanc pour se hisser sur le coude. Ça va ?

— J'ai envie de toi, soufflai-je.

Je plaquai mon corps nu contre le sien. Le visage pressé contre sa gorge, je léchai doucement sa peau moite. Je savais d'expérience que sentir les bras de quelqu'un d'aimant autour de soi permet de repousser momentanément les spectres qui hantent les nuits.

Ses bras m'enveloppèrent, ses mains coururent le long de mon dos, et je le sentis émerger de son cauchemar avec un long soupir.

Je le repoussai sur le dos, l'enfourchai et scellai sa bouche de la mienne. Son érection s'était tout naturellement nichée entre les replis de mon sexe, et j'amorçai un lent mouvement de va-et-vient. Gideon m'empoigna les cheveux pour prendre le contrôle de notre baiser, et je fus bientôt prête à le recevoir. Un feu ardent courait sous ma peau. Je frottai sans vergogne mon clitoris contre son sexe, l'utilisant pour me donner du plaisir, quand il me fit rouler sous lui avec un grognement de désir.

— Je n'ai pas de préservatifs ici, murmura-t-il avant de happer la pointe d'un de mes seins dans sa bouche pour la sucer doucement.

193

J'appréciai qu'il ne se soit pas préparé à l'éventualité d'une relation sexuelle. Nous n'étions pas dans sa garçonnière, mais chez lui, et j'étais la seule femme qu'il ait jamais invitée dans son lit.

— Je sais que tu avais proposé que nous échangions nos bulletins de santé, et c'est la façon la plus responsable de procéder, mais...

— J'ai confiance en toi, coupa-t-il en relevant la tête.

Il chercha mon regard à la faible lueur du clair de lune, inséra le genou entre mes jambes pour m'inciter à les écarter et commença à entrer en moi. Il était brûlant et doux comme la soie.

— Eva, souffla-t-il en m'étreignant, je n'ai encore jamais... Seigneur, c'est divin de te sentir ! Je suis si heureux que tu sois là.

— Moi aussi, chuchotai-je avant de capturer ses lèvres.

Je me réveillai comme je m'étais endormie, Gideon sur moi et en moi. Je vis le désir alourdir ses paupières et voiler son regard. Je passai sans transition du sommeil au plaisir. Avec ses cheveux en bataille, je le trouvai plus sexy que jamais. Nulle ombre n'obscurcissait son regard et il ne restait plus trace de la souffrance qui avait hanté son sommeil.

— J'espère que ça ne te dérange pas, murmura-t-il avec un sourire malicieux, tout en allant et venant en moi. Tu es si chaude et si douce, je ne peux pas m'empêcher d'avoir envie de toi.

J'étirai les bras au-dessus de ma tête et creusai les reins, pressant mes seins contre son torse. Par les hautes fenêtres cintrées, j'aperçus le ciel que la lumière de l'aube colorait de gris.

— Hmm... je pourrais facilement m'habituer à être réveillée ainsi.

— C'est exactement ce que j'ai pensé cette nuit, dit-il en me gratifiant d'un coup de reins exquis. J'ai estimé que je devais te faire cette faveur.

Mon corps revint à la vie et les battements de mon cœur s'accélérèrent.

— Je t'en prie, Gideon.

Cary était déjà parti quand nous passâmes chez moi. Il avait laissé un mot pour m'avertir qu'il avait un shooting. Il serait de retour bien avant l'heure à laquelle Trey devait nous rejoindre pour partager une pizza.

— J'ai un dîner d'affaires, ce soir, m'apprit Gideon, qui s'était penché pour lire par-dessus mon épaule. J'espérais que tu m'accompagnerais, histoire d'atténuer mon supplice.

— Je suis désolée, mais je ne peux pas faire faux bond à Cary, répondis-je en me tournant vers lui. Tu sais ce qu'on dit : les copains d'abord.

Un sourire lui retroussa les lèvres et il m'emprisonna entre ses bras contre le comptoir de la cuisine. Il portait un complet que j'avais moi-même choisi, un Prada gris plomb, et une cravate bleue assortie à ses yeux. Allongée sur son lit, je l'avais regardé s'habiller et j'avais dû me faire violence pour ne pas lui sauter dessus.

— Je m'incline, mais je veux te voir ce soir. Je pourrais venir après dîner et passer la nuit ici ?

Ravie, je posai les mains sur les revers de sa veste en ayant l'impression de détenir un secret de prix maintenant que je savais ce que cachaient ses vêtements.

— Ça me ferait très plaisir.

— Bien, dit-il avec un hochement de tête satisfait. Je m'occupe du café pendant que tu t'habilles.

— Le paquet est dans le réfrigérateur et tu trouveras le moulin à côté de la cafetière. Je le prends avec beaucoup de lait et une sucrette.

Quand je le rejoignis vingt minutes plus tard, Gideon récupéra sur le comptoir les deux gobelets de voyage qu'il avait préparés et nous descendîmes au rez-de-chaussée. Paul nous escorta jusqu'au SUV qui nous attendait le long du trottoir et ouvrit la portière.

Tandis que la voiture s'insérait dans le flot de la circulation, Gideon m'inspecta de la tête aux pieds.

— Tu as vraiment décidé de me tuer, commenta-t-il. Tu as remis ce porte-jarretelles ?

En guise de réponse, je remontai ma jupe sur mes cuisses gainées de soie noire, révélant les attaches de mon porte-jarretelles en dentelle, noir lui aussi.

Le juron étouffé qui franchit ses lèvres m'arracha un sourire. Je portais un sweater à col roulé en soie noire à manches courtes, une petite jupe plissée rouge vif et des escarpins à talons. En l'absence de Cary, j'avais dû me contenter de m'attacher les cheveux en queue-de-cheval.

— Je te plais ?

— Devine, répondit-il d'une voix rauque. Comment vais-je survivre à cette journée en pensant à toi habillée ainsi ?

— Il y a toujours la pause-déjeuner, suggérai-je, fantasmant déjà sur un 12 à 13 dans le bureau de Gideon.

— J'ai un déjeuner d'affaires. Je le reporterais volontiers si je ne l'avais pas déjà fait hier.

— Tu as reporté un rendez-vous à cause de moi ? Je suis flattée.

Il me caressa la joue du bout des doigts, un geste tendre et intime auquel je m'étais habituée au point d'en être déjà dépendante.

J'inclinai la tête de côté, nichant ma joue au creux de sa paume.

— Tu crois que tu pourras grappiller quinze minutes de ton précieux temps rien que pour moi ?

— Je me débrouillerai.

— Appelle-moi quand tu sauras à quel moment c'est possible.

Après avoir pris une profonde inspiration, je plongeai la main dans mon sac et la refermai autour du cadeau que je comptais lui offrir. Je n'étais pas certaine que cela lui plairait, mais je n'arrivais pas à chasser son cauchemar de la nuit précédente de mes pensées. J'espérais que ce cadeau lui rappellerait notre délicieux interlude de 3 heures du matin et l'aiderait à tenir le coup.

— J'ai quelque chose pour toi. J'ai pensé...

Je m'interrompis. N'était-ce pas prétentieux de ma part de lui faire un tel cadeau ?

— Un problème ? demanda-t-il en fronçant les sourcils.

— Non, c'est juste que... Écoute, j'ai quelque chose pour toi... en même temps, je me rends compte que c'est un de ces cadeaux... enfin, ce n'est pas un cadeau à proprement parler. J'ai l'impression que ce n'est pas approprié et...

— Donne-le-moi, dit-il en tendant la main.

— Tu n'es pas obligé de l'accepter...

— Tais-toi, Eva, et donne-le-moi.

Je m'exécutai.

Gideon contempla sans mot dire la photo encadrée. C'était un de ces cadres fantaisie ornés de dessins censés évoquer l'obtention d'un diplôme, parmi lesquels figurait la façade d'un réveil numérique indiquant 3 heures du matin. La photo me représentait vêtue d'un bikini couleur corail sur Coronado Beach, un chapeau de paille aux bords effrangés sur la tête. Bronzée et souriante, j'envoyais un baiser à Cary qui s'était amusé à jouer les photographes de mode, m'adressant de ridicules encouragements. *Superbe, daaarling ! Joue-la-moi peps ! Joue-la-moi sexy ! Fais-moi ta tigresse... groar...*

Gênée, je me tortillai légèrement sur la banquette.

— Comme je t'ai dit, rien ne t'oblige à...

— Je... commença-t-il avant de s'éclaircir la voix. Merci, Eva.

Je fus infiniment soulagée de constater que nous étions arrivés au Crossfire. Je m'empressai de descendre dès que la voiture s'immobilisa et lissai les plis de ma jupe pour masquer mon embarras.

— Si tu veux, dis-je quand Gideon me rejoignit, je peux la garder et te la donner plus tard.

Il claqua la portière et secoua la tête.

— Certainement pas. Un cadeau est un cadeau.

Il me prit par la main, entrelaça nos doigts et désigna la porte à tambour de son autre main qui tenait le cadre. Qu'il ait l'intention d'emporter cette photo dans son bureau me fit chaud au cœur.

Un des trucs les plus appréciables dans le monde de la pub, c'est qu'aucune journée ne ressemble à la précédente. Je courus à droite à gauche toute la matinée et je commençai à peine à me demander ce que j'allais faire de ma pause-déjeuner quand la sonnerie du téléphone retentit.

— Bureau de Mark Garrity, Eva Tramell à l'appareil.

— J'ai des nouvelles, annonça Cary en guise de salutation.

— Lesquelles ? répondis-je, ayant deviné à son ton qu'il s'agissait de bonnes nouvelles.

— J'ai décroché la campagne Grey Isles !

— C'est génial, Cary ! J'adore leurs jeans !

— Tu as quelque chose de prévu pour déjeuner ?

— Oui. Je fête ça avec toi. Tu peux être là à midi ?

— Je suis déjà en route.

Je raccrochai et me laissai aller contre le dossier de mon siège, si contente pour Cary que j'avais envie de danser. Histoire de tuer le temps en l'attendant, je consultai ma boîte mail et trouvai un rapport d'alerte Google pour les termes *Gideon + Cross*. Son nom était apparu plus de trente fois en vingt-quatre heures.

J'ouvris le mail et tressaillis à la vue des mots *mystérieuse femme* dans la plupart des titres. Je cliquai sur le premier des liens et me retrouvai sur un blog de potins de stars.

La première chose qui me sauta aux yeux fut une photo de Gideon m'embrassant à pleine bouche dans la rue. L'article qui accompagnait la photo était bref et ne tournait pas autour du pot.

Gideon Cross, le célibataire le plus en vue de New York depuis John F. Kennedy Jr, a été surpris hier en train d'embrasser en public une mystérieuse jeune femme. Une source proche de Cross Industries a identifié l'heureuse élue comme étant Eva Tramell, habituée des événements mondains et belle-fille du multimillionnaire Richard Stanton et de son épouse, Monica. Quand nous nous sommes enquis de la nature de leur relation, notre source a confirmé que Mlle Tramell est bien la « femme qui compte » en ce moment dans la vie du séduisant nabab. Une nouvelle qui ne manquera pas de briser bien des cœurs à travers le pays.

— Et merde, soufflai-je.

11

Je cliquai rapidement sur les autres liens et découvris la même photo, accompagnée de légendes et d'articles similaires. J'étais affolée. Si à lui seul un baiser justifiait un article dans la presse people, quelle chance avions-nous, Gideon et moi, qu'une relation fonctionne entre nous ?

Ma main tremblait légèrement quand je refermai le message d'alerte Google. J'aurais dû penser au danger que constituait la presse et je m'en voulus de ne pas l'avoir fait.

L'anonymat était mon meilleur allié. Il me protégeait de mon passé. Il protégeait ma famille de la honte, et protégeait également Gideon. J'avais veillé à n'apparaître sur aucun réseau social afin que les personnes qui ne m'étaient pas directement liées ne puissent pas me retrouver.

Le mur fragile qui me protégeait des médias venait de s'effondrer. Je me retrouvais dans une situation délicate que j'aurais pu éviter si j'avais eu la bonne idée d'utiliser une partie de mes neurones pour autre chose que fantasmer sur Gideon.

Je devais aussi m'inquiéter de sa réaction à lui – le simple fait d'y penser me crispa – et de celle de ma mère. Elle n'allait certainement pas tarder à m'appeler, dans tous ses états, et...

Me rappelant qu'elle n'avait pas mon nouveau numéro de portable, je décrochai le téléphone sur mon bureau, consultai la messagerie de l'ancien et grimaçai en constatant qu'elle était saturée. Je raccrochai, attrapai mon sac et m'empressai de rejoindre Cary, sachant qu'il saurait mieux que personne m'aider à prendre du recul.

J'étais dans un tel état d'agitation en atteignant le rez-de-chaussée que je me ruai hors de l'ascenseur en ne pensant qu'à le rejoindre. Quand je le repérai, je ne vis plus que lui jusqu'à ce que Gideon surgisse devant moi, me bloquant le passage.

— Eva, dit-il, les sourcils froncés.

Il me prit par le coude et me fit pivoter légèrement. Je découvris alors deux femmes et un homme qui, de toute évidence, l'accompagnaient, et les gratifiai d'un sourire crispé. Gideon me les présenta, puis s'excusa et m'entraîna à l'écart.

— Que se passe-t-il ? Tu as l'air contrarié.

— Elle est partout, soufflai-je. Une photo de nous deux.

— Oui, je l'ai vue, opina-t-il.

Sa nonchalance me prit de court. Je battis furieusement des paupières.

— C'est tout ce que ça te fait ?

— Pourquoi voudrais-tu que ça me fasse quoi que ce soit ? Pour une fois que les journaux disent la vérité.

Un soupçon affreux s'insinua en moi.

— Tu l'as fait exprès. C'est toi qui as tout manigancé.

— Pas complètement, répondit-il d'un ton posé. Le photographe se trouvait là par hasard. Je me suis contenté de lui fournir un cliché vendable. Après quoi j'ai demandé à mon chargé de relations publiques de lui dire sans détour qui tu étais et ce que tu représentes pour moi.

— Pourquoi ? Pourquoi as-tu fait ça ?

— Tu as ta façon de gérer la jalousie et j'ai la mienne. Nous ne sommes plus ni l'un ni l'autre disponibles, et tout le monde le sait, à présent. Pourquoi réagis-tu ainsi ?

— Parce que j'appréhendais ta réaction, mais pas seulement... Il y a des choses que tu ne sais pas et je... Ça ne peut pas se passer de cette façon, Gideon. Nous ne pouvons pas nous permettre une telle exposition médiatique. Je ne veux pas... tu ne te rends pas compte. Tu auras honte de moi, voilà !

— Jamais. C'est impossible, Eva, dit-il en écartant une mèche de mon visage. On peut en parler plus tard ? Si tu préfères, je peux...

— Non, ce n'est pas la peine.

Cary s'avança vers nous. Il avait beau porter un simple pantalon cargo noir et un tee-shirt blanc à col en V, il avait, comme d'habitude, une allure folle.

— Tout va bien ? s'enquit-il.

— Bonjour, Cary. Tout va bien, répondit Gideon. Profite de ton déjeuner et ne t'inquiète pas, ajouta-t-il en me pressant brièvement la main.

Facile à dire. Il ne savait pas ce qu'il en était.

Et je me demandais s'il voudrait toujours de moi une fois qu'il saurait.

— Ne t'inquiète pas de quoi ? demanda Cary tandis que Gideon s'éloignait. Ça ne va pas ?

— Rien ne va, soupirai-je. Viens, je vais t'expliquer.

— Mince, souffla Cary après avoir ouvert le lien que j'avais envoyé sur son téléphone. C'est ce qui s'appelle un baiser. Il aurait beau essayer qu'il ne pourrait pas avoir l'air plus épris de toi.

— C'est le problème, justement, répliquai-je. Il a essayé.

— La semaine dernière, tu lui reprochais de te considérer comme un vagin sur pattes. Cette semaine, il montre publiquement qu'il vit une relation passionnée avec toi, et tu te plains encore. Je commence à avoir pitié de lui. Tu ne seras jamais contente.

Sa réflexion me piqua au vif.

— Les journalistes vont fouiller dans mon passé, Cary, et tu sais ce qu'ils vont trouver. Ils seront trop contents de l'étaler partout et Gideon sera éclaboussé.

— Baby girl, murmura-t-il en couvrant ma main de la sienne, Stanton a enterré tout ça.

Stanton. Je me raidis. Je n'avais pas encore eu le temps de penser à mon beau-père. Il avait anticipé le désastre et étouffé l'affaire parce qu'il savait ce qu'une telle révélation ferait à ma mère. Malgré cela...

— Je vais devoir en parler à Gideon. Il a le droit de savoir à quoi il s'expose.

Le simple fait d'imaginer cette conversation me mettait affreusement mal à l'aise.

Cary savait comment je fonctionnais.

— Si tu crois qu'il va rompre à cause de ça, je pense que tu te trompes. Il est fou de toi, ça crève les yeux.

Je piochai dans ma salade César.

— Il a ses propres démons à combattre. Il fait des cauchemars. S'il est aussi fermé, je crois que c'est à cause de ce qui le ronge.

— Il t'a quand même laissée entrer.

Et il m'avait aussi montré qu'il pouvait se révéler très possessif. Un défaut que je partageais avec lui, mais...

— Tu analyses trop, Eva, décréta Cary. Tu ne peux t'empêcher de penser que ce qu'il ressent pour toi est forcément un leurre ou une erreur. Que quelqu'un comme lui ne peut pas t'aimer seulement pour ton grand cœur et ton intelligence, pas vrai ?

— Tu exagères ! Je ne doute quand même pas de moi à ce point !

Cary savoura une gorgée de champagne.

— Vraiment ? Dans ce cas, cite-moi une chose dont tu penses qu'elle lui plaît en toi, et qui n'a rien à voir avec le sexe et ne relève pas de la codépendance.

Je réfléchis, ne trouvai rien et fronçai les sourcils.

— Voilà, conclut-il avec un hochement de tête. Et si Cross est aussi perturbé que nous, il se fait la même réflexion de son côté et se demande ce qu'un super canon comme toi peut bien trouver à un type comme lui. Tu as de l'argent, alors qu'est-ce qu'il va bien pouvoir t'offrir en dehors de ses exceptionnelles performances sexuelles ?

Je me laissai aller contre le dossier de ma chaise, pensive, puis :

— Cary, je t'adore.

— Moi aussi, baby girl, répliqua-t-il avec un grand sourire. Tu veux un conseil ? Thérapie de couple. C'est ce que je me suis toujours juré de faire si je rencontre un jour quelqu'un qui me donne envie de poser mes valises. Et tâche de t'amuser avec lui. Si tu ne t'amuses pas au moins autant que tu as souffert, ta vie se résumera à une montagne de douleurs et d'efforts.

Je lui pressai la main.

— Merci, Cary.

— Pourquoi ? C'est facile de repérer ce qui ne va pas chez les autres. Tu sais que je n'arriverais pas à traverser mes périodes difficiles sans toi.

— Tu n'en as pas pour le moment, fis-je remarquer. Ton visage s'étalera bientôt sur les écrans géants de Times Square et je serai obligée de te partager avec le monde entier. À ce propos, tu ne crois pas qu'on pourrait envisager quelque chose d'un peu plus sophistiqué qu'une pizza pour fêter l'événement, ce soir ? Que dirais-tu d'ouvrir cette caisse de Cristal Roederer que Stanton nous a offerte ?

— Je dirais que c'est une excellente idée, ma foi.

— Et côté films ? Des envies particulières ?

— Je m'en remets entièrement à ton goût en la matière – je suis un garçon prudent.

Je souris, rassérénée comme toujours après avoir passé une heure en compagnie de Cary.

— N'hésite pas à me faire savoir que je suis de trop, si tu as envie de rester seul avec Trey.

— Ne t'inquiète pas. Comparée à ta tempétueuse vie amoureuse, la mienne me paraît d'une désolante platitude. L'abstinence prolongée, sans doute...

— Ton torride interlude dans le placard à balais ne remonte pas à plus de deux jours !

— J'avais déjà oublié, soupira-t-il. C'est triste, non ?

— Pas quand tes yeux brillent de cette façon-là, Cary.

De retour au bureau, je consultai mon téléphone. Un SMS de Gideon m'informait qu'il aurait un quart d'heure de libre à 14 h 45. J'étouffai mon appréhension du mieux que je pus au cours de l'heure et demie qui suivit, ayant décidé de suivre le conseil de Cary et de profiter de la vie plutôt que de broyer du noir. J'allais devoir renouer avec mon horrible passé bien assez tôt. D'ici là, Gideon et moi pouvions nous amuser encore un peu.

Je lui envoyai un message juste avant de le rejoindre pour l'avertir de mon arrivée. Nos contraintes horaires étaient telles que nous ne pouvions pas nous permettre de perdre une minute. Gideon avait dû parvenir à la même conclusion car, dès que je franchis la porte vitrée de Cross Industries, je trouvai Scott qui m'attendait à l'accueil.

— Bonne journée ? m'enquis-je poliment.

— Excellente jusqu'ici, répondit-il. Et vous ?

— J'ai connu pire, assurai-je.

Gideon était au téléphone quand je pénétrai dans son bureau. D'un ton sec et impatient, il rappela à son interlocuteur qu'il était censé être capable de se débrouiller sans que lui-même ait besoin d'intervenir en personne.

Il me fit un signe pour m'indiquer qu'il en avait encore pour une minute. Je répondis en soufflant une grosse bulle du chewing-gum que j'étais en train de mâcher et en la faisant claquer bruyamment.

Il arqua les sourcils et pressa le bouton qui obscurcissait la paroi vitrée de son bureau.

Tout sourire, je m'approchai d'un pas léger, me perchai sur son bureau et fis pivoter mes jambes vers lui. Il fit exploser du bout du doigt la nouvelle bulle que je soufflai, et je le gratifiai d'une petite moue enjôleuse.

— Débrouillez-vous, lâcha-t-il d'un ton de tranquille autorité à son interlocuteur. Je ne pourrai pas venir avant la semaine prochaine et plus vous attendrez, pire ce sera. Assez parlé. Un dossier brûlant m'attend sur mon bureau et vous ne faites que me retarder, ce qui n'améliore pas mon humeur. Réglez ce qui doit l'être et rappelez-moi demain.

Il replaça le combiné sur son support avec une violence maîtrisée.

— Eva...

Je levai la main pour l'arrêter et enveloppai mon chewing-gum dans un Post-it que je raflai sur le distributeur.

— Avant que vous vous avisiez de me réprimander, monsieur Cross, déclarai-je d'une voix flûtée, je tiens à vous dire qu'après l'impasse à laquelle nous avons abouti au sujet de ce projet de fusion, hier à l'hôtel, j'ai eu tort de me défiler. Ce n'était pas une attitude constructive de ma part. Je sais aussi que je n'ai pas réagi de façon positive à cet incident de relations publiques. Néanmoins, je considère que, bien que mon comportement soit indigne d'une secrétaire professionnelle, vous devriez me donner une nouvelle chance de prouver ma compétence.

Ses yeux se plissèrent tandis qu'il m'observait avec attention, réévaluant la situation en un clin d'œil.

— Vous ai-je demandé votre avis sur la question, mademoiselle Tramell ?

Je secouai la tête et lui jetai un regard espiègle. La contrariété due à sa communication téléphonique céda visiblement la place à un intérêt teinté d'excitation.

Je glissai de son bureau, me rapprochai de lui et lissai sa cravate.

— Ne pourrait-on pas trouver un arrangement ? J'ai plus d'une corde à mon arc, vous savez...

— C'est bien pour cela que vous êtes la seule candidate que j'aie jugée digne d'être retenue pour ce poste, répondit-il en me saisissant aux hanches.

Je m'enflammai instantanément. Plaquant hardiment la main sur son sexe, je le caressai à travers l'étoffe de son pantalon.

— Je pourrais peut-être repasser l'entretien et vous expliquer d'une manière... concrète les raisons qui font que je serai une assistante irremplaçable ?

Je le sentis se raidir avec une promptitude délectable.

— Belle initiative, mademoiselle Tramell. Mon prochain rendez-vous a lieu dans moins de dix minutes, et je n'ai pas pour habitude d'aborder ces questions dans mon bureau.

Je défis le bouton de sa braguette, tout en lui murmurant à l'oreille :

— Si vous pensez que je ne suis pas en mesure de vous faire jouir n'importe où, vous allez devoir reconsidérer vos préjugés.

Ses mains enveloppèrent mon cou, ses pouces effleurant la ligne de ma mâchoire.

— Tu sais à quel point tu me troubles, Eva. Tu le fais exprès ?

Je glissai la main dans son caleçon en lui offrant mes lèvres. Il s'en empara avec une avidité qui me coupa le souffle.

— J'ai envie de toi, souffla-t-il.

Je m'agenouillai sur la moquette en tirant sur son pantalon. Il exhala bruyamment.

— Eva, qu'est-ce que tu...

Mes lèvres frôlèrent son sexe. Il tendit les mains en arrière, et la jointure de ses doigts blanchit quand il s'agrippa au rebord de son bureau. Je suçai doucement l'extrémité engorgée de son gland. La douceur de sa peau associée à son odeur envoûtante me tira un gémissement. Il frémit de la tête aux pieds, et un cri sourd s'échappa de sa gorge.

Il me caressa la joue.

— Lèche, ordonna-t-il.

Excitée par son ton autoritaire, je m'exécutai docilement. Je laissai courir la pointe de ma langue le long de son érection et fus récompensée par l'apparition d'une perle translucide. Affermissant alors l'étreinte de ma main, je le pris en bouche dans l'espoir d'obtenir d'autres gratifications.

J'aurais voulu avoir tout mon temps pour le rendre fou...

Il laissa échapper un gémissement.

208

— Eva... ta bouche... Continue de me sucer comme ça. Fort, à fond.

Son plaisir m'excitait tellement qu'un frisson brûlant me parcourut. Je sentais ses doigts dans mes cheveux, leur pression tendre d'abord, puis plus brutale à mesure qu'il perdait pied, et j'adorais cela.

La pointe de douleur accroissait mon avidité. Ma tête allait et venait au rythme de son plaisir, ma main se mouvait le long de son sexe. Je fis courir ma langue sur les veines qui saillaient sous sa peau de velours, inclinant la tête de façon à lécher chacune d'elles.

Son sexe enfla sensiblement, durcit et s'allongea. Je commençai à ressentir une légère douleur au niveau des genoux mais ne m'en souciai pas ; mon regard s'était rivé sur Gideon qui avait rejeté la tête en arrière et cherchait son souffle comme s'il se noyait.

— Eva, tu me suces si bien...

Il m'immobilisa soudain la tête et prit les rênes, ondulant des hanches pour aller et venir dans ma bouche. Le désir brut, le besoin primaire de l'assouvissement prenaient le pas sur tout le reste.

Cela me rendit positivement folle d'imaginer le spectacle que nous offrions : Gideon, incarnation de la sophistication urbaine, debout devant le bureau depuis lequel il dirigeait un empire, plongeant rythmiquement son sexe raide entre mes lèvres voraces.

Me cramponnant à ses cuisses, je le besognai frénétiquement de la bouche et de la langue, impatiente de le faire jouir. Lorsque je m'emparai de ses testicules pour les faire doucement rouler l'un contre l'autre, les doigts de Gideon se crispèrent dans mes cheveux.

— Eva... éructa-t-il d'une voix gutturale. Je vais jouir !

La première giclée de sperme fut si épaisse que j'eus du mal à l'avaler. S'abandonnant à son plaisir, Gideon continua de me pilonner impitoyablement, se déversant en palpitant dans ma bouche. Mes yeux se mouillèrent, mes poumons me brûlèrent, mais je ne cessai pas pour autant de serrer son sexe entre mes mains pour l'inciter à décharger encore et encore. Son corps entier frémit tandis que j'extirpais de lui tout ce qu'il avait à donner. Les sons qu'il émettait et les louanges haletantes qui les accompagnaient me comblaient.

Quand ce fut fini, je le léchai doucement pour le nettoyer, m'émerveillant de sa belle rigidité après un orgasme aussi explosif. Il aurait pu sans problème me faire l'amour, et en mourait visiblement d'envie. Mais nous n'avions pas le temps et j'en étais heureuse. J'avais désiré faire cela pour lui. Pour nous. Surtout pour moi, en fait, parce que j'avais besoin de me prouver que je pouvais me permettre une relation sexuelle purement altruiste sans avoir l'impression d'être utilisée.

Je me redressai, pressai mes lèvres contre les siennes.

— Il faut que j'y aille, murmurai-je. Je te souhaite une excellente fin de journée ainsi qu'un agréable dîner.

Je me détournai, mais il m'attrapa le poignet tout en jetant un coup d'œil à la pendule sur son bureau. La photo que je lui avais offerte trônait en bonne place, notai-je.

— Eva... Bon sang, attends !

Son ton anxieux, contrarié même, me fit froncer les sourcils.

Il se rajusta en hâte. Il y avait quelque chose de délicieusement doux à le regarder se ressaisir, restaurer la façade qu'il offrait au monde extérieur alors que moi je connaissais, du moins un peu, l'homme qui se dissimulait derrière.

Il m'attira contre lui, déposa un baiser sur mon front, puis défit la barrette d'écaille qui retenait mes cheveux.

— Je ne t'ai pas fait jouir.

— Ce n'est pas grave, assurai-je. J'ai pris un plaisir fou à t'en donner.

Il arrangeait mes cheveux d'un air excessivement concentré, le visage encore légèrement empourpré.

— Je sais que tu as besoin d'un échange équitable, insista-t-il d'un ton bourru. Je ne peux pas te laisser partir avec l'impression que je me suis servi de toi.

Un élan de tendresse douce-amère me transperça. Il m'avait écoutée et entendue. Il se souciait de moi.

Je pris son visage entre mes mains.

— Tu t'es servi de moi avec ma permission, et c'était fabuleusement excitant. J'avais envie de te faire ce présent, Gideon. Je voulais que tu aies ce souvenir de moi.

Une lueur inquiète s'alluma dans son regard.

— Pourquoi aurais-je besoin de souvenirs alors que tu es à moi ? Eva, si c'est à cause de cette photo...

— Tais-toi et savoure l'instant.

Nous n'avions pas le temps d'aborder ce problème de photo. De toute façon je ne le souhaitais pas. Cela risquait de tout gâcher.

— Même si nous avions une heure devant nous, déclarai-je, je ne te laisserais pas me donner du plaisir. Il ne s'agit pas d'une compétition, nous ne sommes pas tenus d'égaliser. Et, honnêtement, tu es bien le premier à qui je peux dire ça. À présent, il faut vraiment que j'y aille.

Je fis mine de m'éloigner, mais il me retint de nouveau.

La voix de Scott s'éleva dans l'interphone.

— Pardonnez-moi, monsieur Cross, mais votre rendez-vous de 15 heures est arrivé.

211

— Tout va bien, Gideon, lui assurai-je. Tu viens toujours ce soir, n'est-ce pas ?

— Rien ne pourrait m'en empêcher.

Je me hissai sur la pointe des pieds et déposai un baiser sur sa joue.

— On aura tout le temps de discuter à ce moment-là.

Une fois ma journée terminée, je décidai de prendre l'escalier, histoire de me sentir moins coupable de sauter ma séance de gym. Je le regrettai amèrement une fois le rez-de-chaussée atteint. Le manque de sommeil de la nuit précédente m'avait lessivée. J'étais en train de me demander si je n'allais pas prendre le métro plutôt que de rentrer à pied quand j'aperçus le SUV de Gideon garé devant l'immeuble. Lorsque le chauffeur en sortit et me salua par mon nom, je m'arrêtai abruptement, prise de court.

— M. Cross m'a demandé de vous ramener chez vous, expliqua-t-il.

Très élégant en uniforme noir et casquette, il affichait des tempes grisonnantes, des yeux d'un bleu très pâle, et une petite pointe d'accent.

— Merci... Je suis désolée, je ne me souviens plus de votre nom.

— Angus, mademoiselle.

Comment avais-je pu l'oublier ? Son nom était si amusant qu'il me tira un sourire.

— Merci, Angus.

Il toucha le bord de sa casquette.

— Tout le plaisir est pour moi.

Alors qu'il se penchait pour m'ouvrir la portière, j'entraperçus la crosse du revolver qu'il portait dans un holster d'épaule sous sa veste. Apparemment,

Angus, tout comme Clancy, cumulait les fonctions de chauffeur et de garde du corps.

— Ça fait longtemps que vous travaillez pour M. Cross, Angus ? risquai-je après qu'il eut démarré.

— Huit ans, mademoiselle Tramell.

— Ah, quand même.

— Mais je le connais depuis bien plus longtemps, ajouta-t-il spontanément en croisant mon regard dans le rétroviseur. Je le conduisais à l'école quand il était petit. Il m'a débauché de chez M. Vidal, le moment venu.

Une fois de plus, je tentai de me représenter Gideon enfant. Je l'imaginai aussi beau qu'aujourd'hui, et doté de ce même ascendant sur ses semblables.

Avait-il connu des relations sexuelles « normales » à l'adolescence ? Les filles se jetaient déjà probablement à son cou et, le connaissant, la sexualité figurait très certainement au premier rang de ses préoccupations.

Je sortis mon trousseau de clefs de mon sac et me penchai pour le déposer sur le siège à côté de celui d'Angus.

— Vous voudrez bien remettre ceci à Gideon ? Il doit venir chez moi ce soir, mais je crains, s'il arrive très tard, de ne pas entendre son coup de sonnette.

— Certainement.

Paul m'ouvrit la porte quand nous arrivâmes et salua Angus par son nom, ce qui me rappela que Gideon était propriétaire de l'immeuble. J'agitai la main à l'adresse des deux hommes, avertis la réception que Gideon devait passer, et gagnai mon appartement. Je sonnai à la porte, et le haussement de sourcils de Cary lorsqu'il m'ouvrit me fit rire.

— Gideon viendra en fin de soirée, expliquai-je. Je suis tellement claquée que je ne sais pas si je tiendrai le coup très tard. Je lui ai laissé mes clefs. Tu t'es occupé de la commande ?

— C'est fait. Et j'ai mis quelques bouteilles de Roederer dans la cave à vin.

— Tu es irremplaçable.

Je filai prendre une douche, puis appelai ma mère depuis ma chambre.

— J'essaie de te joindre depuis des jours ! s'écria-t-elle d'une voix stridente.

— Maman, si c'est à propos de Gideon Cross...

— Ça l'est, évidemment, du moins en partie. Enfin, Eva, les journaux te présentent comme « la femme qui compte » dans sa vie !

— Maman...

— Il y a aussi ce rendez-vous que tu m'as demandé de prendre avec le Dr Petersen, enchaîna-t-elle d'un ton à la fois suffisant et amusé qui me fit sourire. Nous nous retrouverons à son cabinet jeudi à 18 heures. J'espère que cela te convient. Apparemment, il est débordé en ce moment.

Je me laissai tomber à la renverse sur mon lit en soupirant. Entre mon travail et Gideon, j'avais été tellement occupée que j'avais complètement oublié cette histoire de rendez-vous.

— Jeudi, 18 heures. C'est parfait. Je te remercie.

— Bien. En ce qui concerne Gideon Cross...

Quand je sortis de ma chambre, vêtue d'un bas de jogging et d'un sweat-shirt de l'université de San Diego, Trey était assis dans le séjour en compagnie de Cary. Ils se levèrent à mon entrée, Trey me gratifiant d'un sourire amical.

— Désolée d'être dans cet état, dis-je, penaude, en tripotant mes cheveux encore humides. J'ai descendu vingt étages à pied après le boulot, ça m'a achevée !

— L'ascenseur était en panne ? demanda Trey.

— Non. C'est mon cerveau qui était en panne. Franchement, je me demande ce qui m'a pris !

Passer la nuit avec Gideon était assez sportif pour que je n'aie pas besoin d'en rajouter.

La sonnette retentit et Cary alla ouvrir pendant que j'allais chercher le champagne à la cuisine. Je le rejoignis au comptoir, où il signait le reçu de sa carte de crédit, et dissimulai un sourire tandis qu'il jetait un coup d'œil à Trey.

Ils échangèrent de nombreux regards au cours de la soirée. Je dus me ranger à l'avis de Cary : Trey était vraiment adorable. Avec son jean usé, sa veste assortie et sa chemise à manches longues, l'aspirant vétérinaire affichait une décontraction qui ne manquait pas d'allure. Côté personnalité, il tranchait radicalement avec le genre de types que fréquentait habituellement Cary. Il semblait avoir les pieds sur terre et, sans être sombre, n'avait rien de frivole. Je ne pus m'empêcher de penser qu'il aurait une bonne influence sur Cary s'ils restaient suffisamment longtemps ensemble.

À nous trois, nous descendîmes deux bouteilles de champagne et deux grandes pizzas. À la fin de *Demolition Man*, j'annonçai que j'allais me coucher et les abandonnai au mini-marathon Sylvester Stallone qu'ils comptaient poursuivre avec *Driven*.

Une fois dans ma chambre, j'enfilai une nuisette noire sexy – cadeau reçu lors d'un mariage où j'étais demoiselle d'honneur – sans la petite culotte assortie.

Après avoir allumé une bougie sur la table de chevet à l'intention de Gideon, je m'effondrai sur mon lit.

Je m'éveillai dans l'obscurité et perçus aussitôt l'odeur de Gideon. Le double vitrage et le rideau occultant de la fenêtre étouffaient les bruits et les lumières de la ville.

Gideon s'étendit sur moi, ombre silencieuse, et sa peau nue me parut très fraîche. Déjà ses lèvres capturaient les miennes, et il me gratifia d'un long baiser profond. Outre sa saveur, sa bouche avait un léger goût mentholé. Tout en caressant son dos musclé, j'écartai les jambes pour lui permettre de s'y nicher confortablement. Le poids de son corps me tira un soupir d'extase.

— Bonjour à toi aussi, soufflai-je quand il m'autorisa à respirer.

— Tu jouiras en même temps que moi, cette fois, murmura-t-il de sa belle voix un peu rauque, avant de me mordiller le cou.

— Hmm... C'est possible ? le taquinai-je.

Il glissa les mains sous mes fesses et me souleva contre son bassin qu'il fit onduler habilement.

— Tu m'as manqué, Eva.

Je plongeai les doigts dans ses cheveux, regrettant de ne pas voir son visage.

— Tu ne me connais pas depuis assez longtemps pour que je te manque.

— Tu n'y connais rien, rétorqua-t-il en se laissant glisser sur moi.

Je réprimai un cri lorsque sa bouche se referma sur un sein pour en sucer la pointe à travers le satin. Il passa bientôt à l'autre tout en retroussant ma nuisette. Je me cambrai contre lui lorsqu'il entreprit d'explorer mon corps de sa bouche et frémis d'impatience quand, après avoir investi mon nombril, la pointe de sa langue descendit plus bas.

— Et je t'ai manqué aussi, ronronna-t-il avec une satisfaction toute masculine en glissant l'index dans ma fente. Tu mouilles déjà pour moi.

Calant mes jambes sur ses épaules, il se mit à me lécher, sa langue s'insinuant entre les replis de mon sexe. Mes poings se refermèrent sur le drap et mon souffle s'accéléra quand il fit courir le bout de sa langue autour de mon clitoris avant de le lécher délicatement. En réponse aux délicieuses tortures qu'il m'infligeait, je commençai à m'agiter et à ondoyer du bassin. Il m'excitait savamment, dosant ses effets pour que je me torde de désir sans pour autant atteindre l'orgasme.

— Gideon, je t'en supplie...

— Non, pas encore.

Il me tourmentait, m'amenait au bord de l'abîme, puis m'abandonnait. Encore et encore. Un voile de sueur avait recouvert ma peau et il me semblait que mon cœur était sur le point d'exploser. Infatigable et diabolique, sa langue concentrait expertement ses attentions sur mon clitoris, s'arrêtait juste avant qu'une ultime caresse me fasse basculer dans la jouissance, et se glissait en moi. Ces plongées successives me rendaient folle, et ses coups de langue habilement dosés tiraient de moi des supplications éhontées.

— Pitié, Gideon... laisse-moi jouir... il le faut, je t'en supplie...

— Là, mon ange... je vais te donner ce que tu veux.

Il mit fin à mon supplice avec une telle tendresse que l'orgasme déferla en moi tel un raz-de-marée, vague après vague, accompagné d'un flot de chaleur qui se répandit dans tout mon corps.

Gideon entrelaça ses doigts aux miens quand il revint sur moi, immobilisant mes bras le long de mon corps. Il se positionna entre mes cuisses, donna un coup de reins qui m'arracha un gémissement. Spontanément, j'arquai le dos pour faciliter la pénétration.

Son souffle était erratique et son grand corps tremblait tandis qu'il entrait lentement en moi.

— Tu es si douce et tiède... Tu m'appartiens, Eva. Tu es à moi.

Je plaçai les jambes autour de ses hanches pour le prendre plus profondément en moi et sentis ses muscles fessiers se contracter, me démontrant que je pouvais le recevoir jusqu'à la garde.

Sans me lâcher les mains, il s'empara de ma bouche et commença à se mouvoir à une cadence aussi précise qu'inflexible. Son sexe énorme et dur me répétait inlassablement que j'étais à lui, toute à lui. Je gémis contre la bouche de Gideon, ondulai follement sous lui, les doigts engourdis à force de lui serrer les mains.

Il me chuchotait des compliments et des encouragements, me disait que j'étais belle... que j'étais faite pour lui... et qu'il ne pourrait jamais s'arrêter. Je jouis avec un cri de soulagement qui me fit vibrer comme une corde trop tendue. Gideon n'attendit pas pour me rejoindre. S'enfonçant en moi à un rythme rapide, il cria mon nom quand il se répandit en moi.

Je me laissai aller sur le matelas, complètement détendue, languide et comblée.

— Je n'ai pas fini, articula-t-il en prenant appui sur ses genoux pour accroître la force de ses poussées.

Si leur rythme demeurait mesuré, chaque coup de boutoir martelait que je lui appartenais et que mon corps était fait pour son plaisir.

Je dus me mordre les lèvres pour étouffer mes gémissements de bonheur. Ils risquaient d'être entendus... et trahissaient l'effrayante profondeur des sentiments que je commençais à éprouver pour Gideon Cross.

12

Le lendemain matin, Gideon me trouva sous la douche. Il entra dans la salle de bains entièrement nu, se déplaçant avec cette aisance, cette assurance qui me laissaient toujours béate d'admiration. Je caressai ses muscles du regard et ne me gênai pas pour contempler ouvertement son sexe.

Les pointes de mes seins se dressèrent malgré l'eau chaude et un frisson me parcourut.

Son sourire, quand il me rejoignit sous la douche, disait clairement qu'il n'ignorait rien de l'effet qu'il produisait sur moi. Je me vengeai en faisant glisser mes mains sur son corps, puis m'assis sur le banc et le suçai avec un tel enthousiasme qu'il dut s'appuyer au mur des deux mains.

Les ordres crus qu'il m'avait donnés résonnaient encore dans ma tête tandis que je m'habillais à toute allure – s'il me trouvait nue au sortir de la douche, il se jetterait sur moi, comme il m'en avait menacée juste avant de jouir dans ma bouche.

Il n'avait pas fait de cauchemars, cette nuit. Le sexe constituait apparemment un sédatif efficace, ce qui m'arrangeait bien.

— Tu ne comptes pas t'en tirer aussi facilement, j'espère, lança-t-il quand il vint me retrouver dans la cuisine, vêtu d'un élégant costume noir à fines rayures.

Il accepta la tasse de café que je lui tendis en me gratifiant d'un regard lourd de promesses. Je le contemplai, ainsi revêtu de son uniforme civilisé, et songeai au mâle insatiable qui s'était glissé dans mon lit cette nuit-là. Mes muscles endoloris s'en souvenaient encore, pourtant mon sang s'échauffa, et je ne pus m'empêcher d'avoir envie qu'il recommence.

— Continue à me regarder ainsi, et il ne faudra pas venir te plaindre, me prévint-il en s'accoudant nonchalamment au comptoir pour siroter son café.

— Je vais perdre mon emploi par ta faute.

— Je t'en donnerai un autre.

— Quel genre d'emploi ? ricanai-je. Esclave sexuelle ?

— Mmm, voilà une suggestion intéressante. Parlons-en, veux-tu ?

— Monstre, marmonnai-je en rinçant ma tasse. Tu es prêt ? À *travailler* ?

Il termina son café. Comme je tendais la main vers lui pour prendre sa tasse, il m'ignora et alla la rincer lui-même.

— J'aimerais t'inviter à dîner ce soir, dit-il en se tournant vers moi. Et t'emmener chez moi ensuite.

— Je ne voudrais pas que tu te lasses de moi, Gideon.

Je savais qu'il avait l'habitude d'être seul et qu'il n'avait pas eu de relation physique qui ait compté depuis longtemps, si tant est qu'il en ait jamais eu. Combien de temps s'écoulerait-il avant que l'instinct qui le poussait à fuir reprenne le dessus ? Et puis, se montrer ensemble en public n'était pas une bonne idée...

— Prétexte ! lâcha-t-il d'un ton sec. Ce n'est pas à toi de décider de ce que je dois faire ou pas.

Je m'en voulus de l'avoir irrité. Il faisait beaucoup d'efforts, et je devais lui montrer que j'en étais consciente et non le décourager.

— Ce n'était pas mon but. Je ne veux pas te bousculer, c'est tout. Et puis, il faut encore que nous...

— Eva, soupira-t-il, tu dois me faire confiance. Moi, je te fais confiance. Autrement nous ne serions pas ici en ce moment.

J'acquiesçai d'un hochement de tête.

— D'accord. On dîne dehors et je passe la nuit chez toi. Et franchement, je trépigne déjà d'impatience.

Cette histoire de confiance réciproque me trottait encore dans la tête en fin de matinée quand le rapport d'alerte Google arriva sur ma messagerie.

Cette fois, il y avait plusieurs photos. Chaque article était illustré de différents clichés de Cary et de moi nous étreignant avant de nous quitter devant le restaurant où nous avions déjeuné la veille. Les légendes spéculaient sur la nature de notre relation et certaines précisaient que nous vivions ensemble. D'autres suggéraient que, bien que j'aie ferré « Cross, le play-boy milliardaire », j'entretenais toujours secrètement une liaison avec mon « petit ami top model ».

La raison de ce déballage m'apparut évidente quand je découvris une autre photo. Elle avait été prise la veille pendant que je regardais tranquillement un film avec Cary et Trey. On y voyait Gideon et Magdalene Perez devant un restaurant. Ils échangeaient un sourire complice, une des mains de Magdalene reposant sur l'avant-bras de Gideon. Selon les sites, les légendes allaient de « l'essaim de créatures splendides qui bourdonne en permanence autour de Gideon Cross » à des spéculations selon lesquelles il recherchait la compagnie d'autres femmes pour apaiser les blessures de son cœur, brisé par mes infidélités.

Tu dois me faire confiance.

Le cœur battant, je refermai ma messagerie. Le voile rouge de la jalousie brouillait ma vision. Je savais qu'il ne pouvait pas avoir eu de relations intimes avec une autre femme avant de me rejoindre, et je savais qu'il tenait à moi. Mais je haïssais Magdalene – avec raison ! – et je ne supportais pas de la voir en compagnie de Gideon. Pas plus que je ne supportais qu'il lui sourie comme il le faisait, surtout après la façon dont elle m'avait traitée dans les toilettes.

Je parvins toutefois à repousser ces pensées dans un coin de ma tête et me concentrai sur mon travail. Mark devait voir Gideon le lendemain pour la campagne Kingsman et il m'avait chargée de recenser toutes les étapes du projet.

— Eva, je déjeune avec Steven au Bryant Park Grill, annonça Mark en passant la tête dans mon box. Steven propose que tu te joignes à nous. Il aimerait bien te revoir.

— C'est très gentil de sa part. J'accepte volontiers, répondis-je, ravie à l'idée de déjeuner dans un de mes restaurants préférés en compagnie de deux hommes charmants.

Peu de temps après, un coursier attaché au Crossfire m'apporta un pli et je crus d'abord à une plaisanterie d'un des créatifs qui travaillait sur la campagne Kingsman. L'enveloppe contenait en fait la carte de visite de Gideon.

Midi. Dans mon bureau.

— Ah, oui ? marmonnai-je, irritée par la sécheresse du message autant que par son côté péremptoire.

Monsieur se permettait de me donner un ordre alors qu'il ne m'avait pas dit qu'il avait dîné avec Magdalene la veille.

L'avait-il invitée à ma place ? C'était le rôle qu'il lui réservait, après tout. Celui d'une femme qu'il fréquentait en dehors de sa garçonnière.

Je retournai la carte et écrivis :

Désolée. Autre chose de prévu.

Et toc !

À midi moins le quart, je descendis avec Mark. Quand l'un des employés de la sécurité m'arrêta et décrocha son téléphone pour prévenir Gideon que j'étais dans le hall, mon irritation céda la place à une colère noire.

— Allons-y, dis-je à Mark.

Ignorant l'agent qui me demandait d'attendre, je me dirigeai vers la porte à tambour.

J'aperçus Angus près de la Bentley à l'instant où Gideon fit claquer mon nom comme un coup de fouet dans mon dos. Je pivotai sur mes talons et le vis s'avancer vers nous, le visage indéchiffrable et le regard de glace.

— Je déjeune avec mon patron, déclarai-je, le menton levé.

— Où comptez-vous déjeuner, Garrity ? demanda-t-il sans me quitter des yeux.

— Au Bryant Park Grill.

— Elle vous rejoindra, déclara-t-il en m'attrapant fermement par le bras pour me guider jusqu'à la portière du SUV qu'Angus venait d'ouvrir.

Gideon me serrait de si près que je n'eus d'autre choix que de grimper à l'intérieur. La portière claqua et la voiture démarra.

Je tirai sur l'ourlet de ma robe pour couvrir mes cuisses.

— Tu fais quoi, là ? demandai-je. En plus de me ridiculiser aux yeux de mon patron ?

Il étendit le bras sur le dossier de la banquette et se pencha vers moi.

— Cary est-il amoureux de toi ?

— Quoi ? Bien sûr que non !

— Est-ce que tu as couché avec lui ?

— Tu as perdu la boule, ma parole ! m'exclamai-je avant de jeter un regard vers Angus, qui aurait pu être sourd tant il était impassible. Va te faire voir, monsieur le play-boy milliardaire avec ton essaim de créatures splendides qui bourdonne autour de toi !

— Tu as donc vu ces photos.

Je détournai la tête, le dédaignant ouvertement, lui et ses accusations ridicules.

— Cary est comme un frère pour moi, et tu le sais.

— Possible, mais est-ce que l'inverse est vrai ? Ces photos ne laissent aucun doute, Eva. Je sais reconnaître un regard amoureux quand j'en vois un.

Angus ralentit pour permettre à un groupe de piétons de traverser la rue. J'en profitai pour ouvrir la portière.

— À l'évidence, tu ne sais pas, non, crachai-je avant de descendre.

Je claquai la portière et m'éloignai à grands pas, fulminant d'une vertueuse colère. J'avais déployé des efforts colossaux pour réprimer ma propre jalousie et les doutes qui me taraudaient, et comment avais-je été récompensée ? Par une scène de jalousie hystérique.

— Eva. Arrête-toi immédiatement.

J'agitai la main sans même me retourner et courus vers le perron du Bryant Park, oasis verdoyante nichée au cœur de la ville. Il suffisait d'en franchir le seuil pour se retrouver projeté dans un autre univers. Entouré de buildings qui formaient comme un écrin étincelant, le Bryant Park était un jardin magique dissimulé derrière une belle et vénérable bibliothèque. Un lieu où le temps ralentissait, où résonnaient des rires d'enfants se livrant au plaisir innocent d'un tour de manège, où les livres étaient de précieux compagnons.

Malheureusement pour moi, l'ogre séduisant que j'avais abandonné dans l'autre monde m'avait poursuivie. Gideon me saisit par la taille.

— Ne t'enfuis pas, me siffla-t-il à l'oreille.

— Tu te comportes comme un fou furieux.

— Peut-être parce que tu me rends fou, rétorqua-t-il, ses bras m'enserrant comme un étau. Tu es à moi, Eva. Dis-moi que Cary le sait.

— De même que Magdalene sait que tu es à moi, répliquai-je. Tu fais une scène en public, je te signale.

— Nous aurions pu en parler dans mon bureau si tu n'étais pas aussi entêtée.

— J'avais d'autres projets. Et tu es en train de les bousiller.

Ma voix se brisa et, sous le poids des regards que je sentais braqués sur nous, les larmes me montèrent aux yeux. J'étais en train de me couvrir de ridicule et j'allais certainement me faire virer.

— Tu gâches tout, ajoutai-je dans un sanglot.

Gideon me lâcha aussitôt et me fit pivoter face à lui.

— Eva, souffla-t-il en me serrant contre lui, ne pleure pas. Je suis désolé.

Je frappai son torse du poing, ce qui se révéla aussi efficace que de cogner sur un mur de pierre.

— Qu'est-ce qui ne tourne pas rond, chez toi ? Tu as le droit de sortir avec une fille qui m'a insultée et croit qu'elle va t'épouser, mais je ne peux même pas déjeuner avec mon meilleur ami, alors qu'il a toujours pris ta défense ?

— Eva...

Il m'attira contre lui.

— Magdalene se trouvait par hasard dans le restaurant où j'ai dîné avec mes associés.

— Je m'en moque. Tu te permets de parler de regard amoureux, mais est-ce que tu as vu le tien ? Comment peux-tu la regarder comme tu l'as fait après ce qu'elle m'a dit ?

— Mon ange... souffla-t-il en effleurant mon visage de ses lèvres. C'est à toi que je pensais à ce moment-là. Magdalene m'est tombée dessus et je lui ai dit que j'allais te rejoindre chez toi. Je ne peux pas m'empêcher d'avoir ce regard-là quand je sais que je vais bientôt me retrouver seul avec toi.

— Et tu t'imagines que je vais avaler que c'était ça qui la faisait sourire, elle aussi ?

— Elle m'a chargé de te saluer, mais je me suis dit que je n'allais pas gâcher notre soirée en te parlant d'elle.

Je glissai les bras sous sa veste pour l'enlacer.

— Il faut qu'on parle. Ce soir, Gideon. J'ai des choses importantes à te dire. Si un journaliste s'avise de fourrer le nez où il ne faut pas... Nous devons garder notre relation secrète ou y mettre un terme. Ça vaudrait mieux pour toi.

Il prit mon visage entre ses mains, pressa son front contre le mien.

— C'est hors de question. Nous trouverons une solution, quel que soit le problème.

Je me hissai sur la pointe des pieds et l'embrassai. Je m'abandonnai à l'ardeur de ce baiser en n'ayant que vaguement conscience des passants qui allaient et venaient autour de nous et du grondement de la circulation. Rien de tout cela n'avait d'importance quand j'étais à l'abri dans les bras de Gideon. Quand il m'embrassait avec une telle passion. Il était tout à la fois source de tourments et de plaisirs, un homme dont les sautes d'humeur et les émotions versatiles rivalisaient amplement avec les miennes.

— Voilà, murmura-t-il en me caressant la joue du bout des doigts. Laissons la nouvelle se propager.

— Tu n'écoutes vraiment pas ce que je te dis, grommelai-je. Il faut que j'y aille.

— On prendra ma voiture pour rentrer ensemble, dit-il en reculant, ne lâchant ma main qu'au tout dernier moment.

Quand je me retournai vers la façade recouverte de lierre du restaurant, j'aperçus Mark et Steven qui m'attendaient en haut des marches.

Les mains dans les poches de son jean, Steven arborait un grand sourire.

— Je me retiens d'applaudir, avoua-t-il quand je les rejoignis. C'était encore mieux que de regarder un feuilleton du matin.

Je rougis, affreusement mal à l'aise. Mark me tira gentiment d'embarras.

— Je crois que tu peux oublier ma mise en garde au sujet du tempérament volage de Cross, dit-il.

Il ouvrit la porte du restaurant et me fit signe d'entrer.

— Merci de m'offrir un déjeuner avant de me signifier mon renvoi, déclarai-je, pince-sans-rire, tandis que nous attendions que l'hôtesse nous attribue notre table.

Steven me tapota l'épaule.

— Mark ne peut pas se permettre de te perdre.

Nous nous dirigeâmes vers notre table et Mark tira une chaise pour moi, tout sourire.

— Si je me séparais de toi, comment pourrais-je informer Steven de l'évolution de ta vie sentimentale ?

C'est une vraie midinette, figure-toi. Il adore les histoires romantiques.

— Tu plaisantes ?

Steven afficha une expression faussement sérieuse.

— Je ne l'avouerais pour rien au monde. Un homme doit garder sa part de mystère.

Je parvins à sourire, mais j'étais plus que jamais douloureusement consciente des secrets enfouis en moi.

À 17 heures, je rassemblai mon courage, me préparant à révéler ma part d'ombre. J'étais sombre et tendue quand Gideon et moi prîmes place sur la banquette de la Bentley, et mon inquiétude s'accrut lorsque je le sentis scruter mon profil. Lorsqu'il prit ma main pour la porter à ses lèvres, l'envie de pleurer s'empara de moi. Je n'étais pas encore complètement remise de notre dispute, mais ce n'était qu'une broutille en regard de ce qui nous attendait.

Nous n'échangeâmes pas un mot jusqu'à ce que nous ayons atteint son appartement.

Il m'entraîna directement dans sa chambre. Là, étalée sur le lit, je découvris une somptueuse robe de cocktail du même bleu que ses yeux ainsi qu'un long peignoir de soie noire.

— J'ai eu le temps de faire un peu de shopping avant le dîner, hier soir, expliqua-t-il.

Mon appréhension s'estompa légèrement, adoucie par le plaisir que me procurait cette délicate attention.

— Merci.

— J'aimerais que tu te sentes ici comme chez toi, dit-il en posant mon sac sur une chaise. Tu peux enfiler le peignoir ou quelque chose à moi. Je vais ouvrir une bouteille de vin et on va décompresser. Nous parlerons quand tu te sentiras prête.

— Je prendrais bien une petite douche rapide, fis-je.

Je regrettais de ne pouvoir séparer dans le temps ce qui s'était passé à midi de ce que j'allais lui dire afin que chaque problème ait droit à un traitement qui lui soit propre, mais je n'avais pas le choix. Chaque jour qui passait accroissait le risque que Gideon apprenne de la bouche de quelqu'un d'autre ce que je tenais à lui révéler personnellement.

— Tout ce que tu voudras, mon ange. Mets-toi à l'aise.

Tandis que j'ôtais mes chaussures pour passer dans la salle de bains, je sentis le poids de son inquiétude. Il n'était cependant pas question que je fasse la moindre révélation avant de m'être ressaisie. Dans ce but, je crus bon de m'attarder sous la douche. Cela ne servit malheureusement qu'à me rappeler celle que nous avions prise ensemble ce matin-là, et je ne pus m'empêcher de me demander si ç'avait été la première et la dernière que nous prendrions ensemble.

Quand je fus prête, j'allai retrouver Gideon au salon. Il se tenait debout près du canapé, seulement vêtu d'un bas de pyjama de soie noire qui tombait bas sur les hanches. Une petite flambée crépitait dans la cheminée et une bouteille de vin rafraîchissait dans un seau à champagne sur la table basse. Des bougies ivoire de différentes tailles étaient rassemblées au centre de la table et, excepté le feu dans l'âtre, seules leurs flammes vacillantes éclairaient la pièce.

— Excusez-moi, dis-je en m'arrêtant sur le seuil, je cherche Gideon Cross, l'homme qui n'a pas une once de romantisme à son répertoire.

Il eut un sourire penaud, un sourire enfantin qui jurait avec son torse tellement viril.

— Je t'avoue que je n'ai pas réfléchi en ces termes. J'essaie juste de deviner ce qui pourrait te plaire, et je me lance en espérant que je ne me suis pas trompé.

— C'est *toi* qui me plais, déclarai-je en m'avançant vers lui, les pans du peignoir de soie noire s'enroulant autour de mes jambes.

— Je l'espère, dit-il sobrement. Je fais tout pour.

Je m'immobilisai devant lui et contemplai longuement son visage. Je fis courir mes mains sur ses bras, pressai doucement ses biceps avant d'appuyer la joue contre son torse.

— Hé ! souffla-t-il en m'enveloppant de ses bras. Tu m'en veux encore de m'être comporté comme le dernier des abrutis ce midi ? Ou c'est ce que tu dois me dire qui t'inquiète ? Parle-moi, Eva, que je puisse t'assurer que tout va bien.

Je frottai le nez contre son torse, inhalai son odeur familière et rassurante.

— Il vaudrait mieux que tu t'asseyes. J'ai des choses à te dire à mon sujet. Des choses très moches.

Gideon me libéra à regret quand je m'écartai de lui. Je me lovai sur le canapé, les jambes repliées sous moi, et il remplit deux verres de vin blanc, m'en tendit un et prit l'autre avant de s'asseoir. Il posa le bras sur le dossier du canapé, une posture qui signifiait que j'avais toute son attention.

Je pris une longue inspiration. Mon cœur battait si fort que j'avais la tête qui tournait. Je ne m'étais pas sentie dans un tel état d'angoisse nauséeuse depuis une éternité.

— Mon père et ma mère ne se sont jamais mariés. Je ne sais pas précisément dans quelles circonstances ils se sont rencontrés parce qu'ils refusent l'un et l'autre d'en parler. Je sais que ma mère venait d'un milieu très aisé. Pas aussi aisé que celui auquel elle a eu accès par le mariage, mais largement supérieur à la moyenne. Elle a eu droit à la présentation au bal des débutantes en robe blanche et tout le tralala. Se retrouver enceinte de moi la mettait au ban de la société dont elle était issue. Elle a pourtant décidé de me garder.

Je baissai les yeux sur mon verre.

— Et je l'admire vraiment d'avoir eu ce courage. Elle a subi beaucoup de pressions pour se débarrasser du bébé – de *moi* –, mais elle est allée au bout de sa grossesse malgré tout. À l'évidence.

Les doigts de Gideon s'insinuèrent dans mes cheveux humides.

— Une chance pour moi, murmura-t-il.

Je lui attrapai la main, la portai à mes lèvres, puis la posai sur mes genoux.

— Même enceinte, elle n'a eu aucun mal à se faire épouser par un millionnaire. Il était veuf et père d'un garçon âgé de cinq ans. J'imagine qu'ils ont estimé l'un et l'autre avoir trouvé l'arrangement idéal. Lui voyageait énormément pendant que ma mère dépensait son argent et prenait en charge l'éducation de son fils.

— Je comprends l'attrait qu'exerce l'argent, Eva. Je le ressens aussi. J'ai besoin du pouvoir qu'il procure. Du sentiment de sécurité.

Nos regards se croisèrent et je sentis un courant passer entre nous. Il s'ingéniait à me faciliter la tâche.

— J'avais dix ans la première fois que le fils de mon beau-père m'a violée...

Le pied du verre de Gideon se brisa dans sa main. Avec une rapidité stupéfiante, il le rattrapa avant que le contenu se répande sur lui.

Je me levai en même temps que lui.

— Tu t'es coupé ?

— Non, ça va, répondit-il en se dirigeant vers la cuisine pour se débarrasser bruyamment du verre brisé.

Les mains tremblantes, je reposai avec précaution mon propre verre sur la table. Je l'entendis ouvrir et

fermer des placards, puis il réapparut, un verre contenant un liquide sombre à la main.

— Assieds-toi, Eva.

Je le fixai sans bouger. Sa posture était rigide, son
regard glacial. Il se frotta le visage et répéta d'une voix
plus douce :

— Assieds-toi... s'il te plaît.

Les jambes flageolantes, je lui obéis et m'assis au
bord du canapé en resserrant le peignoir autour de
moi.

Il resta debout, avala une gorgée du breuvage sombre.

— Tu as dit « la première fois ». Combien d'autres
fois y a-t-il eu ?

Je respirai lentement, m'efforçant de me calmer.

— Je ne sais pas. J'ai perdu le compte.

— Tu en as parlé à quelqu'un ? À ta mère ?

— Non. Mon Dieu, si elle l'avait su, elle m'aurait
tirée de là. Mais Nathan s'ingéniait à me terroriser
pour m'empêcher de parler.

Je dus m'interrompre pour avaler ma salive, et tressaillis ; ma gorge était si sèche que c'était douloureux.

— J'ai failli tout lui dire une fois, repris-je dans un
souffle. Mais Nathan l'a senti. Il a senti que j'étais sur
le point de craquer. Alors il a brisé le cou de mon
chat et l'a déposé sur mon lit.

— Bon Dieu, lâcha Gideon, ce n'était pas seulement
un pervers, c'était un malade mental !

— Les domestiques devaient être au courant, enchaînai-je d'une voix sourde, les yeux rivés sur mes mains
crispées.

Je voulais juste en finir, tout déballer, puis tout
remettre dans ce recoin de mon esprit qui me permettait d'oublier et de vivre normalement au quoti-
dien.

— Le fait que les domestiques se taisent aussi était
la preuve qu'ils avaient aussi peur que moi. Si des

adultes n'osaient pas parler, qu'est-ce que je pouvais faire, moi, une gamine ?

— Comment t'en es-tu sortie ? Quand est-ce que ça a pris fin ?

— À quatorze ans, j'ai cru que j'avais mes règles, mais mes saignements étaient si abondants que ma mère a paniqué et m'a emmenée aux urgences. J'avais fait une fausse couche. Les examens médicaux ont révélé... des traumatismes au niveau vaginal et anal...

Gideon posa violemment son verre sur la table.

— Je suis désolée, murmurai-je d'une voix pitoyable. J'aurais préféré t'épargner les détails, mais il faut que tu saches ce qui risque d'être divulgué. À l'époque, l'hôpital a signalé l'agression sexuelle aux services de protection de l'enfance. Bien que ça relève du domaine public, mon dossier a été scellé, mais les personnes qui en ont eu connaissance sont toujours en vie. Quand ma mère a épousé Stanton, celui-ci s'est assuré que les scellés étaient solides, il a utilisé son argent pour obtenir un accord de non-divulgation... ce genre de choses. Mais il faut que tu saches que cette histoire risque de ressurgir un jour parce que ça pourrait être gênant pour toi.

— *Gênant ?* articula-t-il. Ce n'est certainement pas de la gêne que je ressentirais.

— Gideon...

— Je briserais la carrière de tout journaliste qui s'aviserait de parler de cette histoire et je veillerais à assurer la faillite du journal qui oserait la publier, déclara-t-il, en proie à une fureur glaciale. Je trouverai le monstre qui t'a fait ça, Eva, où qu'il soit, et je lui ferai regretter de ne pas être mort.

Je frémis, parce qu'il ne s'agissait pas d'une menace proférée sous le coup de la colère. Il suffisait de voir son expression, d'entendre sa voix pour en être

233

convaincu. Gideon Cross parvenait toujours à ses fins, quoi qu'il en coûtât.

— Ne perds pas ton temps avec lui, il n'en vaut pas la peine, déclarai-je en me levant.

— *Toi*, tu en vaux la peine, nom de Dieu !

Je m'approchai de la cheminée ; j'avais froid soudain.

— Il y a aussi la piste de l'argent, Gideon. Celle à laquelle la police et les journalistes s'intéressent en priorité. Quelqu'un risque de trouver curieux que ma mère ait obtenu deux millions de dollars au moment de son divorce, alors que sa fille née d'un autre lit en a reçu cinq.

Je n'eus pas besoin de le regarder pour savoir qu'il s'était raidi.

— D'autant que cet argent a certainement fructifié depuis, ajoutai-je. Je n'y toucherai jamais, mais c'est Stanton qui gère le portefeuille sur lequel il a été placé, et son sens des affaires est légendaire. Au cas où tu craindrais que je sois intéressée par ton argent...

— Tais-toi.

Je me tournai vers lui et vis de l'horreur et de la pitié dans son regard. Ce fut pourtant ce que je n'y vis pas qui me fit le plus mal.

Mon pire cauchemar se réalisait. J'avais redouté que mon passé le dégoûte de moi. J'avais dit à Cary qu'il resterait peut-être avec moi pour de mauvaises raisons. Et qu'au bout du compte – en dépit de ses bonnes intentions – je l'aurais de toute façon perdu.

Et il semblait que j'aie vu juste.

13

Je resserrai la ceinture de mon peignoir.

— Je vais m'habiller et partir.

— Quoi ? s'écria Gideon en me fusillant du regard. Pour aller où ?

— Chez moi, répondis-je, en proie à une soudaine et profonde lassitude. Je pense que tu as besoin de digérer tout ça.

— On peut faire ça ensemble.

— Je ne crois pas que ce soit possible, déclarai-je en relevant le menton, le chagrin l'emportant sur la honte et la déception. Pas quand tu me regardes comme si je te faisais pitié.

— Bordel, Eva, je ne suis pas de pierre ! Je ne serais pas un être humain si je n'étais pas affecté par ce qui t'est arrivé.

Les émotions par lesquelles j'étais passée depuis le déjeuner fusionnèrent, formant un nœud atrocement douloureux dans ma poitrine.

— Je ne veux pas de ta pitié ! criai-je, cédant à la colère.

— Qu'est-ce que tu veux, alors ?

— Toi ! C'est toi que je veux !

— Mais je suis à toi ! Combien de fois faudra-t-il que je le répète ?

— Tes mots ne veulent rien dire si tes actes ne viennent pas les confirmer. Tu as eu envie de moi au premier regard. Depuis, tes yeux n'ont pas cessé de me dire que tu me désirais comme un fou. Mais c'est fini... Gideon. Je ne vois plus ce désir dans tes yeux, soufflai-je d'une voix étranglée.

— Tu n'es pas sérieuse, dit-il en me fixant comme s'il venait de me pousser une deuxième tête.

— Je ne crois pas que tu te rendes compte de l'effet que ton désir a sur moi, dis-je en croisant les bras devant ma poitrine, me sentant soudain affreusement exposée. Il m'aide à me sentir belle, forte et vivante. Je... je ne supporte pas d'être avec toi si tu n'as plus envie de moi.

— Eva, je...

Sa phrase resta en suspens. Il était tendu et distant, les poings serrés. Je défis la ceinture de mon peignoir et m'en débarrassai.

— Regarde-moi, Gideon. Regarde mon corps. C'est le même que celui dont tu ne parvenais pas à te rassasier la nuit dernière. Le même que celui dont tu avais tellement envie que tu m'as emmenée dans cette foutue chambre d'hôtel. Si tu n'en veux plus... s'il n'a plus aucun effet sur toi...

— Est-ce une preuve suffisante de l'effet qu'il a sur moi ? coupa-t-il en délaçant le lien de son bas de pyjama pour exhiber sa prodigieuse érection.

Nous nous ruâmes l'un vers l'autre d'un même mouvement. Nos lèvres se soudèrent et, tandis qu'il me soulevait de terre, j'enroulai les jambes autour de ses hanches. Il chancela jusqu'au canapé et s'y laissa tomber, amortissant notre chute de son bras tendu.

Je gisais sous lui, offerte, sanglotant presque, quand il s'agenouilla entre mes cuisses pour me caresser de la langue. Il était brusque et impatient, ses gestes soudain dépouillés de la délicatesse à laquelle je m'étais habituée, et cela me plut infiniment. Et quand il vint sur moi et qu'il me pénétra brutalement, cela me plut davantage encore. Je n'étais pas prête, pas assez humide, et la brûlure de son sexe m'arracha un cri étouffé, mais déjà ses doigts étaient sur mon clitoris, et je me frottai contre eux en gémissant :

— Oui, Gideon, baise-moi... Baise-moi fort.

Sa bouche recouvrit la mienne. Il m'immobilisa tandis qu'il plongeait en moi, enchaînant les coups de boutoir avec une détermination farouche.

— Tu es à moi... à moi... à moi...

Le claquement rythmique de ses testicules contre mes fesses et sa litanie entêtante attisèrent mon excitation, ma vulve se contractait à un rythme de plus en plus rapide.

Avec un cri rauque, il se vida en moi, le corps secoué de spasmes violents.

Je l'étreignis tout le temps que dura sa jouissance, lui caressant le dos, lui embrassant l'épaule.

— Attends, dit-il rudement en glissant les mains sous moi.

Il me plaqua contre lui, me souleva, et s'assit. Je me retrouvai à califourchon sur lui. J'étais trempée et son sexe était toujours fiché en moi. Il écarta les cheveux de mon visage et essuya mes larmes de soulagement.

— J'ai toujours envie de toi, Eva. Toujours. Follement. Rien n'aura jamais le pouvoir de changer ça. Tu comprends ?

Je lui encerclai les poignets de mes doigts en hochant la tête.

— À présent, montre-moi que toi, tu as toujours envie de moi, reprit-il, le regard sombre. J'ai besoin de savoir que perdre le contrôle ne signifie pas que je te perds.

Je m'emparai de ses mains pour les poser sur mes seins, pris appui sur ses épaules et ondulai doucement du bassin. Son pénis semi-érigé durcit à toute allure. Il fit rouler les pointes de mes seins entre ses doigts et une délicieuse onde de chaleur se déploya au creux de mon ventre. Et lorsqu'il happa un mamelon entre ses lèvres et entreprit de le sucer avidement, mon corps s'embrasa et je poussai un cri.

Je serrai les cuisses et soulevai les fesses, les yeux fermés pour savourer les sensations qui me bombardaient de toutes parts. Je me mordis la lèvre quand, redescendant sur lui, je sentis son sexe m'écarteler.

— C'est bien, murmura-t-il. Je veux te voir jouir pendant que tu me chevauches.

J'oscillai souplement des hanches. Il m'emplissait totalement, et je trouvais la sensation délectable. Sans honte ni remords, je le chevauchai hardiment, gémissant de bonheur chaque fois que je m'empalais sur lui.

— Gideon, soufflai-je.

Il m'agrippa la nuque d'une main, referma l'autre sur ma taille, et cambra le dos pour me pénétrer plus profondément encore.

— Je vais encore jouir, souffla-t-il. C'est l'effet que tu me fais, Eva.

Mes muscles intimes se crispèrent, et j'accélérai la cadence jusqu'à la frénésie. Pantelante, je glissai la main entre mes cuisses et me caressai.

Gideon renversa la tête en arrière et je vis saillir les tendons de son cou.

— Ta petite chatte avide est brûlante. Je sens que tu vas jouir...

Ses paroles et sa voix me propulsèrent dans l'abîme. La vague de plaisir me frappa de plein fouet, un déchaînement de tous les sens, et tandis que l'orgasme m'emportait, que la jouissance se répandait en moi comme une coulée de lave, ma vulve se contractait spasmodiquement.

Gideon résista jusqu'à ce que les contractions s'estompent, puis il m'empoigna les hanches et revint en moi d'une poussée ferme, une fois, deux fois. Au troisième coup de reins, il explosa à longs traits brûlants, apaisant mes ultimes craintes et mes derniers doutes.

J'ignore combien de temps nous demeurâmes ainsi, ma tête reposant sur son épaule, ses mains me caressant doucement le dos.

— Ne bouge pas, murmura-t-il en pressant les lèvres contre ma tempe. Tu es si courageuse, Eva, ajouta-t-il en me serrant dans ses bras. Si forte et si honnête. Tu es un vrai miracle. Mon miracle à moi.

— Un miracle de la thérapie moderne, peut-être, gloussai-je, mes doigts jouant dans ses cheveux. Mais même avec ça, j'ai été sacrément perturbée pendant un bout de temps et je pense que je serai toujours prisonnière de certains schémas comportementaux.

— Quand je pense à la façon dont je t'ai abordée... j'aurais pu tout gâcher entre nous avant même que ça ait commencé. Et mon attitude à ce dîner...

Il frissonna et enfouit le visage au creux de mon cou.

— Ne me laisse pas tout détruire, Eva. Empêche-moi de te braquer.

Je soulevai la tête et scrutai son visage.

— Il ne faut surtout pas que tu modifies ton comportement vis-à-vis de moi à cause de ce que Nathan m'a fait. Ce serait une erreur très grave, Gideon. Ce serait la fin de notre relation.

— Ne dis pas ça. N'y pense même pas.

J'effaçai d'une caresse le pli soucieux entre ses sourcils.

— J'aurais préféré ne pas avoir à t'en parler. J'aurais préféré que tu n'en saches jamais rien.

Il me prit la main et la porta à ses lèvres pour l'embrasser.

— Je dois tout savoir de toi, absolument tout.

— Une femme doit avoir quelques secrets, le taquinai-je.

— Pas de secrets avec moi, décréta-t-il.

Il enroula une mèche de mes cheveux autour de son poing, glissa le bras autour de mes hanches et me pressa contre lui, me rappelant – comme si j'avais pu l'oublier ! – qu'il était toujours en moi.

— À mon tour de te prendre, Eva. Ce n'est que justice, je trouve.

— Et toi, Gideon, as-tu des secrets ?

Son visage se transforma en un masque impassible. Le phénomène se produisit si spontanément que je compris que ce mécanisme de défense devait être ancré en lui depuis très longtemps.

— Je m'aventure en terrain inconnu avec toi, Eva. Tout ce que je croyais être... tout ce que je croyais vouloir... Je découvre qui je suis en même temps que toi. Tu es la seule personne que j'aie jamais laissée m'approcher d'aussi près.

Je savais pourtant qu'il ne m'avait pas tout laissé voir de lui. Je le découvrais petit à petit, mais il demeurait encore un mystère à bien des égards.

— Il faut que tu m'expliques ce que tu veux... reprit-il d'une voix hésitante. Je peux m'améliorer si tu m'aides. Mais ne... ne me laisse pas tomber, Eva.

Mon Dieu ! Il savait me toucher en plein cœur si aisément. Quelques mots, un regard désespéré, et toutes mes défenses volaient en éclats.

Je caressai son visage, ses cheveux, ses épaules. Il était aussi brisé que moi et j'ignorais tout de ses fêlures.

— Il y a une chose que je veux de toi, Gideon.

— Tout ce que tu veux.

— Chaque jour, je veux que tu me dises quelque chose que j'ignore de toi. Quelque chose de personnel, même si c'est futile. Promets-moi de le faire.

— Je peux te raconter ce que je veux ? demanda-t-il avec un regard méfiant.

Je hochai la tête, ne sachant pas moi-même ce que j'espérais qu'il me révèle.

— D'accord.

Je le remerciai d'un baiser tendre.

— Tu préfères dîner dehors ou ici ? s'enquit-il.

— Tu crois vraiment que nous devrions aller au restaurant ?

— Je veux sortir avec toi, Eva.

Comment refuser sachant quel grand pas cela représentait pour lui ?

— Voilà qui me paraît très romantique. Et donc irrésistible.

Son sourire joyeux fut ma récompense, de même que la douche que nous prîmes ensemble. Laver son corps me semblait le comble de l'intimité, et j'adorais le contact de ses mains sur le mien. Quand je lui pris la main pour la glisser entre mes cuisses, je vis avec bonheur s'allumer dans son regard la flamme si familière du désir.

— Tu es à moi, murmura-t-il après m'avoir embrassée.

Ce qui m'incita à refermer les mains sur son sexe et à déclarer que lui aussi était à moi.

De retour dans la chambre, je soulevai la robe de cocktail bleue et la plaçai devant moi.

— C'est toi qui l'as choisie, Gideon ?

— Oui. Elle te plaît ?

— Elle est superbe. Ma mère m'avait dit que tu avais du goût... exception faite de cette fâcheuse tendance à préférer les brunes.

Il me jeta un bref coup d'œil juste avant de disparaître dans le dressing.

— Quelles brunes ?

— Ne fais pas l'innocent.

— Regarde dans le tiroir du haut de la commode, à droite.

Essayait-il de détourner mes pensées de toutes les brunes avec qui il s'était laissé photographier – et parmi lesquelles Magdalene figurait en bonne place ?

Je reposai la robe sur le lit et ouvris ledit tiroir. J'y découvris une dizaine d'ensembles de lingerie Carine Gilson de toutes les couleurs, et tous à ma taille. Il y avait aussi des porte-jarretelles et des bas de soie encore dans leur emballage.

Je levai les yeux au moment où Gideon sortait du dressing, ses vêtements sur le bras.

— J'ai un tiroir à moi ?

— Tu en as aussi trois dans le dressing et deux dans la salle de bains.

Je souris.

— Gideon, on n'aborde l'étape du tiroir personnel qu'après plusieurs mois de relation.

— Comment le sais-tu ? demanda-t-il en posant ses vêtements sur le lit. Tu as déjà vécu avec un autre homme que Cary ?

— Disposer d'un tiroir personnel ne signifie pas vivre avec quelqu'un, répliquai-je avec un regard de reproche.

— Tu ne m'as pas répondu, observa-t-il en me rejoignant devant la commode pour y prendre un caleçon.

Je jugeai plus sage de répondre avant que son humeur s'assombrisse davantage.

— Non, je n'ai jamais vécu avec un autre homme.

Il se pencha brusquement vers moi et m'embrassa sur le front avant de retourner vers le lit.

— Je veux que notre relation éclipse toutes celles que tu as connues.

— C'est déjà le cas, répondis-je en resserrant le nœud du drap de bain entre mes seins. Et de loin. Je suis même obligée de résister. C'est devenu important si rapidement. Trop rapidement, peut-être. Je ne peux pas m'empêcher de me dire que c'est trop beau pour être vrai.

Il pivota pour me faire face.

— Ça l'est peut-être, dit-il. Mais si c'est le cas, nous le méritons.

Je le rejoignis et le laissai me prendre dans ses bras parce que c'était là que j'avais envie d'être et nulle part ailleurs.

— Je ne supporte pas l'idée que tu t'attendes que ça finisse, reprit-il. C'est ce que tu penses, n'est-ce pas ?

— Je suis désolée.

— Je voudrais que tu aies confiance en nous, dit-il en me caressant les cheveux. Que faut-il faire pour que tu te sentes en sécurité ?

J'hésitai un instant, puis me jetai bravement à l'eau.

— Tu serais d'accord pour que nous suivions une thérapie de couple ?

Ses doigts s'immobilisèrent. Durant un moment, seul le bruit de sa respiration brisa le silence.

— Réfléchis, suggérai-je. Renseigne-toi pour savoir en quoi ça consiste.

— Je m'y prends vraiment si mal ? demanda-t-il.

Je reculai et plantai mon regard dans le sien.

— Non, Gideon. Tu es parfait. Parfait pour moi, en tout cas. Je suis folle de toi. Je pense que tu...

Il me fit taire d'un baiser.

— Je le ferai, chuchota-t-il contre mes lèvres. J'irai avec toi.

En cet instant je l'aimai. Infiniment. Et l'instant d'après aussi. Durant tout le trajet jusqu'au Masa où il nous avait organisé un merveilleux dîner romantique. Seules trois autres tables étaient occupées et le personnel appelait Gideon par son nom. Les plats étaient exquis et les vins hors de prix. Quant à Gideon, plus détendu et séduisant que jamais, il s'ingénia à faire de cette soirée un enchantement.

Je me sentais belle dans la robe qu'il avait choisie pour moi et d'humeur légère. Il avait beau connaître le pire de mes secrets, il était toujours avec moi.

Du bout des doigts, il me caressait l'épaule… traçait des cercles sur ma nuque… se promenait le long de mon dos. Il m'embrassait sur la tempe et sous l'oreille, là où la peau est si sensible. Il y faisait courir sa langue, et sous la table, sa main me pressait la cuisse.

— Comment as-tu fait la connaissance de Cary ? me demanda-t-il en me regardant par-dessus le bord de son verre.

— Thérapie de groupe, répondis-je en posant ma main sur la sienne pour l'empêcher de remonter plus haut sur ma cuisse, ce qui me valut un regard espiègle. Mon père, qui est flic, avait entendu parler d'un psy qui avait un talent fou pour gérer les adolescents perturbés – ce que j'étais, je le reconnais. Cary était lui aussi suivi par ce psy, le Dr Travis.

— Un talent fou, ah bon ? répéta Gideon en souriant.

— Le Dr Travis ne ressemble en rien aux autres thérapeutes que j'ai rencontrés. Son cabinet se trouve dans un ancien gymnase. Son approche ouverte faisait qu'aller là-bas me paraissait plus réel que de m'allonger sur un divan. Il a pour règle de ne pas raconter de salades. Il est d'une honnêteté totale avec ceux qu'il appelle « ses enfants », mais il exige la même chose en retour ou il se met carrément en colère. J'ai toujours aimé ça chez lui, le fait qu'il se souciait assez de nous pour laisser deviner ses émotions.

— C'est parce que ton père vit dans le sud de la Californie que tu as fait tes études à l'université de San Diego ?

Je ne pus réprimer un sourire. C'était encore là une information que je ne lui avais pas fournie.

— Qu'est-ce que tu as exhumé d'autre à mon sujet, dis-moi ?

— Tout ce que j'ai pu trouver.

— Crois-tu qu'il soit nécessaire que je sache ce que ça signifie exactement ?

Il porta ma main à ses lèvres et l'embrassa.

— Probablement pas.

Je secouai la tête, agacée.

— Oui, c'est pour ça que je suis allée à la fac de San Diego. Enfant, je n'avais pas pu passer autant de temps que j'aurais voulu avec mon père, et ma mère me tapait sérieusement sur les nerfs.

— Tu n'as jamais raconté à ton père ce qui t'est arrivé ?

— Non, répondis-je en faisant tourner le pied de mon verre entre mes doigts. Il sait que j'ai été une adolescente à problèmes, mais il n'a jamais été au courant pour Nathan.

— Pourquoi ?

— Parce qu'il ne peut rien changer à ce qui s'est passé. Nathan a été puni par la loi. Son père a dû s'acquitter d'une lourde somme en dommages et intérêts. Justice a été faite.

— Je ne suis pas d'accord, déclara-t-il d'un ton froid.

— Que voudrais-tu de plus ?

Il but une longue gorgée de vin avant de répondre :

— Je préfère ne pas en parler à table.

Son ton menaçant associé à son regard froid m'incita à reporter mon attention sur mon assiette. Il n'y avait ni carte ni menu au Masa, uniquement des *omakase*, aussi chaque bouchée constituait-elle une délicieuse surprise. Et les clients étaient si peu nombreux qu'on avait l'impression d'avoir cette grande salle pour nous seuls.

— J'adore te regarder manger, déclara Gideon au bout d'un moment.

— Qu'est-ce que c'est censé signifier ?

— Tu manges avec appétit. Et les petits gémissements de bonheur qui t'échappent me font bander.

— Mon petit doigt me dit que tu es dans cet état-là en permanence.

— C'est entièrement ta faute, répliqua-t-il avec un sourire des plus communicatifs.

L'addition astronomique qui conclut ce dîner de rêve ne lui tira pas un battement de cils.

Avant que nous sortions, il me couvrit les épaules de sa veste.

— Allons à ton club de gym, demain soir, dit-il.

— Le tien est mieux.

— Évidemment. Mais je suis prêt à aller où tu voudras.

— Dans un club où on ne risque pas de croiser un moniteur très prévenant prénommé Daniel, par exemple ? suggérai-je, espiègle.

— Méfie-toi, mon ange, répliqua-t-il en haussant les sourcils. Je pourrais bien te châtier pour t'être moquée de ma possessivité à ton égard.

Je notai que, cette fois, il n'avait pas menacé de me donner la fessée. Avait-il compris que douleur et sexualité étaient pour moi incompatibles ? Que cela m'entraînait dans des zones où je ne voulais plus jamais retourner ?

Durant le trajet de retour, je me blottis contre lui sur la banquette, la tête sur son épaule, et songeai à la façon dont les abus que j'avais subis affectaient encore ma vie – ma vie sexuelle, en particulier.

Combien de ces fantômes parviendrions-nous à exorciser, Gideon et moi ? À en juger par les sex-toys que j'avais découverts dans le tiroir de sa chambre d'hôtel, il était à l'évidence plus expérimenté et plus aventureux que moi sur le plan sexuel. Et le plaisir que j'avais ressenti en dépit de la férocité avec laquelle il m'avait possédée sur le canapé était la preuve qu'il pouvait faire avec moi des choses que je n'aurais acceptées de personne d'autre.

— J'ai confiance en toi, murmurai-je.

— On va se faire mutuellement du bien, Eva, chuchota-t-il en resserrant son étreinte autour de mes épaules.

Ces mots-là flottaient encore dans ma tête lorsque je m'endormis dans ses bras ce soir-là.

— Ne fais pas ça... Non. Non, arrête... Par pitié.

Les cris de Gideon me réveillèrent en sursaut, le cœur battant et la gorge nouée.

Il grondait comme une bête féroce et se débattait, les poings serrés. Je m'écartai de lui, craignant de recevoir malencontreusement un coup.

— Pousse-toi, haleta-t-il.

— Gideon ! Réveille-toi.

— Dégage !

Ses hanches se soulevèrent et il laissa échapper un gémissement de douleur. Il demeura dans cette position, les dents serrées, le dos cambré comme si le matelas était brûlant. Puis il se laissa retomber lourdement.

— Gideon.

Je tendis la main vers la lampe de chevet, la gorge en feu. Les draps entortillés autour de moi m'empêchaient de l'atteindre et je dus tirer violemment dessus pour m'en dégager. Gideon se tordait comme s'il était à l'agonie et donnait des coups de pied qui faisaient trembler tout le lit.

J'appuyai enfin sur l'interrupteur et un flot de lumière inonda la chambre. Je me tournai vers lui...

... et le découvris en train de se masturber avec une vigueur qui me choqua.

Il enserrait son sexe de la main droite si fermement que les jointures étaient blanches, et s'agrippait au drap de l'autre. Une profonde souffrance déformait ses traits.

Je le pris aux épaules et le secouai.

— Gideon, réveille-toi, nom de Dieu !

Mon cri transperça son cauchemar. Il ouvrit brusquement les yeux et se redressa en regardant frénétiquement autour de lui.

— Quoi ? haleta-t-il, les lèvres et les joues rouges d'excitation, le front baigné de sueur. Qu'est-ce qu'il y a ?

— Seigneur ! soufflai-je.

Je me passai la main dans les cheveux, puis me glissai hors du lit, attrapant mon peignoir au passage.

Que s'était-il passé dans sa tête ? m'interrogeai-je. Qu'est-ce qui pouvait déclencher un rêve sexuel aussi violent ?

— Tu faisais un cauchemar, dis-je d'une voix tremblante. Tu m'as fait une peur bleue.

Il jeta un coup d'œil à son entrejambe et je vis son teint s'assombrir de honte. Je l'observai depuis la fenêtre près de laquelle je m'étais réfugiée et ajustai la ceinture de mon peignoir.

— De quoi rêvais-tu ?

Il secoua la tête, baissa les yeux, adoptant une posture vulnérable que je ne lui avais jamais vue et qui ne lui ressemblait pas. C'était comme si quelqu'un d'autre habitait son corps.

— Je ne sais pas.

— Je ne te crois pas. Quelque chose te ronge, te dévore quand tu dors. Qu'est-ce que c'est ?

Tandis qu'il reprenait ses esprits, il retrouva son aplomb.

— Je rêvais, c'est tout. Ce sont des choses qui arrivent, Eva.

Je le fixai sans ciller, blessée qu'il emploie ce ton, comme si je délirais.

— Va te faire voir !

— Pourquoi es-tu fâchée ? demanda-t-il en rabattant le drap sur lui.

— Parce que tu mens.

— Je suis désolé de t'avoir réveillée.

Je me pinçai l'arête du nez, sentant poindre une migraine. J'avais envie de pleurer à la pensée de ce qu'il avait dû traverser à un moment ou à un autre. À la pensée de le perdre aussi, parce que s'il ne me laissait pas l'approcher, notre relation était vouée à l'échec.

— Pour la dernière fois, Gideon : de quoi rêvais-tu ?

— Je ne m'en souviens pas, dit-il en s'asseyant au bord du lit. Je suis sur plusieurs projets importants en ce moment et ça doit me travailler. Je vais aller un peu dans mon bureau. Recouche-toi et essaie de te rendormir.

— Tu aurais pu m'offrir un certain nombre de réponses acceptables, Gideon, ripostai-je, frémissante de colère. Me dire, par exemple, que nous en reparlerions demain. Ou ce week-end. Ou même que tu ne te sentais pas prêt à en parler. Mais là, tu as le culot de faire comme si tu ne comprenais pas et de t'adresser à moi comme à une demeurée.

— Mon ange...

— N'essaie même pas ! Tu crois que c'était facile pour moi de te parler de mon passé ? Tu crois que ça ne m'a rien fait de m'ouvrir à toi pour te laisser voir la saleté que je trimballe ? Rompre avec toi et sortir avec quelqu'un de moins en vue aurait été cent fois plus simple ! J'ai pris le risque de rester avec toi parce que j'en ai envie. Peut-être qu'un jour tu ressentiras la même chose vis-à-vis de moi, lâchai-je avant de quitter la pièce.

— Eva ! Reviens, Eva ! Bordel, qu'est-ce qui te prend ?

Je traversai l'appartement au pas de charge. Je savais ce qu'il éprouvait – cette nausée qui se répand comme un cancer, cette rage impuissante, ce besoin de se replier sur soi pour trouver la force de refouler les souvenirs au fond du trou noir où ils continuent de vivre.

Ce n'était pas une excuse pour mentir ou rejeter la faute sur moi.

J'attrapai mon sac sur la chaise où je l'avais posé en rentrant du restaurant et me précipitai sur le palier sans prendre la peine de refermer derrière moi. J'étais dans l'ascenseur et les portes coulissaient déjà lorsque je vis Gideon traverser le salon. Sa nudité me garantissait qu'il ne me suivrait pas, et son regard ne me donna pas envie de rester. Il affichait de nouveau ce masque impassible qui maintenait le monde extérieur à distance.

Tremblante, je me laissai aller contre la main courante de cuivre. J'étais partagée entre mon inquiétude à son sujet et mes certitudes chèrement acquises en thérapie. Des certitudes qui m'assuraient que sa stratégie de survie n'était pas de celles que je supporterais. Je savais que le chemin de la guérison était pavé de douloureuses vérités. Pas de mensonges et de déni.

J'essuyai mes joues humides de larmes et tâchai de me ressaisir avant que les portes de l'ascenseur se rouvrent.

Le portier m'appela un taxi et fit comme s'il ne remarquait pas que j'étais en peignoir et pieds nus. Je le remerciai chaleureusement.

Et je fus si reconnaissante au chauffeur de taxi de me ramener chez moi très vite que je lui laissai un généreux pourboire. Je ne me souciai pas des coups d'œil furtifs du portier et du veilleur de nuit de mon propre immeuble. Pas plus que du regard dont me gratifia la blonde sculpturale qui sortit de l'ascenseur... jusqu'à ce que je reconnaisse sur elle l'eau de toilette de Cary ainsi qu'un tee-shirt lui appartenant.

— Joli peignoir, commenta-t-elle avec un sourire amusé.

— Joli tee-shirt, répliquai-je.

Elle s'éloigna, une petite moue dédaigneuse aux lèvres.

Arrivée à mon étage, je découvris Cary en peignoir sur le pas de la porte.

— Viens là, baby girl, dit-il en écartant les bras.

Je me jetai dans ses bras. Il empestait le parfum et le sexe.

— C'est qui, cette fille que je viens de croiser dans le hall ?

— Un top. Aucune importance, répondit-il en m'entraînant à l'intérieur. Cross a appelé pour m'avertir que tu rentrais et qu'il avait tes clefs. Il m'a semblé dans tous ses états et très inquiet, au cas où ça t'intéresserait de le savoir. Tu veux qu'on en parle ?

Je posai mon sac sur le comptoir et passai dans la cuisine.

— Il a encore fait un cauchemar. Très violent, affreux. Quand je lui ai demandé de me le raconter, il a prétendu qu'il ne se souvenait de rien. Il a menti et il a fait comme si je dramatisais pour rien.

— Ah. Le grand classique.

Le téléphone sonna. Je pressai le bouton sur le socle pour couper la sonnerie et Cary fit de même sur le combiné du salon. J'allai récupérer mon portable, éteignis l'alarme m'avertissant des innombrables messages de Gideon et lui envoyai un SMS. *Bien rentrée. Te souhaite une bonne fin de nuit.*

Je coupai le téléphone, le rangeai dans mon sac et sortis une bouteille d'eau du frigo.

— Le problème, c'est que je lui avais tout déballé sur moi un peu plus tôt.

Cary haussa les sourcils.

— Comment l'a-t-il pris ?

— Mieux que je n'étais en droit de l'espérer. Nathan n'a plus qu'à prier pour ne jamais croiser sa route. Il a même accepté la thérapie de couple que tu m'avais suggérée. J'ai cru qu'on avait franchi un cap important. C'est peut-être le cas, d'ailleurs. Mais tout de suite après, on s'est fracassés contre un mur.

— Je te trouve sereine, malgré tout, observa-t-il en s'accoudant au comptoir. Pas de larmes. Calme apparent. Je devrais trouver ça inquiétant, tu crois ?

Je me massai le ventre pour apaiser la frayeur qui y avait pris racine.

— Non, ça va aller. C'est juste que... j'aimerais tellement que ça marche entre nous. J'ai envie d'être avec lui, mais mentir alors que le problème est si visiblement grave... Je ne peux pas l'accepter.

Je n'arrivais même pas à envisager la possibilité que nous ne parvenions pas à contourner cet écueil. J'étais déjà en manque de lui. Le besoin se faisait sentir dans tout mon corps.

— Tu es un roc, baby girl. Je suis fier de toi.

Cary me rejoignit, glissa son bras sous le mien, puis éteignit les lumières de la cuisine.

— Allez, viens, il est temps de se coucher. Demain est un autre jour.

— Je pensais que ça se passait bien entre Trey et toi.

— Ma belle, je crois que je suis amoureux, répondit-il avec un sourire radieux.

— De qui ? demandai-je en appuyant la joue contre son épaule. De Trey ou de la blonde ?

— De Trey, banane ! La blonde m'a juste permis de faire un peu d'exercice.

Il y aurait eu beaucoup à dire à ce sujet, mais le moment était mal choisi pour évoquer toutes les fois où Cary s'était ingénié à saboter son bonheur. Se concentrer sur l'aspect positif de son histoire avec Trey était peut-être la meilleure façon de gérer cette nouvelle tentative de sa part.

— Tu es enfin tombé amoureux d'un type bien. On devrait fêter ça.

— Hé ! C'est ma réplique, là !

14

La journée du lendemain démarra dans une atmosphère étrangement irréelle. Je passai ma matinée de travail dans une espèce de brouillard. Je n'arrivais pas à me réchauffer malgré le cardigan que j'avais enfilé sur mon chemisier et le foulard qui n'était assorti ni à l'un ni à l'autre. Quand on me posait une question, je répondais avec un temps de retard, et je ne parvenais pas à chasser mes appréhensions.

Gideon ne chercha pas à me contacter.

Ni message sur mon téléphone ni mail après mon SMS de la veille. Aucun pli par coursier.

Son silence me mettait à la torture. Une torture à laquelle le rapport d'alerte Google du jour ne fit qu'ajouter. Prises avec un portable, des photos et des vidéos de Gideon et de moi à Bryant Park circulaient sur le Net. Voir le couple que nous formions – la passion, le douloureux désir, le soulagement de la réconciliation qu'on lisait à livre ouvert sur nos visages – constitua une expérience plus amère que douce.

Mon cœur se serra.

Si nous ne réussissions pas à surmonter cette crise, serais-je capable de ne plus penser à lui et de ne pas regretter notre échec ?

Je m'exhortai au calme. Mark devait rencontrer Gideon dans l'après-midi. C'était peut-être pour cela qu'il n'avait pas jugé bon de me contacter. Ou peut-être qu'il était tout bonnement très occupé. Oui, ce devait être ça. Et pour autant que je le sache, nous étions toujours censés aller au club de gym ensemble après le travail. Je soupirai et me dis que les choses finiraient par s'arranger d'une façon ou d'une autre. Il le fallait.

À midi moins le quart, mon téléphone sonna. Un appel en provenance de l'accueil, m'apprit l'écran. Ravalant ma déception, je décrochai.

— Bonjour, Eva, fit Megumi avec entrain. Une certaine Magdalene Perez demande à te voir.

— Vraiment ?

Je contemplai l'écran de mon ordinateur, perplexe et irritée. Les photos de Bryant Park avaient-elles poussé Magdalene à sortir de sa grotte de sorcière ? Quelle que soit la raison de sa visite, je ne tenais pas à lui parler.

— Tu veux bien la faire patienter un moment ? J'ai un boulot à finir.

— Bien sûr. Je vais lui dire de s'asseoir.

Je sortis mon téléphone et sélectionnai le numéro du bureau de Gideon. À mon grand soulagement, ce fut Scott qui décrocha.

— Bonjour, Scott. C'est Eva Tramell.

— Bonjour, Eva. Vous voulez parler à M. Cross ? Il est en réunion, mais je peux le biper.

— Non, non, ne le dérangez pas.

— Il m'a ordonné de le faire. Cela ne le dérangera pas du tout.

Cette nouvelle me mit du baume au cœur.

— En fait, Scott, j'appelais parce que j'ai un service à vous demander.

— Tout ce que vous voudrez. M. Cross m'a aussi ordonné de me mettre à votre entière disposition, ajouta-t-il d'un ton amusé qui m'aida à coup sûr à me détendre.

— Magdalene Perez est à la réception du vingtième étage. Pour être franche, à part Gideon, cette personne et moi n'avons strictement rien en commun, et je pense qu'il serait préférable qu'elle s'adresse à lui plutôt qu'à moi. Vous pourriez envoyer quelqu'un qui se chargera de l'escorter jusqu'à vos bureaux ?

— Mais certainement. Je m'en occupe immédiatement.

— Merci, Scott. C'est très aimable à vous.

— Tout le plaisir est pour moi, Eva.

Je m'adossai à mon fauteuil. Je me sentais déjà beaucoup mieux et j'étais fière d'avoir réussi à surmonter ma jalousie. L'idée que Gideon puisse consacrer une seule seconde de son temps à cette fille me faisait horreur, mais je ne lui avais pas menti lorsque je lui avais dit que j'avais confiance en lui. J'étais en outre convaincue qu'il éprouvait pour moi des sentiments profonds. J'ignorais juste si ces sentiments l'emporteraient sur son instinct de survie.

Megumi ne tarda pas à me rappeler.

— J'aurais voulu que tu voies la tête qu'elle a faite quand l'employé de M. Cross est venu la chercher ! s'esclaffa-t-elle.

— Parfait, déclarai-je, tout sourire. J'ignore ce qu'elle mijote et je ne tiens pas à le savoir. Merci, Megumi.

La voie étant libre, je quittai mon bureau et passai la tête dans celui de Mark pour lui demander s'il voulait que je lui rapporte quelque chose à manger.

Il réfléchit, le front plissé, puis :

— Non, je te remercie, Eva. Je suis trop nerveux. Je mangerai après mon entretien avec Cross.

— Tu es sûr ? Même pas un petit smoothie pro-téiné ? Ça te permettrait de tenir le coup pendant l'entretien.

— Tu as raison. Prends-moi un truc qui aille avec la vodka, dans ce cas, histoire de me mettre dans l'ambiance.

— D'accord. Je reviens dans une heure.

À deux rues du Crossfire, j'avais repéré une petite trattoria avec un comptoir de vente à emporter qui proposait des smoothies, des salades et des paninis.

Tout en gagnant le rez-de-chaussée, je m'efforçai de ne pas penser au silence radio de Gideon. J'avais espéré une réaction de sa part après l'incident Mag-dalene et j'étais déçue qu'il n'en ait pas profité pour m'appeler. Une fois franchie la porte du hall, je prêtai à peine attention à l'homme qui descendait d'une ber-line garée le long du trottoir jusqu'à ce qu'il m'appelle par mon nom.

Je me retournai et me retrouvai nez à nez avec Christopher Vidal.

— Oh... Bonjour, le saluai-je. Comment allez-vous ?

— Mieux, maintenant que je vous vois. Vous êtes superbe.

— Merci. Vous aussi.

Si différent qu'il fût de Gideon, il était, lui aussi, extrêmement séduisant. En jean taille basse et pull à col en V, il affichait un look décontracté qui lui allait bien.

— Vous veniez voir votre frère ? demandai-je.

— Oui. Mais je venais aussi vous voir, vous.

— Moi ?

— Vous allez déjeuner ? Je vous accompagne et je vous explique en chemin.

Je me souvins que Gideon m'avait conseillé de gar-der mes distances avec son frère. D'un autre côté, il m'avait aussi accordé sa confiance depuis cet avertissement.

— Je compte aller dans une petite trattoria tout près d'ici, répondis-je. Si ça vous tente.

— C'est parfait.

J'étais dévorée de curiosité, et nous avions fait à peine quelques pas que je demandai :

— Pourquoi vouliez-vous me voir ?

Il plongea la main dans l'une des poches cargo de son jean et en sortit une enveloppe en vélin ivoire.

— Je suis venu vous inviter à la garden-party qui se tiendra dimanche chez mes parents. On y parlera affaires, mais je vous promets que ce sera très divertissant. Nombre d'artistes qui ont signé avec Vidal Records seront présents. Je me suis dit que ça pourrait être utile à votre colocataire – il a le look idéal pour tourner dans un vidéoclip.

— Ce serait fabuleux ! m'exclamai-je, ravie.

Christopher me remit l'invitation avec un sourire.

— Vous allez vous amuser. Ma mère a un talent fou pour organiser ce genre d'événements.

Je jetai un coup d'œil à l'enveloppe dans ma main. Pourquoi Gideon ne m'en avait-il pas parlé ?

— Si vous vous demandez pourquoi Gideon ne vous en a pas parlé, reprit Christopher, lisant dans mes pensées, c'est parce qu'il ne viendra pas. Il ne vient jamais. Il a beau être l'actionnaire majoritaire, je crois qu'il trouve le milieu de l'industrie musicale trop imprévisible à son goût. Mais vous le connaissez, à présent, j'imagine.

Ténébreux et passionné. Charismatique et sensuel. Oui, je le connaissais. Et il préférait savoir où il mettait les pieds.

Nous prîmes place dans la file d'attente de la trattoria.

— Cet endroit embaume, commenta Christopher, les yeux baissés sur son portable tandis qu'il composait un bref message.

— Et je vous garantis que cet arôme tient ses promesses.

Il eut un sourire gamin qui devait faire craquer la plupart des femmes.

— Mes parents sont impatients de vous rencontrer, Eva.

— Vraiment ?

— Les photos de vous qui ont été publiées la semaine dernière ont été pour eux une sacrée surprise. Une bonne surprise, s'empressa-t-il de préciser comme je tressaillais. C'est la première fois que nous le voyons s'impliquer vraiment dans une relation.

Je soupirai, consciente que, pour le moment, il ne s'impliquait plus vraiment. N'avais-je pas commis une erreur monumentale en le laissant seul la veille ?

Quand ce fut notre tour, je commandai un panini au fromage et aux légumes grillés et deux smoothies à la grenade – en demandant qu'on ne prépare le smoothie protéiné de Mark qu'une demi-heure après la commande, le temps que je déjeune. Christopher prit la même chose que moi, et nous réussîmes à dénicher une table libre dans la trattoria bondée.

La conversation fut détendue, nous échangeâmes des anecdotes amusantes concernant nos milieux professionnels respectifs. Le temps passa à toute allure et quand nous prîmes congé dans l'entrée du Crossfire, je dus admettre que j'éprouvai pour lui une affection sincère.

Je remontai au vingtième et allai porter son smoothie à Mark. Il leva la tête à mon entrée, me sourit et me remercia.

— Si tu n'as pas absolument besoin de moi, je crois qu'il vaudrait mieux que je n'assiste pas à l'entretien, déclarai-je.

Il s'efforça de le dissimuler du mieux qu'il put, mais je vis une brève lueur de soulagement traverser son regard. Je n'en pris pas ombrage. Vu son état de stress, Mark n'avait pas besoin des interférences que ma relation instable avec Gideon ne manquerait pas de provoquer.

— Tu es une perle, Eva. Tu le sais, j'espère ?

— Bois ton smoothie, répondis-je. Il est délicieux et les protéines ont un effet coupe-faim garanti. Je suis à mon bureau si tu as besoin de moi.

Avant de me mettre au boulot, j'envoyai un SMS à Cary pour lui parler de la garden-party de Vidal Records.

Quand Mark quitta son bureau, mon cœur se mit à battre plus vite et mon estomac se noua. Je n'en revenais pas ; j'étais tout excitée juste parce que au cours de l'heure qui suivrait, je saurais ce que Gideon était en train de faire et que voir Mark l'obligerait à penser à moi. À vrai dire, j'espérais bien avoir de ses nouvelles ensuite. Mon humeur s'améliora nettement à cette pensée.

J'étais si impatiente de savoir comment l'entretien s'était passé que j'eus du mal à me concentrer sur mon travail. Quand Mark réapparut enfin, un grand sourire aux lèvres, je me levai pour l'applaudir.

Il s'inclina galamment devant moi.

— Merci, mademoiselle Tramell.

— Je suis tellement heureuse pour toi !

— Cross m'a chargé de te remettre ceci, dit-il en me tendant une enveloppe kraft scellée. Rejoins-moi dans mon bureau, que je te raconte tout en détail.

Je devinai au toucher ce que l'enveloppe contenait avant même de l'ouvrir, mais quand mes clefs tombèrent dans ma paume, j'eus l'impression de recevoir un coup de poignard. Oppressée par une douleur d'une intensité inouïe, je lus la carte qui était jointe.

Merci, Eva. Pour tout.
Bien à toi, G.

C'était là un message d'adieu. Forcément. Sinon, il m'aurait rendu mes clefs en allant au club de gym.

Mes oreilles bourdonnaient. La tête me tournait. J'étais désorientée. J'avais peur, j'étais à l'agonie. J'étais furieuse.

J'étais aussi sur mon lieu de travail.

Je fermai les yeux et serrai les poings, luttant contre une folle envie de monter chez Gideon pour le traiter de lâche. Il me percevait probablement comme une menace, quelqu'un qui risquait de bouleverser son univers parfaitement ordonné. Quelqu'un qui exigeait de lui plus que son corps magnifique et son prodigieux compte en banque.

J'emprisonnai mes émotions derrière un mur de verre où je savais qu'elles m'attendraient, et cela me permit de tenir le coup jusqu'à la fin de la journée. À 17 heures, je quittai le bureau sans que Gideon se soit manifesté. J'étais dans un tel état de détresse que je ne ressentis qu'un vague pincement au cœur en franchissant la porte du Crossfire.

Je me rendis à mon club de gym et m'épuisai sur le tapis de course pour échapper à l'angoisse qui me rattraperait bien assez tôt. Je courus jusqu'à ce que la sueur ruisselle sur mon corps et mon visage, jusqu'à ce que mes jambes ne puissent plus me supporter.

À bout de forces, lessivée, je me traînai jusqu'aux douches. Du vestiaire, j'appelai ma mère et lui demandai d'envoyer Clancy me prendre au gymnase pour m'emmener à notre rendez-vous chez le Dr Petersen. Une fois cette ultime corvée accomplie, je pourrais enfin rentrer chez moi et m'écrouler sur mon lit.

Tandis que j'attendais la limousine sur le trottoir, j'eus l'impression d'être ailleurs, étrangère à l'animation qui régnait autour de moi. Exclue. Clancy se gara, m'ouvrit la portière, et je découvris avec stupéfaction que ma mère était sur la banquette arrière.

— Bonsoir, maman, dis-je d'une voix lasse en prenant place à côté d'elle.

— Comment as-tu pu, Eva ? articula-t-elle en tamponnant ses yeux rougis de larmes avec un mouchoir orné d'un monogramme. *Pourquoi ?*

Elle n'était quand même pas dans un état pareil parce que je venais de lui avouer que je m'étais procuré un nouveau téléphone portable. Elle ne pouvait pas non plus être déjà au courant de ma rupture avec Gideon.

Le menton tremblant, elle murmura :

— Tu as raconté à Gideon Cross... ce qui t'était arrivé.

Comment pouvait-elle le savoir ? Mon Dieu... Elle n'était quand même pas allée jusqu'à faire installer des micros chez moi ! Dans mon sac à main... ?

— Quoi ?

— Ne fais pas l'innocente !

— Comment le sais-tu ? m'enquis-je dans un filet de voix. Je ne lui en ai parlé qu'hier soir.

— Il est passé voir Richard à ce sujet aujourd'hui.

Je m'efforçai d'imaginer la tête qu'avait faite Stanton au cours de cet entretien. Il n'avait pas dû apprécier.

— Pourquoi faire une chose pareille ?

— Il voulait savoir quelles mesures avaient été prises pour éviter les fuites et où se trouvait Nathan... Il voulait tout savoir, acheva-t-elle dans un sanglot.

J'ignorais quelles étaient exactement les motivations de Gideon, mais l'idée qu'il ait pu rompre avec moi à cause de Nathan et s'assure à présent qu'il était à l'abri du scandale me blessa atrocement. J'avais cru que c'était son passé qui creusait un fossé entre nous, alors qu'il était plus logique de penser que c'était le mien.

Pour une fois, j'étais heureuse que ma mère fût si égocentrique, car cela l'empêchait de voir à quel point j'étais anéantie.

— Il avait le droit de savoir, dis-je d'une voix si grave que je ne la reconnus pas. Et il a le droit de se protéger d'éventuelles éclaboussures.

— Tu n'en avais jamais parlé à aucun de tes petits amis !

— Je n'étais surtout jamais sortie avec quelqu'un qui fait la une des journaux dès qu'il éternue, répliquai-je. Gideon Cross représente Cross Industries, maman. Il est connu dans le monde entier. Il est à des années-lumière des garçons que je fréquentais à la fac.

Elle me répondit, mais je ne l'écoutai plus. L'instinct de survie avait pris le dessus, il m'incitait à me couper d'une réalité soudain trop douloureuse à supporter.

Le bureau du Dr Petersen était tel que dans mon souvenir – décor dans des tons neutres et apaisants, à la fois professionnel et confortable. Le docteur, un bel homme aux cheveux grisonnants et au doux regard bleu pétillant d'intelligence, n'avait pas changé non plus.

Il nous accueillit avec un sourire chaleureux, complimenta ma mère sur sa beauté et nota combien je lui ressemblais. Il ajouta qu'il était heureux de me revoir et que j'avais l'air en forme, mais je savais qu'il disait cela dans l'intérêt de ma mère. C'était un observateur trop expérimenté pour ne pas avoir remarqué que je réprimais de violentes émotions.

— Bien, fit-il en s'asseyant dans le fauteuil en face du canapé que nous occupions. Qu'est-ce qui vous amène ensemble ?

Je lui racontai que ma mère avait surveillé mes déplacements via une puce dissimulée dans mon portable et que j'avais ressenti cela comme une violation de mon espace privé. Ma mère lui parla de mon intérêt pour le krav maga, preuve, selon elle, que je ne me sentais pas en sécurité. J'enchaînai en précisant que Stanton et ma mère s'étaient pratiquement approprié la salle d'entraînement de Parker, et que cette omniprésence m'oppressait, que j'étais à la limite de la claustrophobie. Ma mère dit alors que j'avais trahi sa confiance en révélant des histoires strictement personnelles à des étrangers, et qu'elle s'était sentie mise à nu et douloureusement exposée.

Petersen nous écouta attentivement, prit des notes et ne parla que très peu jusqu'à ce que nous ayons l'une et l'autre vidé notre sac.

— Monica, demanda-t-il, pourquoi ne m'avez-vous jamais parlé de cette puce sur le téléphone d'Eva ?

— Je ne vois pas où est le mal, répliqua ma mère, sur la défensive. De nombreux parents surveillent les déplacements de leurs enfants grâce à leur portable.

— De leurs enfants *mineurs*, objectai-je. Je suis adulte, et à ce titre j'ai le droit d'avoir une vie privée.

— Si vous étiez à la place d'Eva, Monica, intervint le Dr Petersen, pensez-vous que vous ressentiriez la même chose qu'elle ? Quelle serait votre réaction si vous appreniez que quelqu'un surveille vos déplacements à votre insu ?

— Je réagirais de façon positive si ce quelqu'un était ma mère et que cela garantissait sa tranquillité d'esprit.

— Avez-vous réfléchi à la façon dont votre comportement affecte la tranquillité d'esprit d'Eva ? s'enquit-il d'une voix douce. Votre besoin de la protéger est compréhensible, mais vous devriez parler ouvertement avec elle des mesures que vous envisagez de prendre, plutôt que de procéder à son insu. Il est essentiel de lui demander son accord – et vous ne pouvez espérer qu'elle coopère que si vous sollicitez son avis. Vous devez respecter son droit légitime à établir des limites vis-à-vis de vous.

Ma mère eut un claquement de langue indigné.

— Eva a besoin que vous respectiez ces limites, Monica, insista Petersen. Elle a besoin de sentir qu'elle exerce un contrôle sur sa propre vie. Ce sont là des choses dont elle a été privée et nous devons respecter son droit à rétablir ce contrôle comme elle l'entend.

— Je n'avais pas envisagé les choses sous cet angle, avoua ma mère en entortillant son mouchoir autour de son doigt.

Voyant sa lèvre inférieure trembler, je posai la main sur la sienne.

— Rien n'aurait pu m'empêcher de parler de mon passé à Gideon, mais j'aurais dû te prévenir que j'avais l'intention de le faire. Je suis désolée de ne pas y avoir pensé.

— Tu es bien plus forte que je ne l'ai jamais été, murmura-t-elle, mais je ne peux pas m'empêcher de m'inquiéter pour toi.

— Je vous suggère de prendre le temps de réfléchir aux situations et aux événements qui sont à l'origine de votre anxiété au sujet d'Eva, Monica. Et de les noter par écrit.

Ma mère hocha la tête.

— Quand vous disposerez d'une liste, peut-être pas exhaustive, mais, disons, conséquente, poursuivit-il, vous pourrez discuter tranquillement avec Eva de la stratégie à adopter pour gérer ces sujets d'anxiété – une stratégie qui vous conviendra à toutes les deux. Si le fait de ne pas avoir de nouvelles d'Eva pendant plusieurs jours vous perturbe, par exemple, vous pouvez décider qu'un mail ou un SMS vous soulagerait sans trop l'obliger.

— Entendu.

— Si vous le souhaitez, nous pourrons travailler sur cette liste ensemble.

Leur petit dialogue me donna envie de hurler. Je ne m'étais certes pas attendue que le Dr Petersen fasse entendre raison à ma mère en la houspillant, mais j'avais espéré qu'il se montrerait un peu plus sévère – Dieu savait que quelqu'un le devait, quelqu'un dont elle respectât l'autorité.

À la fin de la séance, alors que nous nous apprêtions à partir, je demandai à ma mère de patienter, le temps que je pose une question d'ordre privé au Dr Petersen.

— Je vous écoute, Eva, dit-il une fois qu'elle eut quitté la pièce.

— Je me demandais... commençai-je d'une voix hésitante, j'aimerais savoir s'il est possible pour deux personnes ayant été victimes d'abus sexuels d'entretenir une relation sentimentale qui fonctionne ?

— Ça l'est tout à fait.

Sa réponse avait été si spontanée, si dépourvue d'équivoque qu'un soupir de soulagement m'échappa.

— Merci, docteur, dis-je en lui serrant la main.

De retour chez moi, je fonçai droit dans ma chambre, me contentant de saluer Cary – qui faisait du yoga dans le salon devant un DVD – d'un vague signe de la main au passage.

Je me dépouillai de mes vêtements entre la porte de ma chambre et mon lit, et me glissai entre les draps seulement vêtue de mes sous-vêtements. Les bras serrés autour de mon oreiller, je fermai les yeux ; j'étais littéralement vidée.

J'entendis la porte s'ouvrir et Cary vint s'asseoir près de moi.

Il écarta mes cheveux de mon visage baigné de larmes.

— Qu'est-ce qui t'arrive, baby girl ?

— Je me suis fait jeter comme une malpropre. Par lettre. Enfin, non, même pas – par carte !

Il soupira.

— Tu connais le processus, Eva. Il te repousse parce qu'il s'attend que tu l'abandonnes comme tout le monde l'a toujours fait.

— Et je n'arrête pas de lui donner raison.

Je m'étais reconnue dans le portrait que venait d'esquisser Cary. Chaque fois qu'une situation se compliquait, je prenais la fuite, persuadée que, de toute façon, cela ne pouvait que mal finir. La seule marge de manœuvre que j'avais, c'était de partir la première plutôt que d'être celle qu'on quitte.

— Parce que tu te bats pour ta propre guérison, me rappela-t-il.

Il s'allongea contre mon dos, glissa un bras autour de moi et me serra fort.

Je me blottis contre lui, savourant ce geste affectueux dont je ne m'étais pas rendu compte à quel point j'en avais besoin.

— J'ai peur qu'il ne se soit débarrassé de moi à cause de mon passé, et pas du sien, soufflai-je.

— Si c'est le cas, ne regrette pas que ce soit terminé. Mais je pense que vous finirez par vous retrouver. Je le souhaite, du moins.

Je sentis son souffle sur ma nuque tandis qu'il soupirait.

— Je veux croire que les éclopés dans notre genre ont autant droit à l'amour que les autres, reprit-il. Montre-moi le chemin, Eva. Fais-moi rêver.

15

Le vendredi matin, Cary et moi partageâmes le petit déjeuner avec Trey qui avait passé la nuit à l'appartement. Tout en avalant ma première tasse de café, j'observai leur comportement l'un vis-à-vis de l'autre et fus sincèrement émue de les voir échanger des sourires et des gestes pleins d'affection.

Il m'était arrivé de partager des relations aussi simples et spontanées que la leur, mais je n'avais pas su les apprécier sur le moment. Confortables et sans complications, elles avaient aussi été fondamentalement superficielles.

Quelle profondeur une relation sentimentale pouvait-elle atteindre si l'on n'avait pas accès aux recoins les plus sombres de l'âme de son partenaire ? C'était le dilemme auquel je faisais face avec Gideon.

Le deuxième jour de l'après-Gideon avait commencé. J'avais envie d'aller le trouver pour m'excuser de l'avoir abandonné. Pour lui dire que j'étais là, prête à l'écouter ou à lui offrir un réconfort silencieux. Mais je redoutais d'essuyer un rejet. Et savoir qu'il ne me laisserait pas l'approcher de trop près ne faisait que renforcer cette peur. Je savais aussi que même si nous parvenions à nous expliquer, me satisfaire des miettes qu'il voudrait bien m'octroyer me serait insupportable.

Heureusement, côté travail, tout allait pour le mieux. Le déjeuner que les cadres organisèrent pour fêter l'obtention du contrat Kingsman me fit sincèrement plaisir. J'avais une chance incroyable de travailler dans une ambiance aussi agréable. Quand j'appris que Gideon avait été invité – même si personne ne s'attendait qu'il vienne –, je retournai discrètement au bureau et me concentrai sur mon travail jusqu'à la fin de la journée.

Je fis un crochet par le club de gym avant de rentrer à la maison, puis achetai de quoi préparer des *fettuccini* Alfredo et des crèmes brûlées – de la nourriture réconfortante susceptible de me plonger dans un coma glucidique. J'espérais que le sommeil me permettrait d'échapper au chapelet de vœux pieux commençant tous par *et si...* que mon cerveau n'arrêtait pas de recycler.

Nous dînâmes au salon, Cary et moi, et dégustâmes nos *fettuccini* avec des baguettes chinoises – une idée de Cary destinée à me remonter le moral. S'il trouva le repas délicieux, j'aurais été quant à moi bien incapable de dire ce que j'en avais pensé. Le silence prolongé de Cary me fit sortir du mien, et je réalisai que je me montrais au-dessous de tout, ce soir.

— Quand la campagne de Grey Isles doit-elle commencer ? lui demandai-je pour me rattraper.

— Je l'ignore encore, mais j'ai un truc marrant à te raconter. Tu sais comment ça se passe dans le milieu de la mode – il faut coucher avec quelqu'un de célèbre si tu veux avoir une chance de sortir du lot. Eh bien figure-toi que je viens d'acquérir ce statut depuis que ces photos de nous deux ont été publiées un peu partout ! Je suis perçu comme l'élément perturbateur de ta relation avec Gideon Cross. Tu as boosté ma carrière, baby girl !

— Tu n'avais pas besoin de mon aide pour ça, observai-je en riant.

— Ce coup de pub ne m'a pas fait de mal, en tout cas. J'ai déjà reçu deux nouvelles propositions.

— Il faut fêter ça, le taquinai-je.

— Quand tu veux.

Nous décidâmes de remettre à une autre fois et de regarder la première version de *Tron* à la place. Le film avait commencé depuis une vingtaine de minutes quand la sonnerie du téléphone de Cary retentit. C'était son agent, apparemment.

— D'accord, fit-il. Dis-leur que j'y serai dans un quart d'heure. Je te rappelle une fois sur place.

— Du boulot ? demandai-je quand il eut raccroché.

— Oui, un type s'est présenté pour un shooting complètement défoncé et on me propose de le remplacer au pied levé. Tu veux venir avec moi ? ajouta-t-il après une pause.

— Non, je suis très bien ici, affirmai-je en étendant les jambes sur le canapé.

— Tu es sûre que ça va ?

— Tout ce qu'il me faut, c'est un petit film sans prise de tête. La seule idée de devoir me rhabiller me fatigue.

Je me sentais même d'humeur à passer le week-end entier en pyjama. Je souffrais tellement que j'avais besoin de tout le réconfort possible.

— Ne t'inquiète pas pour moi. Je sais que je suis une loque depuis hier, mais je vais me ressaisir. Vas-y et amuse-toi.

Une fois Cary parti, j'allai chercher une bouteille de vin à la cuisine. Au passage, j'effleurai du bout des doigts les roses que Gideon m'avait envoyées le week-end précédent. Les pétales tombèrent sur le comptoir comme des larmes. J'envisageai de couper les tiges et de verser dans l'eau le contenu du sachet offert avec le bouquet, puis me ravisai. Mieux valait se débarrasser au plus vite de cette dernière trace d'une relation vouée à l'échec.

En une semaine, j'étais allée plus loin avec Gideon qu'au cours de liaisons de plus de deux ans. Rien que pour cela, je l'aimerais toujours. Peut-être même que je l'aimerais éternellement.

Et un jour, peut-être, cela ne me ferait plus autant souffrir.

— Debout, la marmotte, chantonna Cary en tirant sur ma couette.

— Dégage !

— Tu as cinq minutes pour filer sous la douche ou la douche viendra à toi.

Je soulevai une paupière. Il était torse nu et portait un pantalon baggy très bas sur les hanches. J'avais vu pire au réveil.

— Pourquoi veux-tu que je me lève ?

— Parce que quand tu es allongée, tu n'es pas debout.

— C'est très profond, ça, Cary Taylor.

Il croisa les bras et arqua les sourcils.

— On a du shopping à faire, toi et moi.

J'enfouis le visage dans l'oreiller.

— Non.

— Et si ! Je me souviens de t'avoir entendue dire « garden-party dimanche » et « brochette de rock stars » dans la même phrase. Et je n'ai rien à me mettre !

— Ah. Effectivement, c'est ennuyeux.

— Et toi, tu comptes t'habiller comment ?

— J'avais pensé à un look « thé anglais avec capeline », mais maintenant je ne sais plus trop.

— Tu vois ! On va faire les boutiques et on va te trouver des tenues sexy, classe et cool.

Je grommelai pour la forme, roulai hors du lit et gagnai la salle de bains en traînant des pieds. Impossible de prendre une douche sans penser à Gideon, à son corps sublime et à ses gémissements quand il jouissait dans ma bouche. Où que se posent mes yeux, il était là. Je m'étais même mise à voir des SUV Bentley noirs partout où j'allais.

Cary et moi partageâmes un brunch avant de nous lancer à l'assaut des boutiques, depuis la crème des magasins d'occasion de l'Upper East Side jusqu'aux élégantes enseignes de Madison Avenue. Au cours de notre safari chiffons, deux adolescentes demandèrent un autographe à Cary, ce qui chatouilla davantage ma vanité que la sienne, je crois.

Il avait un autre shooting de prévu à 15 heures et je l'accompagnai dans l'immense studio d'un photographe effroyablement arrogant qui ne s'exprimait qu'en vociférant. À un moment donné, me souvenant soudain que nous étions samedi, je battis en retraite dans un coin pour passer mon coup de fil hebdomadaire à mon père.

— Alors, toujours heureuse de vivre à New York ? me demanda-t-il par-dessus les grésillements de la radio de sa voiture de patrouille.

— Jusqu'ici, tout va bien.

Un mensonge éhonté, mais à quoi bon lui avouer la vérité ?

Son coéquipier lui dit quelque chose que je ne compris pas et mon père ricana.

— Dis donc, Chris prétend qu'il t'a vue à la télé l'autre jour. Sur une chaîne du câble qui diffuse des ragots sur les people. Ils ne me lâchent plus avec ça, au poste.

— Réplique-leur que c'est mauvais pour le cerveau de regarder ce genre de programmes.

— Tu ne sors donc pas avec un des hommes les plus riches des États-Unis ?

— Non. Et toi, où en es-tu côté cœur ? embrayai-je en hâte pour changer de sujet. Tu vois quelqu'un.

— Rien de sérieux. Attends une seconde...

Je l'entendis répondre à un appel radio.

— Désolé, ma puce. Je dois te laisser. Je t'aime. Tu me manques, tu sais.

— Toi aussi, tu me manques, papa. Sois prudent.

— Toujours. À plus tard.

Je raccrochai et regagnai ma place pour attendre que Cary en ait terminé. Mon esprit persistait à me torturer malgré le brouhaha ambiant. Où était Gideon ? Que faisait-il ?

Ma boîte mail serait-elle saturée de photos de lui en compagnie d'une autre femme, lundi matin ?

Le dimanche après-midi, j'empruntai Clancy et l'une des voitures de Stanton pour me rendre chez les Vidal, à Dutchess County. Affalée sur la banquette arrière, je regardai défiler les prés et les forêts qui s'étendaient jusqu'à l'horizon. J'en étais au quatrième jour de l'après-Gideon. La souffrance des débuts avait cédé la place à une douleur sourde accompagnée d'un abattement qui évoquait la grippe. J'avais mal partout, comme si je m'étais adonnée à un exercice physique trop brutal, et la gorge me brûlait à force de retenir mes larmes.

— Tu es nerveuse ? voulut savoir Cary.

— Pas vraiment, répondis-je en lui jetant un coup d'œil. Gideon ne sera pas là.

— Tu en es certaine ?

— Je n'irais pas, autrement. Je ne suis pas totalement dépourvue de fierté, figure-toi.

Je le regardai tambouriner des doigts sur l'accoudoir qui nous séparait. Au cours de notre marathon shopping, il s'était contenté d'effectuer un seul achat : une cravate en cuir noir. Je n'avais pas cessé de le taquiner à ce sujet. Comment un garçon tel que lui, qui n'était jamais pris en défaut lorsqu'il s'agissait de mode, pouvait-il se balader avec ça ?

Il surprit mon regard.

— Quoi ? Ma cravate ne te plaît toujours pas ? Perso, je trouve qu'elle va très bien avec le jean cigarette et la veste Lounge Lizard.

— Cary, tu peux tout porter.

C'était vrai. Il avait un physique tellement exceptionnel qu'il pouvait se permettre n'importe quel look.

Je recouvris de ma main ses doigts qui ne cessaient de pianoter sur l'accoudoir.

— Et toi, lui demandai-je, tu es nerveux ?

— Trey ne m'a pas appelé, hier soir. Il avait dit qu'il le ferait.

J'exerçai une pression rassurante sur sa main.

— Il a dû oublier, Cary. Je suis sûre que ce n'est pas grave.

— Il aurait pu appeler ce matin, s'il n'a pas pu hier soir, s'obstina-t-il. Contrairement aux mecs que j'ai fréquentés jusqu'ici, Trey n'est pas du genre tête en l'air. S'il ne m'a pas appelé, c'est qu'il n'en avait pas envie.

— Le vilain ! Je vais prendre un tas de photos de toi en train de t'amuser comme un fou, histoire de l'embêter lundi.

— Ah ! L'infinie perversité de l'esprit féminin, commenta-t-il. Dommage que Cross ne puisse pas te voir. Je crois bien que j'ai eu un début d'érection quand tu es sortie de ta chambre dans cette robe.

Je lui flanquai une tape sur l'épaule et fis mine de le fusiller du regard quand il s'esclaffa.

La robe nous avait semblé parfaite quand nous l'avions dénichée. La coupe était celle d'une robe de garden-party classique avec haut ajusté, jupe évasée qui s'arrêtait au genou et imprimé fleuri sur fond blanc. Mais son classicisme s'arrêtait là.

Le haut tenait plus du bustier que du corsage traditionnel, des jupons alternant les couches de satin rouge et noir donnaient son volume à la jupe et les fleurs de cuir noir dont elle était parsemée lui apportaient la touche de glamour qui faisait tout son chic. Cary avait choisi dans mon placard des escarpins rouges Jimmy Choo et des pendants d'oreilles en rubis en guise de touche finale. Nous avions décidé de laisser mes cheveux retomber librement sur mes épaules au cas où nous apprendrions à notre arrivée que le port du chapeau était obligatoire. L'un dans l'autre, je me sentais jolie et sûre de moi.

Clancy franchit un imposant portail en fer forgé rehaussé d'un monogramme, et, guidé par un voiturier, s'engagea dans une allée circulaire. Cary et moi descendîmes de voiture et, constatant que mes talons s'enfonçaient dans les gravillons de l'allée, Cary m'offrit le bras pour m'escorter jusqu'à la maison.

Dans le hall d'entrée de l'immense villa de style Tudor, nous fûmes chaleureusement accueillis par la famille de Gideon – sa mère, son beau-père, Christopher et leur sœur.

Quand je les vis ainsi rassemblés, je me dis qu'ils auraient pu former un tableau encore plus parfait si Gideon avait été parmi eux. Sa mère et sa sœur arboraient la même chevelure d'obsidienne et des yeux bleus frangés de cils épais. Toutes deux étaient aussi belles dans le genre finement ciselé.

— Eva !

La mère de Gideon m'attira vers elle et me gratifia d'un simulacre de baiser sur les deux joues.

— Je suis si heureuse de vous rencontrer enfin. Vous êtes superbe ! Et cette robe ! Je l'adore.

— Merci.

Ses mains effleurèrent mes cheveux, encadrèrent brièvement mon visage, puis glissèrent le long de mes bras. Je n'aimais pas qu'une personne inconnue me touche, cela suffisait parfois à déclencher mon anxiété, mais j'endurai stoïquement l'épreuve.

— Vous êtes naturellement blonde ?

— Oui, répondis-je, à la fois stupéfaite et intriguée.

Qui pose une question pareille à quelqu'un qu'il rencontre pour la première fois ?

— C'est fascinant... Bienvenue chez nous, Eva. J'espère que vous passerez un bon moment. Nous sommes si contents que vous ayez pu venir.

Déstabilisée par cet étrange accueil, je fus soulagée qu'elle porte son attention sur Cary.

— Et vous devez être Cary Taylor, enchaîna-t-elle. J'étais convaincue que mes fils étaient les garçons les plus séduisants du monde, mais je constate que je me suis trompée. Vous êtes tout simplement divin, jeune homme.

Cary lui adressa le plus éblouissant de ses sourires.

— Je crois que je suis en train de tomber amoureux, madame Vidal.

Elle eut un rire de gorge ravi.

— Je vous en prie, appelez-moi Elizabeth. Ou Lizzie, si vous en avez le courage.

Comme je détournais les yeux, Christopher Vidal père me prit la main pour la serrer. Ses yeux verts et son sourire juvénile me rappelèrent son fils, et je fus agréablement surprise par son apparence. Avec son cardigan de cachemire, son pantalon kaki, ses mocassins confortables et ses lunettes, il ressemblait davantage à un professeur d'université qu'au directeur d'une éminente société de production musicale.

— Eva, me salua-t-il. Je peux vous appeler Eva ?

— Je vous en prie.

— Appelez-moi Chris. Cela permet d'éviter les confusions avec mon fils.

La tête inclinée de côté, il m'étudia un instant, puis :

— Je comprends que Gideon soit aussi épris de vous. Vos yeux sont d'un gris de tempête, et pourtant, votre regard est clair et direct. Les plus jolis yeux que j'aie jamais vus – mis à part ceux de ma femme, cela va de soi.

— Merci, dis-je en rougissant.

— Gideon doit-il venir ?

— Pas que je sache.

Comment se faisait-il que ses parents ne connaissent pas la réponse à cette question ?

— Nous espérons toujours, murmura-t-il avant de faire signe à un domestique. Profitez des jardins et faites comme chez vous.

Christopher m'accueillit d'une brève accolade et d'un baiser sur la joue tandis que sa sœur, Ireland, me jaugeait en affichant cet air boudeur propre aux ados.

— Tu es blonde, dit-elle.

Seigneur ! La préférence de Gideon pour les brunes était une loi écrite dans le marbre ou quoi ?

— Et tu es une très jolie brune, répliquai-je.

Cary m'offrit son bras et je l'acceptai avec gratitude.

— Ils sont comme tu t'y attendais ? me demanda-t-il à voix basse tandis que nous nous éloignions.

— La mère, à peu près. Le beau-père, pas du tout.

Je risquai un coup d'œil par-dessus mon épaule, notai que l'élégant fourreau de satin crème d'Elizabeth Vidal moulait une silhouette svelte, et réalisai soudain que j'en savais bien peu sur la famille de Gideon.

— À ton avis, enchaînai-je, qu'est-ce qui peut inciter un garçon à racheter l'entreprise familiale de son beau-père ?

— Cross est actionnaire de Vidal Records ?

— Actionnaire majoritaire.

— Hmm. Il a peut-être fait ça pour leur éviter la faillite quand l'industrie musicale a traversé une passe difficile ?

— Pourquoi ne pas leur prêter directement de l'argent ?

— Parce que c'est un homme d'affaires avisé ?

Je laissai échapper un soupir agacé et écartai ces considérations de mon esprit. J'étais venue à cette garden-party pour Cary, pas pour Gideon.

Dans le jardin, une grande tente de réception à la décoration élaborée avait été dressée. Bien qu'il fît assez beau pour rester au soleil, j'allai m'asseoir à une table ronde garnie d'une nappe damassée.

Cary me tapota l'épaule.

— Détends-toi. Moi, je vais tisser des liens.

— Bonne chance.

Je sirotai du champagne et bavardai avec les gens qui s'arrêtaient près de ma table pour engager la conversation. Je reconnus beaucoup d'artistes parmi les invités et ne pus m'empêcher de les observer à la dérobée, un peu éblouie de les voir en chair et en os. Malgré l'élégance des lieux et la kyrielle de domestiques, l'ambiance était paisible et décontractée.

Je commençais à vraiment me détendre quand quelqu'un que j'espérais ne plus jamais revoir apparut sur la terrasse. Magdalene Perez, plus phénoménale que jamais dans une robe de mousseline rose pâle qui virevoltait autour de ses jambes.

Une main se posa sur mon épaule et mon cœur se mit à battre follement, car cela me rappelait cette soirée que Cary et moi avions passée au lounge bar de

Gideon. Malheureusement, il ne s'agissait que de Christopher.

Il s'assit à côté de moi et cala les coudes sur ses genoux.

— Alors, Eva ? Vous vous amusez ? Vous ne vous mêlez pas beaucoup aux invités.

— Tout va bien. Merci de m'avoir invitée.

— Merci d'être venue. Mes parents sont ravis de vous avoir parmi nous. Moi aussi, ça va sans dire.

Son sourire communicatif ainsi que sa cravate à motif de disques vinyle tordus à la façon des montres molles de Dalí me tirèrent un sourire.

— Vous avez faim ? Les bouchées au crabe sont excellentes. N'hésitez pas à y goûter quand elles passeront près de vous.

— Je n'y manquerai pas.

— Venez me trouver si vous avez besoin de quoi que ce soit. Et gardez-moi une danse, ajouta-t-il avec un clin d'œil avant de se lever et de s'éloigner.

Ireland prit sa place presque aussitôt, arrangeant sa robe autour d'elle avec la grâce consommée d'une débutante. Ses cheveux lisses lui arrivaient à la taille, et son regard bleu était on ne peut plus direct, ce que j'appréciais. Elle semblait bien plus expérimentée que les dix-sept ans qu'elle était censée avoir selon mes informations.

— Salut, dis-je.

— Salut.

— Où est Gideon ?

— Je ne sais pas trop, avouai-je avec un haussement d'épaules.

Elle hocha gravement la tête.

— Il aime bien être seul.

— Il a toujours été comme ça ?

— Je suppose. J'étais petite quand il est parti. Tu l'aimes ?

Mon souffle demeura un instant bloqué dans ma gorge.

— Oui, dis-je simplement.

— C'est ce que je me suis dit en voyant cette vidéo de vous deux à Bryant Park.

Elle se mordilla la lèvre inférieure, puis lâcha :

— Il est marrant ? Je veux dire… c'est sympa de sortir avec lui ?

Mon Dieu. Existait-il une seule personne au monde qui connaisse Gideon Cross ?

— Je n'irais pas jusqu'à dire qu'il est marrant, mais on ne s'ennuie jamais avec lui.

L'orchestre se mit à jouer un morceau de ragtime et Cary se matérialisa à côté de moi comme par magie.

— L'heure a sonné de m'aider à faire la démonstration de mon talent, Ginger.

— Je ferai de mon mieux, Fred, répondis-je avant de me tourner vers Ireland. Je reviens dans une minute.

— Trois minutes dix-neuf, rectifia-t-elle, révélant des connaissances musicales qui n'avaient rien de surprenant.

Cary me conduisit au centre de la piste de danse encore déserte et m'entraîna dans un fox-trot endiablé. Il me fallut au moins une minute pour entrer vraiment dans la danse ; j'étais tellement raide après les trois jours de désespoir que je venais de traverser. Mais l'habitude finit par prendre le dessus et nous glissâmes sur la piste avec l'aisance due à une longue pratique.

Quand la musique s'arrêta, nous nous immobilisâmes, à bout de souffle, et fûmes aussi surpris l'un que l'autre par les applaudissements qui vinrent saluer notre performance. Cary s'inclina avec élégance et je me retins à sa main pour l'imiter.

Quand je me redressai, ce fut pour découvrir Gideon devant moi. Prise de court, je reculai d'un pas titubant. En jean et chemise blanche à col ouvert et manches retroussées, Gideon n'était pas du tout habillé pour la circonstance. Il n'en demeurait pas moins – et de loin – le plus bel homme présent.

Le désir qui s'emparait de moi chaque fois que mon regard se posait sur lui me submergea. Du coin de l'œil, je vis que le chanteur de l'orchestre entraînait Cary à l'écart, mais je fus incapable de détacher les yeux de ceux de Gideon.

— Que fais-tu là ? aboya-t-il.

La dureté de son ton m'arracha un tressaillement.

— Pardon ?

— Tu n'as rien à faire ici, dit-il en me saisissant le coude pour m'entraîner vers la maison. Je ne le supporte pas.

Je ne me serais pas davantage sentie insultée s'il m'avait craché à la figure. Je secouai le coude pour me libérer, puis fonçai vers la maison la tête haute, en priant pour regagner l'abri de la limousine avant d'éclater en sanglots.

Derrière moi, une voix féminine haut perchée appela Gideon ; j'espérai que sa propriétaire le retiendrait assez longtemps pour que je puisse m'enfuir.

Une fois à l'intérieur, je me crus tirée d'affaire.

— Eva, attends.

Mes épaules se voûtèrent, mais je refusai de me tourner vers Gideon.

— Va-t'en. Je connais le chemin.

— Je n'ai pas fini...

— Moi si ! m'écriai-je en pivotant. Pour commencer, tu ne me parles pas sur ce ton ! Pour qui te prends-tu ? Tu crois que je suis venue ici pour toi ? Pour que tu me jettes des miettes ? Pour te pousser à me baiser

dans un coin dans l'espoir pitoyable de te reconquérir ?

— Tais-toi, Eva, trancha-t-il, le regard ardent, la
mâchoire crispée. Écoute-moi...

— Si je suis là, c'est uniquement parce qu'on m'avait
assuré que tu n'y serais *pas*, continuai-je sans tenir
compte de son intervention. Je suis là pour Cary, pour
sa carrière ! Alors retourne à ta garden-party et oublie-
moi. Je te jure qu'une fois que j'aurai franchi cette
porte, j'en ferai autant en ce qui te concerne !

Il m'attrapa par les coudes et me secoua si fort que
mes dents s'entrechoquèrent.

— Boucle-la, bon Dieu, Eva ! Tais-toi et écoute-moi.

La gifle que je lui assénai à toute volée lui fit pivoter
la tête.

— Ne me touche pas !

Gideon m'attira contre lui et m'embrassa sauvage-
ment, me meurtrissant les lèvres. Il m'empoigna sans
douceur les cheveux pour m'empêcher de me détourner. Je lui mordis la langue alors qu'il tentait de la
plonger dans ma bouche, lui mordis aussi la lèvre,
sentis le goût du sang, mais cela ne l'arrêta pas. Je
le repoussai de toutes mes forces, mais il ne bougea
pas d'un pouce.

Je maudis intérieurement Stanton. Sans lui, sans
ma folle de mère, j'aurais eu quelques cours de krav
maga à mon actif à l'heure qu'il était...

Gideon m'embrassait comme si sa vie en dépendait
et je sentis fondre ma résistance. Son odeur si familière, la façon dont son corps s'ajustait si parfaitement
au mien prenaient le pas sur tout le reste. Mes seins
me trahirent, leurs pointes durcissant jusqu'à en être
douloureuses, et une moiteur caractéristique se répandit entre mes cuisses. Mon cœur cognait dans ma poitrine.

Seigneur, j'avais envie de lui comme une folle ! Ce désir dévorant ne m'avait pas lâchée une seule seconde.

Il me souleva de terre. Prisonnière de ses bras, j'eus soudain du mal à respirer et ma tête se mit à tourner. Lorsqu'il franchit une porte et la referma d'un coup de pied, je ne pus émettre qu'un pitoyable gémissement de protestation.

Je me retrouvai plaquée contre le lourd battant d'une bibliothèque, le poids du corps de Gideon m'interdisant tout mouvement. Je sentis l'un des bras dont il m'enserrait descendre plus bas et sa main remonta sous mes jupes jusqu'à rencontrer mes fesses à la lisière du shorty de dentelle. Il pressa durement mon bassin contre le sien afin que je n'ignore rien de son excitation, de la dureté de son érection.

Toute envie de lutter m'abandonna d'un coup. Mes bras retombèrent le long de mon corps, mes paumes se plaquèrent contre la porte. La tension qui habitait Gideon reflua tandis que je rendais les armes, la pression brutale de ses lèvres cédant la place à une tendre sollicitation.

— Eva, ne me repousse pas. Je ne le supporte pas.

Je fermai les yeux.

— Laisse-moi partir, Gideon.

Il caressa ma joue de la sienne, le souffle précipité.

— Je ne peux pas. Je sais que ce que tu as vu l'autre nuit t'a dégoûtée... ce que tu m'as vu faire...

— Mais non ! Ce n'est pas du tout pour ça que je...

— Je perds complètement la tête avec toi... souffla-t-il.

Ses lèvres glissèrent le long de mon cou. De la pointe de la langue, il titilla la veine où mon pouls battait follement, avant d'aspirer suavement ma peau entre ses lèvres. Le plaisir se déploya en moi tel un éventail.

— Je n'arrive plus à penser, à travailler, à dormir. Mon corps te réclame sans cesse. Je peux faire en sorte que tu aies de nouveau envie de moi. Laisse-moi essayer, supplia-t-il.

Les larmes jaillirent, roulèrent le long de mes joues avant de s'écraser sur mon décolleté. Il les lapa du bout de la langue. Je le regardai et me demandai comment je m'en remettrais s'il me faisait l'amour, et comment je survivrais s'il ne le faisait pas.

— Je n'ai pas cessé de te désirer, murmurai-je. Je ne peux pas m'en empêcher. Mais tu me fais du mal, Gideon. Tu as le pouvoir de me faire du mal comme personne.

— Je te fais du mal ? répéta-t-il en me regardant avec anxiété, l'air perdu. Comment ?

— Tu m'as menti. Tu m'as rejetée.

Je pris son visage entre mes mains parce que je voulais qu'il comprenne bien ce qui allait suivre.

— Ton passé n'a pas le pouvoir de me faire fuir. C'est toi et toi seul qui l'as. Et c'est ce que tu as fait.

— Je ne savais pas comment réagir, admit-il d'une voix râpeuse. Je ne voulais pas que tu me voies ainsi...

— C'est bien le problème, Gideon. Je veux tout savoir de toi, le bon comme le mauvais, et tu t'échines à me cacher des choses. Si tu ne t'ouvres pas à moi, on va s'éloigner l'un de l'autre au point de se perdre et je ne le supporterai pas. Je survis à peine en ce moment. Je viens de passer quatre jours à me traîner... Si je devais renoncer à toi, ça me briserait.

— Je veux m'ouvrir à toi, Eva. J'essaie. Mais dès que je fais quelque chose de travers, tu prends la fuite. Du coup, j'ai constamment peur de te déplaire, et c'est insupportable.

Il m'effleura très tendrement les lèvres des siennes. Je ne tentai même pas de me défendre. Il avait entièrement raison.

284

— J'espérais que tu reviendrais de toi-même, murmura-t-il, mais je n'en peux plus d'être loin de toi. Je t'emmènerai hors d'ici en travers de l'épaule s'il le faut. Je ferai n'importe quoi pour qu'on se retrouve seuls et qu'on parle de tout ça.

— Tu... tu attendais que je revienne ? balbutiai-je. Mais je croyais... Tu m'as rendu mes clefs. Je croyais que c'était fini entre nous.

— Ça ne sera jamais fini entre nous, Eva, déclara-t-il d'un air farouche.

Il souffrait, et j'étais en partie responsable de cette souffrance. Mon cœur se serra douloureusement.

Je me hissai sur la pointe des pieds pour déposer un baiser sur la marque rouge que mes doigts avaient laissée sur sa joue, et j'enfouis les mains dans ses cheveux.

— Je ferai tout ce que tu voudras. Tout. Reprends-moi, Eva.

La profondeur de son attachement aurait dû m'effrayer, mais j'avais aussi passionnément besoin de lui qu'il avait besoin de moi. Je décidai de lui asséner la vérité.

— On n'arrête pas de se rendre malheureux mutuellement, Gideon. Je n'en peux plus de ce cycle infernal. On a besoin d'aide. Le couple que nous formons souffre d'un grave dysfonctionnement.

— Je suis allé voir le Dr Petersen, jeudi. Il a accepté de me prendre comme patient et, si tu es d'accord, il nous recevra aussi ensemble. Je me suis dit que si tu lui faisais confiance, je pouvais essayer d'en faire autant.

— Le Dr Petersen ? répétai-je.

Je me souvins d'avoir sursauté en apercevant un SUV Bentley noir lorsque Clancy avait démarré devant le cabinet du médecin. Sur le coup, je m'étais dit que je prenais mes rêves pour des réalités, et qu'il y avait quantité de voitures de ce modèle à New York.

— Tu m'as suivie.

Il ne chercha pas à nier, se contentant de soupirer.

Je refoulai ma colère. Je ne pouvais qu'imaginer à quel point ce devait être terrible pour un homme tel que lui de dépendre de quelque chose – de *quelqu'un* – qu'il ne pouvait pas contrôler. Le plus important pour l'heure, c'était sa volonté de s'en sortir. Il ne s'était pas contenté de parler. Il s'était risqué à faire un premier pas.

— Ce sera beaucoup de travail, Gideon, préférai-je l'avertir.

— Le travail ne m'a jamais fait peur.

Ses mains glissaient inlassablement sur mes cuisses et mes fesses, comme si toucher ma peau nue lui était aussi indispensable que de respirer.

— La seule chose qui me fasse peur, c'est de te perdre.

Je pressai ma joue contre la sienne. Nous étions parfaitement complémentaires. Je ressentis un soulagement sans nom à être – enfin – dans les bras du seul homme capable de me comprendre, et de satisfaire mes désirs les plus profonds et les plus intimes.

— J'ai besoin de toi, souffla-t-il en laissant courir sa bouche sur ma gorge. J'ai besoin d'être en toi...

— Non. Mon Dieu, pas ici.

Mais ma protestation manquait singulièrement de conviction, y compris à mes propres oreilles. J'avais envie de lui, et peu importait où, quand et comment...

— Ici, répliqua-t-il en s'agenouillant. Tout de suite.

Sans attendre, il fit glisser ma culotte le long de mes jambes, retroussa mes jupons jusqu'à la taille et entreprit de me lécher, écartant de la langue les replis de mon sexe pour atteindre mon clitoris tout palpitant.

Je lâchai un cri étouffé, mais entre la porte à laquelle j'étais adossée et sa détermination, je n'avais aucune chance de lui échapper. Me clouant contre le battant d'une main, il attrapa ma jambe gauche de l'autre pour la caler sur son épaule, si bien que j'étais à présent totalement offerte à ses caresses ardentes.

Le sang qui pulsait dans mes veines charriait de la lave. De ma jambe repliée contre son dos, j'incitai Gideon à se rapprocher davantage, plaquai les mains sur sa tête pour l'immobiliser et basculai les hanches en avant. En dépit de mon excitation – ou peut-être à cause d'elle –, j'avais une perception aiguë de ce qui m'entourait...

Nous étions dans la maison des parents de Gideon, au milieu d'une fête rassemblant des dizaines de célébrités, et il était à genoux devant moi, léchant et suçant ma fente moite de désir. Il savait ce qui me plaisait, ce que j'aimais et ce qui me faisait jouir. Sa compréhension de ma nature profonde allait bien au-delà de son incroyable talent en matière de sexe. Une combinaison dévastatrice complètement addictive.

Un tremblement me parcourut et mes paupières s'alourdirent.

— Gideon... tu me fais jouir tellement fort.

Sa langue allait et venait inlassablement, me taquinait suavement, me poussait à me frotter sans retenue contre sa bouche. Ses mains recouvraient mes fesses nues, les pétrissaient, tandis qu'il plongeait la langue en moi. Il se montrait tout à la fois avide et respectueux dans sa façon de jouir de moi. Il n'hésitait pas à me laisser voir à quel point il chérissait mon corps, à quel point le plaisir qu'il me procurait et qu'il en tirait lui était aussi vital que le sang qui coulait dans ses veines.

— Oui... siffla-t-il à l'approche de mon orgasme.

Le champagne, l'odeur de sa peau mêlée à celle de mon désir m'enivraient. Mes seins se tendaient contre la dentelle de plus en plus ajustée de mon soutien-gorge bandeau et mon corps frémissait sous l'assaut du plaisir.

Un mouvement à l'autre bout de la pièce attira mon attention et je me figeai quand mon regard croisa celui de Magdalene. Elle se tenait sur le seuil, statufiée, bouche bée, ses yeux écarquillés rivés sur la tête de Gideon oscillant entre mes cuisses.

Ignorant tout de ce qui se passait dans son dos, il referma la bouche sur mon clitoris. Tout en accompagnant la succion de ses lèvres, la pointe de sa langue lapait la perle de chair ultrasensible.

Mon corps se contracta une fraction de seconde avant la brutale explosion du plaisir.

Je fermai les yeux au moment où la déferlante de l'orgasme me submergeait. Avec un cri, je m'abandonnai à la jouissance. Gideon me retint quand mes genoux faiblirent, mais continua de m'aimer avec la bouche jusqu'à ce que je cesse de trembler.

Lorsque je rouvris les yeux, Magdalene avait disparu.

Se relevant vivement, Gideon me souleva dans ses bras et me porta jusqu'au canapé. Il m'allongea sur le dos, les hanches reposant sur l'accoudoir. Je me demandai fugitivement pourquoi il ne m'avait pas plutôt placée à quatre pattes pour me prendre par-derrière.

Il déboutonna alors sa braguette, et quand je découvris son érection, je ne me souciai plus de la position dans laquelle il comptait me prendre. Je gémis lorsqu'il me pénétra, mon corps luttant pour s'adapter à ce sexe puissant dont je n'avais cessé de rêver. Je me cambrai pour l'accueillir tandis qu'il me pilonnait sans relâche, son regard sombre et possessif rivé au mien, un grondement lui échappant chaque fois qu'il m'empalait.

Ses coups de boutoir attisaient le besoin insatiable que j'avais d'être possédée par lui. Et par lui seulement.

Au terme d'une série de poussées vigoureuses, il rejeta la tête en arrière et cria mon nom, le mouvement cadencé de ses hanches déclenchant en moi une véritable frénésie.

— Serre-moi, Eva... Serre ma queue.

Je lui obéis. Il laissa échapper un son rauque qui m'excita si violemment que ma vulve se contracta de nouveau en réponse.

— Oui, mon ange... Comme ça, c'est bien.

Mes muscles intimes l'enserraient en rythme et il lâcha un juron, son merveilleux regard voilé par le plaisir. Un frisson. Un gémissement de pure extase. Son sexe se cabra en moi, une fois, deux fois, avant qu'il éjacule.

Je n'avais pas eu le temps de jouir, mais je m'en moquais. Je le contemplai, émerveillée et triomphante. J'étais capable de le mettre dans cet état-là.

Dans la jouissance, je le possédais aussi complètement qu'il me possédait.

16

Gideon se pencha sur moi, à bout de souffle.

— Je ne peux pas me passer de toi, haleta-t-il.

Je plongeai les doigts dans ses cheveux humides de sueur.

— Tu m'as manqué.

— Quand tu n'es pas là, je me sens... Ne fuis plus, Eva. Je ne peux pas le supporter.

Il me souleva, me fit glisser le long de son corps, son sexe toujours fiché en moi.

— Viens chez moi.

— Je ne peux pas laisser Cary.

— Dans ce cas, on l'emmène. Avant d'objecter quoi que ce soit, laisse-moi te dire que quoi qu'il espère de cette réception, je peux faire en sorte qu'il l'obtienne. Il perd son temps.

— Peut-être qu'il s'amuse.

— Je ne veux pas de toi ici, trancha-t-il.

Il était de nouveau distant et se dominait visiblement.

— Est-ce que tu te rends compte à quel point tu es blessant ? répliquai-je, les larmes aux yeux. Qu'est-ce que tu me reproches pour ne pas m'estimer digne d'être reçue dans ta famille ?

— Mon ange, non, souffla-t-il en m'étreignant. Je ne te reproche rien. C'est cet endroit. Je ne veux pas – je ne supporte pas d'être ici. Tu veux savoir de quoi sont faits mes cauchemars ? Ils sont liés à cette maison.

La gorge nouée, je murmurai :

— Je suis désolée.

Il avait dû sentir mon émotion dans ma voix, car il déposa un baiser entre mes sourcils.

— Je te demande pardon de m'être comporté aussi grossièrement avec toi, aujourd'hui. Être ici me met à cran, même si ce n'est pas une excuse.

J'encadrai son visage de mes mains et scrutai son regard. Jamais je n'y avais vu un tel tumulte d'émotions – il s'ingéniait tellement à les cacher d'ordinaire.

— Ne t'excuse jamais d'être toi-même en ma présence. C'est ce que je veux. Je veux que tu te sentes en sécurité avec moi.

— Je me sens en sécurité avec toi, Eva. Tu n'imagines pas à quel point, ajouta-t-il en appuyant son front contre le mien, mais je finirai par trouver le moyen de te le dire. Viens, rentrons. J'ai des cadeaux pour toi.

— C'est vrai ? J'adore les cadeaux !

Surtout quand ils venaient de mon amant qui se prétendait dépourvu de romantisme.

Il se retira de moi avec précaution. Un filet de sperme serpenta le long de ma cuisse.

— Et merde, grommela-t-il. Je bande de nouveau.

— Ne me dis pas que tu peux recommencer !

— Je vais te montrer si je ne peux pas, rétorqua-t-il.

Il referma la main sur mon mont de Vénus, fit glisser ses doigts entre les replis trempés de mon sexe. Une sensation d'euphorie m'envahit à la pensée qu'il trouvait en moi l'assouvissement physique dont il avait besoin.

— J'ai l'impression d'être un animal avec toi, Eva. Je veux te marquer. Je veux te posséder si complètement que nous ne ferons plus qu'un.

Ses mots et ses caresses ravivaient mon désir. Je voulais qu'il me fasse jouir de nouveau, et je savais que je serais affreusement malheureuse si je devais attendre que nous soyons dans son lit. Je me découvrais aussi sexuellement avide que lui. J'étais tellement en phase avec lui, tellement sûre qu'il ne me ferait jamais mal physiquement que je me sentis... libre.

Je lui agrippai le poignet, guidai doucement sa main par-dessus ma hanche pour l'inciter à me caresser par-derrière. Lui mordillant tendrement la mâchoire, je rassemblai mon courage pour chuchoter :

— Touche-moi là avec tes doigts. Marque-moi à cet endroit-là.

Il se figea, son souffle s'accéléra.

— Je ne... hésita-t-il, avant d'affermir sa voix. Je ne suis pas du tout porté sur ce genre de jeux, Eva.

Une lueur vacilla dans les profondeurs de son regard. Une lueur de souffrance.

De tout ce que nous avions en commun...

La passion brute du désir sexuel céda la place à la chaude familiarité du sentiment amoureux.

— Moi non plus, confessai-je en ayant l'impression que mon cœur se brisait. Du moins, pas volontairement.

— Mais alors... pourquoi ?

Sa confusion m'émut profondément. Je l'enlaçai, pressai la joue contre son torse et écoutai les battements affolés de son cœur.

— Parce que je crois que tes caresses ont le pouvoir d'effacer ce que Nathan m'a fait.

— Eva, souffla-t-il, bouleversé.

— Je me sens en confiance avec toi, ajoutai-je en me serrant plus étroitement contre lui.

Nous demeurâmes ainsi un long moment. Les battements de son cœur s'apaisèrent progressivement, son souffle se fit plus égal. J'inhalai profondément, savourant l'odeur de Gideon mêlée à celle, si caractéristique, du désir.

Quand l'extrémité de son majeur effleura mon anus avec une infinie délicatesse, je renversai la tête en arrière.

— Gideon ?

— Pourquoi moi ? demanda-t-il, ses beaux yeux soudain presque noirs. Tu sais que je suis détraqué, Eva. Tu as vu ce que je... la nuit où tu m'as réveillé... Tu l'as vu, bon sang ! Comment peux-tu me faire confiance après ça ?

— J'écoute ce que me dicte mon cœur, répondis-je en effaçant de l'index le pli qui était apparu entre ses sourcils. Tu as le pouvoir de me rendre mon corps, Gideon. Je crois que tu es le seul à en être capable.

Il ferma les yeux et laissa aller son front moite contre le mien.

— Est-ce que tu as un mot clef, Eva ?

Surprise, je m'écartai pour le dévisager. En thérapie de groupe, j'avais entendu certains participants évoquer des relations dominé-dominant. Dans le cadre de ces pratiques sexuelles parfois risquées, un mot clef sert à dire stop. Mais je ne voyais pas en quoi cela nous concernait, Gideon et moi.

— Et toi ? répondis-je.

— Je n'en ai pas besoin.

Entre mes fesses, la caresse de son doigt s'affirma. Il répéta sa question.

— Non, répondis-je. Je n'en ai jamais eu besoin. Tu sais, en dehors des positions classiques et de mon vibromasseur, je n'ai pas une expérience très étendue sur le plan sexuel.

Cet aveu parut l'amuser.

— Heureusement ! Je n'aurais aucune chance de survivre, autrement.

Son doigt continuait de me masser, éveillant en moi un désir ténébreux.

Gideon était à même de me faire oublier tout ce qui m'était arrivé. Je n'avais aucun déclic négatif avec lui. Ni hésitation ni peur. Il m'avait fait ce cadeau. En retour, je voulais lui offrir le corps qu'il avait libéré.

La pendule à côté de la porte égrena les heures.

— Gideon, nous sommes ici depuis longtemps. Quelqu'un risque de venir nous chercher.

Il exerça une infime pression sur l'œillet sensible.

— Tu t'en soucies vraiment ?

Je creusai les reins. Anticipant ce qui allait suivre, j'étais déjà toute chaude.

— Quand tu me caresses ainsi, je ne me soucie de rien d'autre que de toi.

Sa main libre se referma sur mes cheveux pour m'empêcher de bouger la tête.

— Tu as déjà eu du plaisir de cette façon-là ? voulut-il savoir. Accidentellement ou non ?

— Jamais.

— Et tu me fais assez confiance pour me demander ça ?

Il déposa un baiser sur mon front tandis qu'il s'appliquait à répandre ce qu'il restait de son sperme entre mes fesses.

J'agrippai la ceinture de son pantalon.

— Tu n'es pas obligé de...

— Si, coupa-t-il d'un ton un peu mordant. Je suis là pour satisfaire tous tes désirs, Eva. Quoi qu'il m'en coûte.

— Merci, soufflai-je en accompagnant la caresse de son doigt d'une ondulation des hanches. Je veux satisfaire tous tes désirs, moi aussi.

— Je t'ai dit ce que je veux, Eva – contrôler, fit-il en effleurant ma bouche de ses lèvres entrouvertes. Tu me demandes de faire quelque chose qui risque d'éveiller des souvenirs douloureux et je le ferai si c'est ce que tu veux. Mais nous devons être très prudents.

— Je sais.

— Nous avons tous les deux du mal à accorder notre confiance. Si l'un de nous a l'impression qu'elle a été trahie, nous courons le risque de tout perdre. Pense à un mot que tu associes à l'idée de pouvoir. Ton mot clef, mon ange. Choisis-le.

La pression de son doigt s'accentua.

— Crossfire, gémis-je.

— Hmm... ça me plaît. Tout à fait approprié.

Sa langue plongea dans ma bouche, toucha à peine la mienne avant de se retirer. Son doigt continuait de me lubrifier avec application. Un raclement de gorge lui échappa quand il sentit mon anus se contracter comme s'il le suppliait d'intensifier ses caresses.

Il appuya légèrement, je tendis les fesses en arrière et son doigt glissa en moi. Je ressentis la pénétration avec une intensité choquante.

— Tout va bien ? s'inquiéta Gideon quand je me laissai aller contre lui avec langueur. Tu veux que j'arrête ?

— Non... n'arrête pas.

Il s'aventura un peu plus loin et je me contractai spontanément autour de son doigt.

— Tu es très étroite et brûlante. Très douce aussi. Est-ce que je te fais mal ?

— Non. Encore, s'il te plaît.

Gideon retira presque entièrement le doigt avant de l'enfoncer de nouveau, très lentement, aisément. Je frissonnai de délice, surprise de trouver cela aussi agréable.

— C'est comment ? demanda-t-il d'une voix rauque.

— C'est bon. Tout ce que tu me fais l'est toujours.

Il se retira de nouveau et revint plus profondément. Je plaquai mes seins contre son torse et tendis les fesses. Son poing se crispa dans mes cheveux, il me tira la tête en arrière pour m'embrasser à pleine bouche. J'accompagnai le va-et-vient de son doigt d'un mouvement du bassin.

— J'adore te faire du bien, murmura-t-il avec une infinie tendresse. J'adore te regarder quand tu jouis.

— Gideon.

J'étais perdue, submergée par le plaisir d'être prisonnière de ses bras, d'être aimée par lui. Quatre jours de solitude m'avaient permis de comprendre à quel point je serais malheureuse si nous n'arrivions pas à nous réconcilier, combien ma vie serait morne et vide s'il n'en faisait plus partie.

— J'ai besoin de toi.

— Je sais. Je suis là. Tu vas jouir de nouveau pour moi, je le sens.

Il me lécha les lèvres et un vertige me saisit.

Les mains tremblantes, je tâtonnai entre nous, attrapai son sexe raide et soulevai mes jupons pour le guider en moi. Il n'entra que partiellement, la position debout empêchant une pénétration plus profonde, mais de le sentir là me suffisait. Quand mes genoux commencèrent à faiblir, je me cramponnai à ses épaules, le visage au creux de son cou. Il me lâcha les cheveux et m'entoura de son bras pour me soutenir.

— Eva ? dit-il tandis que la caresse de son doigt s'accélérait. Tu sais ce que tu me fais ?

Il pressa son bassin contre le mien, l'extrémité de son sexe frotta contre un point délicieusement sensible.

— Tu te contractes si fort autour de ma queue... Tu vas me faire jouir. Quand tu jouiras, je jouirai avec toi.

J'avais vaguement conscience des gémissements qui m'échappaient. L'odeur de Gideon, la chaleur de son corps et la caresse de son sexe associée à celle de son doigt m'enivraient. Il m'encerclait, me comblait, me possédait de toutes les manières possibles. L'orgasme gagnait en force, se frayait un chemin au creux de mon ventre. Pas seulement grâce au plaisir physique, mais parce que je savais que Gideon avait accepté de prendre un risque. Une fois de plus. Pour moi.

Son doigt s'immobilisa et je protestai.

— Chut, murmura-t-il. Quelqu'un vient.

— Oh, non ! Magdalene nous a vus, tout à l'heure. Si elle a dit...

— Ne bouge pas, dit-il sans se retirer.

Il rabattit prestement mes jupons.

— On ne voit rien, assura-t-il, ne t'inquiète pas.

Je pressai mon visage empourpré contre sa chemise.

La porte s'ouvrit derrière moi.

— Tout va bien ? s'enquit la voix de Christopher.

— Bien sûr, répondit Gideon, parfaitement maître de lui. Qu'est-ce que tu veux ?

À ma grande horreur, son doigt recommença à aller et venir en moi. Plus discrètement qu'avant, de façon à ne pas déranger les plis de ma robe. J'enfonçai les ongles dans les épaules de Gideon pour tenter de résister à l'orgasme qui menaçait. Loin de les calmer, la présence de Christopher intensifiait les sensations érotiques.

— Eva ? fit ce dernier.

Je déglutis avec peine.

— Oui ?

— Tout va bien ?

Comme Gideon se redressait, son sexe s'inséra plus profondément en moi, et son pubis heurta mon clitoris.

— Ou... oui, balbutiai-je. On discute... Du dîner.

Je fermai les yeux quand Gideon frotta doucement la fine paroi le séparant de son propre sexe. S'il s'avisait de toucher de nouveau mon clitoris, je jouirais purement et simplement. J'étais trop excitée pour me retenir.

La poitrine de Gideon vibra sous ma joue tandis qu'il déclarait à Christopher :

— Nous finirons plus vite si tu t'en vas. Qu'est-ce que tu voulais ?

— Maman te cherche.

— Pourquoi ?

Gideon changea de position, frôla mon clitoris au moment où son doigt s'enfonçait en moi. Et je jouis. Je lui mordis le torse pour réprimer un gémissement de plaisir.

Il eut un petit bruit de gorge et me rejoignit, son sexe se contractant follement tandis qu'il se vidait en moi.

Le reste de la conversation fut recouvert par le rugissement du sang à mes tympans. Christopher dit quelque chose, Gideon répondit, et la porte se referma. Gideon me souleva pour me déposer sur l'accoudoir du canapé et se mit à aller et venir entre mes cuisses écartées, utilisant mon corps pour aller au bout de sa jouissance tandis que nous parachevions le rapport sexuel le plus cru et le plus exhibitionniste de toute ma vie.

Après, Gideon me prit par la main pour m'emmener dans une salle de bains où il procéda à ma toilette. La façon dont il s'occupa de moi était délicieusement intime et me prouva une fois de plus qu'en dépit du désir primaire que je lui inspirais, il me chérissait.

— Je ne veux plus qu'on se dispute, déclarai-je tranquillement.

— On ne se dispute pas, mon ange, répondit-il en me caressant la joue. On apprend juste à ne plus avoir peur de l'autre.

— À t'entendre, il n'y a rien de plus simple, grommelai-je.

Prétendre que nous étions vierges aurait été ridicule, et pourtant, d'un point de vue émotionnel, nous l'étions bel et bien. Nous avancions à tâtons dans l'obscurité, trop impatients, le sol se dérobait sous nos pieds, nos fragilités nous rattrapaient, nous cherchions à impressionner l'autre et nous passions à côté de détails essentiels.

— Simple ou compliqué, peu importe. Nous traversons cette phase parce que nous ne pouvons pas faire autrement, dit-il en remettant de l'ordre dans ma coiffure. Nous en reparlerons chez moi, mais je crois avoir découvert où était le problème.

Sa conviction et sa détermination apaisèrent mes inquiétudes. Je fermai les yeux et savourai le bonheur de sentir ses mains dans mes cheveux.

— Ta mère semblait stupéfaite que je sois blonde.

— Ah bon ?

— Ma mère aussi. Pas que je sois blonde, précisai-je. Mais que tu t'intéresses à une blonde.

— Ah bon ?

— Gideon !

— Hmm ?

Il m'embrassa le bout du nez.

— Je ne suis pas le genre de femme avec qui tu sors d'ordinaire, n'est-ce pas ?

— Je n'ai qu'un seul genre de femme, répliqua-t-il. Eva Lauren Tramell.

Je levai les yeux au ciel.

— D'accord. Comme tu voudras.

— Quelle importance cela a-t-il ?

— Aucune. Simple curiosité. Les gens s'écartent rarement de genres qu'ils préfèrent.

— Une chance pour moi que je sois ton genre d'homme, commenta-t-il en me prenant aux hanches.

— Gideon, tu n'appartiens à aucun genre en particulier, assurai-je. Tu es unique.

— Et ce que tu vois te plaît ? demanda-t-il, l'œil pétillant.

— Tu le sais bien. Et c'est d'ailleurs pour ça qu'on ferait mieux de sortir d'ici en vitesse, sinon on va recommencer à copuler comme des lapins.

— Il n'y a que toi qui sois capable de m'exciter dans un endroit qui m'a toujours flanqué la chair de poule, dit-il. Merci d'être exactement celle que je veux et dont j'ai besoin.

— Oh, Gideon ! soufflai-je, émue, en glissant les bras autour de son cou. Tu es venu ici à cause de moi, n'est-ce pas ? Pour me sortir de cet endroit que tu détestes ?

— Je n'aurais pas hésité à aller te chercher en enfer, Eva, et cet endroit n'est pas loin d'y ressembler. J'avais l'intention de passer chez toi pour te ramener chez moi quand j'ai appris que tu venais ici. Tu dois garder tes distances avec Christopher.

— Pourquoi n'arrêtes-tu pas de me dire ça ? Il a l'air charmant.

Gideon s'écarta de moi et plongea son regard dans le mien.

— Il pousse la rivalité fraternelle à l'extrême, et il est suffisamment instable pour être dangereux. Il ne t'a approchée que parce qu'il sait qu'il peut me faire du mal à travers toi. Tu dois me croire, Eva.

Il devait avoir de bonnes raisons pour douter à ce point des motivations de son demi-frère, mais il n'était visiblement pas prêt à les partager avec moi.

— Je te crois, Gideon. Bien sûr. Je garderai mes distances.

— Merci. Viens, fit-il en me prenant la main. On va chercher Cary et on se sauve.

En sortant de la salle de bains, je me rendis compte, mal à l'aise, que nous avions été absents très longtemps. Le soleil commençait à décliner. Et je n'avais pas de culotte. Elle était roulée en boule au fond de la poche de Gideon.

Quand nous pénétrâmes sous la tente, il me jeta un coup d'œil.

— J'ai oublié de te dire que je te trouve superbe. Cette robe te va extraordinairement bien, de même que ces chaussures à damner un saint.

— Apparemment elles font leur effet, commentai-je, malicieuse. Merci.

— Pour le compliment ? Ou pour m'être damné ?

— Chut ! le grondai-je en rougissant.

Son rire un peu rauque fit se retourner toutes les femmes à portée d'oreille. Ainsi que quelques hommes. Calant nos mains entrelacées au creux de mes reins, il m'attira contre lui et déposa un baiser sonore sur mes lèvres.

— Gideon !

Sa mère mit le cap vers nous, le regard brillant, un grand sourire illuminant son visage si fin.

— Je suis tellement heureuse que tu sois venu.

Elle parut sur le point de le serrer dans ses bras, mais il modifia subtilement sa posture, et ce fut comme si un champ de force invisible s'était déployé autour de nous.

Elizabeth s'immobilisa abruptement.

— Mère, la salua-t-il avec toute la chaleur d'une tempête arctique. C'est Eva que vous pouvez remercier de ma présence. Je suis venu la chercher.

— Mais elle passe un si bon moment, n'est-ce pas, Eva ? Reste pour elle, ajouta-t-elle tout en m'adressant un regard suppliant.

Je pressai la main de Gideon. Il passait avant elle, la question ne se posait même pas, je ne pus cependant m'empêcher de me demander pourquoi il se montrait si glacial vis-à-vis de sa mère, qui semblait pourtant l'adorer. Son regard aimant parcourait avidement le visage de son fils. Depuis combien de temps ne l'avait-elle pas vu ?

Je me demandai soudain s'il se pouvait qu'elle l'aime trop...

Un frisson de répulsion courut le long de ma colonne vertébrale.

— Ne mets pas Eva dans une position inconfortable, dit Gideon en me caressant le dos. Tu as eu ce que tu voulais – tu l'as rencontrée.

— Vous pourriez peut-être venir dîner tous les deux à la maison la semaine prochaine ? risqua-t-elle.

En guise de réponse, Gideon se contenta de la dévisager en haussant les sourcils. Puis son regard changea de direction. Cary venait d'émerger de ce qui ressemblait fort à un labyrinthe de haies, une célèbre diva de la pop accrochée à son bras. Gideon lui fit signe de nous rejoindre.

— Oh, non, tu ne vas pas aussi emmener Cary ! protesta Elizabeth. C'est l'âme de la fête !

— Je me doutais qu'il te plairait, déclara Gideon avec un rictus de mépris. N'oublie pas que c'est un ami d'Eva. Ce qui fait donc de lui un ami à moi.

Je fus soulagée que Cary arrive, sa désinvolture allégeant instantanément l'atmosphère.

— Je te cherchais, me dit-il. J'espérais que tu serais d'accord pour rentrer – j'ai reçu le coup de fil que j'attendais, ajouta-t-il, les yeux brillants.

Je compris que Trey l'avait contacté.

— Pas de problème.

Cary et moi prîmes congé de nos hôtes. Gideon demeura à mes côtés, calme, mais ostensiblement distant. Alors que nous nous dirigions vers la maison, je remarquai Ireland qui regardait Gideon de loin.

— Fais signe à ta sœur de nous rejoindre, que nous lui disions au revoir, suggérai-je à Gideon.

— Quoi ?

— Elle est là-bas, sur ta gauche, dis-je en prenant soin de ne pas désigner la jeune fille que je suspectais d'idolâtrer son grand frère.

Gideon lui adressa un bref signe de la main. Elle vint vers nous en prenant son temps, affectant un ennui profond. J'échangeai un regard complice avec Cary ; je ne me rappelais que trop bien mes dix-sept ans.

Je me penchai vers Gideon.

— Dis-lui que tu es désolé que vous n'ayez pas eu le temps de discuter et qu'elle devrait t'appeler de temps en temps, si elle en a envie.

— Discuter de quoi ?

— Elle te le dira elle-même si tu lui en donnes l'occasion.

— C'est une gamine. Pourquoi devrais-je lui donner l'occasion de me casser les oreilles ?

— Parce que je t'en serais très reconnaissante, murmurai-je.

— Toi, tu mijotes quelque chose, dit-il.

Il me dévisagea un instant d'un œil méfiant, puis déposa un baiser dépourvu de douceur sur ma bouche.

— Je saurai te rappeler ta promesse, me prévint-il.

Je hochai la tête. Cary recula de façon à ne pas être vu de Gideon et se pinça le nez, me signifiant ainsi que je le menais par le bout du nez.

Ce n'était que justice, pensai-je, vu que Gideon avait trouvé le moyen de voler mon cœur.

À ma grande surprise, le voiturier tendit les clefs de la Bentley à Gideon, qui les accepta.

— C'est toi qui as conduit pour venir ici ? Où est passé Angus ?

— C'est son jour de congé, répondit-il. Tu me manquais, Eva, ajouta-t-il en frottant le bout de son nez contre ma tempe.

Je m'installai sur le siège passager et il claqua la portière derrière moi. Alors que j'attachais ma ceinture, je le vis s'arrêter un instant devant le capot pour adresser un coup d'œil à deux hommes en costumes noirs qui attendaient à côté d'une Mercedes. Ils hochèrent la tête, grimpèrent à bord de la Mercedes et, quand Gideon franchit le portail, ils nous suivirent.

— Un problème de sécurité ? demandai-je.

— Oui. J'ai roulé très vite pour venir ici, et à un moment, ils ont perdu ma trace.

Cary étant parti avec Clancy, nous regagnâmes directement le penthouse de Gideon. Je le trouvai très sexy au volant. Il conduisait le luxueux véhicule comme tout le reste – avec assurance, une pointe d'agressivité et une parfaite maîtrise. Il roulait vite sans être pour autant imprudent. Par chance, la circulation fut fluide jusqu'à ce que nous atteignions Manhattan.

Une fois dans l'appartement, nous gagnâmes la salle de bains attenante à sa chambre, aussi pressés l'un que l'autre de prendre une douche. Gideon me lava de la tête aux pieds comme s'il ne pouvait s'empêcher de me toucher, puis me sécha et m'enveloppa dans un nouveau peignoir de soie brodée vert pâle à manches kimono. Il enfila ensuite un bas de pyjama taillé dans la même étoffe.

— Je n'ai pas le droit de mettre de culotte ? demandai-je, songeant à mon tiroir empli de lingerie sexy.

— Non. Il y a un téléphone mural dans la cuisine. Appuie sur la touche d'appel rapide et demande à la personne qui te répondra de commander mon menu habituel en double exemplaire chez Peter Luger.

Je m'exécutai, et dus ensuite chercher Gideon dans l'appartement. Je le découvris dans son bureau, une pièce où je n'étais encore jamais entrée.

Je ne la distinguai tout d'abord pas bien car le seul éclairage provenait de la petite lampe surmontant un cadre dans un coin de la pièce et de la lampe posée sur le bureau. En outre, mon regard avait été attiré d'emblée par Gideon, nonchalamment alangui dans un grand fauteuil de cuir noir. Il réchauffait entre ses mains le contenu d'un verre à pied, et un picotement de désir me parcourut à la vue de ses muscles saillants.

Il contemplait le cadre éclairé et je suivis son regard. Stupéfaite, je découvris qu'il s'agissait d'un collage de photos de nous : notre baiser devant le gymnase, nous deux côte à côte lors du dîner caritatif, un agrandissement de notre réconciliation à Bryant Park...

Le cliché qui occupait le centre du cadre était une photo de moi prise dans mon sommeil. Je dormais dans mon propre lit, seulement éclairée par la bougie que j'avais laissée allumée pour lui. Un cliché intime qui en disait davantage sur le photographe que sur le sujet.

J'étais très émue, car j'avais sous les yeux la preuve qu'il était tombé amoureux en même temps que moi.

Gideon désigna le verre qu'il m'avait servi.

— Viens t'asseoir.

Je m'exécutai, curieuse. Il semblait avoir une idée derrière la tête et je me demandais de quoi il pouvait bien s'agir.

Je découvris alors le petit cadre posé sur le bureau à côté de mon verre et mon inquiétude se dissipa. Il ressemblait à celui que j'avais au bureau, mais les trois photos nous représentaient, Gideon et moi.

— J'aimerais que tu l'emportes à l'agence, dit-il tranquillement.

Je pris le cadre d'une main pour le presser contre ma poitrine, et attrapai mon verre de l'autre main.

— Merci, soufflai-je.

— Tu m'envoies des baisers toute la journée sur mon bureau, je me suis dit qu'il fallait que tu aies toi aussi quelque chose pour te souvenir de moi. De nous.

— Je ne t'oublie ni ne nous oublie jamais, répondis-je.

— Je ne te laisserais pas faire, si tu essayais. Je crois que j'ai découvert quel a été notre premier faux pas. Celui qui est à l'origine de nos tâtonnements.

— Ah oui ?

— Bois une gorgée d'armagnac, mon ange. Tu vas en avoir besoin.

Je pris une gorgée prudente, sentis la morsure de l'alcool, et découvris que le goût me plaisait. J'en pris une deuxième, plus conséquente.

Gideon m'étudiait d'un regard pensif.

— Dis-moi ce que tu as préféré, Eva. La séance dans la voiture quand c'était toi qui dominais ou la séance dans la chambre d'hôtel où c'était moi qui menais la danse ?

Je m'agitai sur mon siège, ne sachant trop où cette conversation allait nous mener.

— Je croyais que tu avais aimé ce qui s'est passé dans la voiture. Sur le moment, je veux dire. Pas après, à l'évidence.

— J'ai aimé, assura-t-il. Cette robe rouge que tu portais et ce que tu m'as dit quand tu m'as senti en toi me hanteront jusqu'à la fin de mes jours. Si l'envie te prenait de me chevaucher à nouveau, je serais tout à fait partant.

Mon ventre se noua et mes épaules se contractèrent.

— Gideon, je commence à avoir un peu peur. Où veux-tu en venir ? J'ai le sentiment que tu essaies de m'entraîner sur un terrain où je refuse d'aller.

— Parce que tu penses entraves et souffrance alors que je parle d'un rapport de force consenti, répondit-il en m'observant avec attention. Tu veux que je te ressterve ? Tu es très pâle.

Je reposai mon verre vide.

— J'ai l'impression que tu cherches à me dire que tu es un dominateur.

— Ça, tu le savais déjà, mon ange, répondit-il avec un sourire diaboliquement séduisant. Non, ce que je suis en train de te dire, c'est que tu es soumise.

17

Je bondis sur mes pieds.

— Ne fais pas ça, me prévint-il. Ne t'enfuis pas tout de suite. Nous n'avons pas terminé.

— Tu ne sais pas de quoi tu parles, m'écriai-je.

Obéir au doigt et à l'œil – *perdre mon droit de dire non !* J'avais juré que cela ne m'arriverait plus jamais.

— Tu sais ce que j'ai enduré, Gideon. J'ai besoin de dominer autant que toi.

— Assieds-toi, Eva.

Je restai debout, histoire d'illustrer ce que je venais de dire.

Son sourire s'élargit et je me sentis fondre.

— Est-ce que tu sais à quel point je suis fou de toi ?

— Tu es complètement fou si tu t'imagines que je vais accepter de recevoir des ordres, surtout d'ordre sexuel !

— Voyons, Eva, tu sais très bien que je n'ai pas l'intention de te frapper, de te punir, de te faire du mal ou de t'humilier. Nous n'avons ni l'un ni l'autre ce genre de besoins. Tu es ce qu'il y a de plus important dans ma vie. Je te chéris comme un trésor. Je veux te protéger et que tu te sentes en sécurité. C'est pourquoi nous avons cette conversation.

Comment pouvait-il être aussi merveilleux et fou à la fois ?

— Je n'ai pas besoin d'être dominée !

— Ce qu'il te faut, c'est quelqu'un en qui tu aies confiance... Non, ne dis rien ! Laisse-moi finir.

Je retins la protestation qui était sur le point de franchir mes lèvres.

— Tu m'as demandé de t'aider à reconquérir ton corps en te faisant quelque chose qui avait servi à te blesser et à te terroriser. Tu n'as pas idée de ce que cette marque de confiance signifie pour moi, ni de ce que je ressentirais si je perdais cette confiance. Je ne peux pas courir un tel risque, Eva. Nous n'avons pas droit à l'erreur.

Je croisai les bras.

— Je dois être complètement idiote. Je croyais que notre vie sexuelle était fabuleuse.

Gideon posa son verre et poursuivit comme si je n'avais rien dit.

— J'ai accepté de faire ce que tu m'as demandé aujourd'hui. Maintenant, nous devons...

— Si je ne suis pas telle que tu le souhaites, dis-le carrément !

Gideon se leva d'un bond, contourna son bureau et fut sur moi avant que j'aie le temps de faire un pas en arrière. Sa bouche fondit sur la mienne et ses bras m'emprisonnèrent. Il me fit reculer jusqu'au mur, m'enserra les poignets d'une main et me plaqua les bras au-dessus de la tête.

Piégée, je ne pus rien faire quand il fléchit les genoux et frotta son érection contre ma fente. Une fois, deux fois. La soie de son pantalon échauffait mon clitoris gonflé. La morsure de ses dents sur mon mamelon que couvrait encore mon peignoir me fit frissonner et le frais parfum de sa peau me grisa. Avec un gémissement, je m'affaissai contre lui.

— Regarde avec quelle docilité tu te soumets quand je prends le contrôle, murmura-t-il en suivant des lèvres la ligne de mes sourcils. Et tu aimes ça, n'est-ce pas ? Tu trouves ça très agréable.

— Normal, tu triches, répondis-je en le fusillant du regard.

Comment aurais-je pu réagir autrement ?

Ses paroles me plongeaient dans un abîme de perplexité, mais je n'en demeurais pas moins irrésistiblement attirée par lui.

— C'est vrai. Mais ça n'infirme pas ce que je viens de dire.

Je contemplai ses traits ciselés. Le désir qu'il m'inspirait était si aigu qu'il était proche de la douleur. Ses blessures cachées ne me faisaient que l'aimer davantage. J'avais parfois l'impression d'avoir trouvé ma moitié.

— Je ne peux pas m'empêcher d'être excitée par toi, murmurai-je. Mon corps est physiologiquement programmé pour se détendre avant de se laisser pénétrer.

— Reconnais-le, Eva, tu veux que j'exerce sur toi un contrôle total. C'est important pour toi de savoir que tu peux me faire confiance. Si tu me fais confiance, tu peux me demander de te faire tout ce dont tu as envie. Il n'y a rien de mal à cela. La réciproque est vraie – j'ai besoin d'avoir confiance en toi pour me laisser aller à faire avec toi tout ce dont j'ai envie.

Quand il se pressait contre moi de cette façon-là, je n'arrivais plus à penser.

— Je ne suis pas soumise !

— Avec moi, tu l'es. Si tu y réfléchis, tu te rendras compte que tu as toujours rêvé de me rencontrer.

— Parce que tu es doué au lit ! Et que tu as plus d'expérience que moi. C'est pour ça que je te laisse me faire ce que tu veux. Je suis désolée de ne pas être à la hauteur, ajoutai-je d'une voix tremblante.

— Ne dis pas de bêtises, Eva. Tu sais que j'adore te faire l'amour. Que j'y consacrerais ma vie si je le pouvais. Et je ne parle pas des petits jeux qui m'excitent.

— De quoi parles-tu, alors ? Des petits jeux qui m'excitent moi ?

— Oui. C'est du moins ce que je pensais. Tu es fâchée, constata-t-il en fronçant les sourcils. Bon sang, je croyais que parler de cela nous aiderait.

— Gideon.

Les larmes me montèrent aux yeux ; je les laissai couler. Il avait l'air blessé et aussi perdu que moi.

— Tu me brises le cœur, articulai-je.

Il me lâcha les poignets, me souleva dans ses bras et sortit du bureau. Après avoir longé un couloir, il s'arrêta devant une porte close.

— Tourne la poignée, demanda-t-il calmement.

Nous entrâmes dans une pièce éclairée par des bougies où flottait une légère odeur de peinture. L'espace de quelques secondes, je fus désorientée. Comment avions-nous pu passer de l'appartement de Gideon à ma propre chambre ?

— Je ne comprends pas.

L'euphémisme du siècle. Mon esprit luttait contre l'impression que je venais d'être téléportée d'un appartement à l'autre.

— Tu... m'as fait emménager chez toi ?

— Pas tout à fait, répondit-il en me reposant sur le sol, son bras demeurant enroulé autour de ma taille. J'ai recréé ta chambre à partir des photos que j'ai prises pendant ton sommeil.

— Pourquoi ?

Qu'est-ce que ça voulait dire ? Qui faisait des trucs pareils ? Se donnait-il autant de mal pour m'empêcher d'être témoin de ses cauchemars ?

Cette idée me consterna. J'avais l'impression que Gideon et moi nous éloignions de plus en plus l'un de l'autre.

Ses doigts qui jouaient avec mes cheveux mouillés ne firent qu'accroître mon agitation. J'eus envie d'écarter sa main et de me réfugier à l'autre bout de la pièce. À l'autre bout de l'appartement.

— S'il te prend l'envie de t'enfuir, expliqua-t-il d'une voix douce, tu pourras venir ici et fermer la porte. Je te promets de ne pas te déranger. Tu auras un endroit où tu te sentiras en sécurité et je saurai que tu ne m'as pas abandonné.

Des milliers de questions et de spéculations tourbillonnaient dans ma tête, la seule qui parvint à émerger fut :

— Est-ce que nous allons quand même dormir dans le même lit ?

— Toutes les nuits, répondit-il en pressant les lèvres sur mon front. Comment peux-tu en douter ? Parlemoi, Eva. Dis-moi ce qui se passe dans ta jolie tête.

— Ce qui se passe dans ma tête ? répliquai-je. Et dans la tienne, Gideon ? Qu'est-ce que tu as fait durant ces quatre jours où nous avons rompu ?

Il se raidit.

— Nous n'avons jamais rompu, Eva.

La sonnerie du téléphone retentit dans la pièce voisine et je jurai intérieurement. Je voulais que nous discutions et je voulais qu'il s'en aille. En fait, je ne savais plus ce que je voulais.

— C'est notre dîner, m'apprit-il avant de quitter la pièce.

Je ne le suivis pas. J'étais trop perturbée pour manger. Je m'allongeai sur la réplique à l'identique de mon lit, serrai les bras autour d'un oreiller et fermai les yeux. Je n'entendis pas Gideon revenir, mais sentis sa présence dans mon dos quand il s'immobilisa près du lit.

— Je t'en prie, ne me laisse pas dîner seul, dit-il.

— Pourquoi ne m'ordonnes-tu pas de manger avec toi ?

Il soupira et s'allongea contre moi. Sa chaleur me fit du bien. Il garda le silence un long moment, se contentant de m'offrir le réconfort de sa présence. À moins qu'il ne tire du réconfort de la mienne.

— Eva.

Il fit courir ses doigts le long de mon bras.

— Je ne supporte pas de te savoir malheureuse. Parle-moi.

— Je ne sais pas quoi dire. Je croyais que nous avions atteint un stade où les choses allaient s'apaiser entre nous, murmurai-je en serrant l'oreiller plus fort.

— Ne te raidis pas, Eva. J'ai mal quand tu me tiens à distance.

C'était plutôt lui, me semblait-il, qui me tenait à distance. Je me retournai et le fis basculer sur le dos. Les pans de mon peignoir s'écartèrent quand je l'enfourchai. Je promenai les paumes sur son torse et frottai sans vergogne ma fente contre son sexe dur, dont je percevais le réseau de veines à travers la soie de son pantalon. Si j'en jugeai par son regard sombre et son souffle rapide, il avait senti la chaleur moite de mon entrejambe.

— C'est à ce point horrible pour toi de te retrouver en dessous ? demandai-je sans cesser d'ondoyer. Tu crois que tu ne me donnes pas ce que je veux quand c'est moi qui commande ?

Gideon posa les mains sur mes cuisses. Même ce simple geste avait quelque chose de dominateur. Je compris soudain ce qui avait changé en lui – il ne domptait plus sa volonté. La puissante énergie qui l'habitait m'atteignit de plein fouet, telle une onde de chaleur.

— Je te l'ai dit, Eva. Je te prendrai chaque fois que j'en aurai l'occasion.

— C'est ça, oui. Ne t'imagine surtout pas que je ne sens pas que tu domines même quand tu es en dessous de moi.

Il ne chercha pas à dissimuler son amusement.

Je m'inclinai pour agacer le disque plat de son téton du bout de la langue, puis me plaquai sur lui et glissai les mains sous ses fesses pour en pétrir la chair ferme et le presser contre moi. La fermeté de son érection contre mon ventre ranima le désir vorace que j'avais de lui.

— Tu as l'intention de me punir en me donnant du plaisir ? Parce que tu en as le pouvoir, Eva. Tu peux me mettre à genoux.

— J'aimerais bien, soupirai-je.

— Ne t'inquiète pas. Nous réussirons à dépasser ça comme tout le reste.

— Tu es tellement sûr d'avoir raison, répondis-je en plissant les yeux. Tu cherches à le prouver, n'est-ce pas ?

— Tu arriveras peut-être à prouver que c'est toi qui as raison, répliqua-t-il.

Une profonde émotion faisait briller son regard. Quel que soit l'état de notre relation, le lien qui nous unissait était très fort.

Et j'avais la ferme intention d'en faire la démonstration.

Gideon arqua le cou en gémissant quand j'entrepris d'explorer son torse de la bouche.

— Le pouvoir est sur le point de vous échapper, monsieur Cross.

Je m'assis à la table du dîner, encore étourdie par mon triomphe. Je l'avais bel et bien mis à genoux quelques instants plus tôt tandis que je prenais tout mon temps pour savourer son corps.

— Tu es insatiable, observa-t-il tranquillement.

— Disons que tu es très séduisant et très bien équipé.

— Ravi de te plaire. J'ajouterais que je suis extrêmement riche.

— Qui se soucie de ça ? rétorquai-je en désignant d'un geste désinvolte l'appartement qui devait coûter au bas mot cinquante millions de dollars.

— Moi, répondit-il en souriant.

— Ton argent ne m'intéresserait que si tu en avais assez pour arrêter de travailler et consacrer ton existence à te pavaner nu autour de moi pour assouvir mes désirs sexuels.

— Je pourrais me le permettre, financièrement parlant. Mais tu te lasserais de moi, tu me congédierais, et j'aurais tout perdu. Tu penses avoir prouvé que tu avais raison ? demanda-t-il avec un sourire amusé.

— Tu veux une nouvelle démonstration ?

— Que tu sois disposée à le faire prouve juste que c'est moi qui ai raison.

— Hmm. Tu prends tes désirs pour des réalités ? répliquai-je avant de boire une gorgée de vin.

Il se contenta de m'observer en mâchant le plus tendre des steaks qu'il m'ait été donné de goûter.

— Si notre vie sexuelle ne te satisfaisait plus, tu me le dirais ? risquai-je.

— Ne sois pas ridicule, Eva.

— Je suis sûre que le fait que je ne corresponde pas à ton type de femme habituel est un handicap. Et puis, nous n'avons pas utilisé ces sex-toys que tu as à l'hôtel...

— Tais-toi.

— Pardon ?

Gideon reposa ses couverts.

— Je n'ai pas envie de t'écouter te dénigrer de cette façon.

— Qu'est-ce que ça signifie ? Qu'il n'y a que toi qui aies le droit de parler ?

— Tu peux me faire une scène si ça te chante, Eva, mais ce n'est pas comme ça que tu obtiendras de moi que je te baise.

— Qu'est-ce qui te fait croire...

Je m'interrompis quand il me fusilla du regard. Il avait raison. J'avais encore envie de lui. Je le voulais sur moi, fou de désir, et qu'il contrôle à la fois son plaisir et le mien.

— Attends-moi ici, dit-il en quittant la table.

Il revint un instant plus tard, posa un petit écrin de cuir noir à côté de mon assiette et retourna s'asseoir. J'eus l'impression de recevoir un coup et une peur glaçante me saisit. Aussitôt remplacée par un désir ardent.

Mes mains se mirent à trembler. Je serrai les poings et réalisai alors que je tremblais de partout. Abasourdie, je levai les yeux vers Gideon.

Le contact de ses doigts sur ma joue apaisa mon anxiété, et me manqua affreusement dès qu'il cessa.

— Ce n'est pas une alliance, murmura-t-il tendrement. Pas encore. Tu n'es pas prête.

Un déclic se produisit en moi et un flot de soulagement me submergea. Il avait raison, je n'étais pas prête. Nous ne l'étions ni l'un ni l'autre. Mais si je m'étais demandé à quel point j'étais amoureuse de Gideon, je connaissais désormais la réponse.

— Ouvre-le, dit-il.

Je fis glisser l'écrin vers moi avec prudence et soulevai le couvercle.

Nichée sur un coussin de velours noir se trouvait une bague à nulle autre pareille. Elle était constituée de brins d'or évoquant des cordes entrelacées ornées de X sertis de diamants.

— Des liens, murmurai-je, retenus par des croix. Gideon *Cross*[1].

— Pas tout à fait. À mes yeux, les cordes représentent les nombreux fils dont est tissée ta personnalité, et non pas des liens. En revanche, oui, les croix, c'est moi qui m'accroche à toi. Désespérément, semble-t-il.

Il termina son verre et nous resservit tous deux.

Je demeurai immobile, abasourdie. Tout ce qu'il avait fait pendant notre séparation – les photos, la bague, le Dr Petersen, la reconstitution de ma chambre, la surveillance de mes déplacements – me disait mieux que des mots qu'il n'avait cessé de penser à moi. « Nous n'avons jamais rompu, Eva », m'avait-il déclaré. Je comprenais ce qu'il avait voulu dire, à présent.

— Tu m'as rendu mes clefs, murmurai-je, la douleur que j'avais ressentie en ouvrant l'enveloppe encore présente à mon esprit.

Sa main recouvrit la mienne.

— Je l'ai fait pour plusieurs raisons. Tu t'es enfuie en peignoir et en oubliant tes clefs, Eva. Je n'ose imaginer ce qui aurait pu se passer si Cary n'avait pas été là pour t'ouvrir la porte.

Je portai sa main à mes lèvres pour y déposer un baiser. Je refermai l'écrin.

— Elle est magnifique, Gideon. Merci. Je suis très touchée.

— Mais tu ne la porteras pas.

Ce n'était pas une question.

— Après la conversation que nous avons eue ce soir, j'aurais l'impression de porter un collier.

---

1. *Cross* est le terme anglais pour « croix ». *(N.d.T.)*

— Tu n'as pas entièrement tort, admit-il après une pause.

J'étais profondément troublée. J'avais beau ressentir la même chose vis-à-vis de lui, je ne comprenais pas pourquoi je lui étais aussi nécessaire. Rien qu'à New York, des milliers de femmes auraient pu me remplacer auprès de lui, alors que Gideon Cross était unique.

— J'ai l'impression de te décevoir, Gideon. Après tout ce dont nous avons parlé ce soir... j'ai le sentiment que c'est le début de la fin.

— Ça ne l'est pas, assura-t-il en me caressant la joue.

— Quand doit-on voir le Dr Petersen ?

— J'irai le voir seul le mardi. Si une thérapie de couple te convient toujours, nous irons le voir ensemble le jeudi.

— Deux heures par semaine, toutes les semaines, sans compter le trajet. C'est un engagement très lourd, conclus-je en repoussant une mèche de cheveux de sa joue. Merci, Gideon.

Il m'attrapa la main et déposa un baiser au creux de ma paume.

— Ce n'est pas un sacrifice, Eva.

Il regagna son bureau pour travailler un peu, et je me rendis dans sa chambre. Tandis que je me brossais les cheveux dans la salle de bains attenante, j'étudiai de nouveau la bague, que j'avais emportée avec moi.

Un désir latent vibrait en moi, à fleur de peau. Une excitation sexuelle persistante assez surprenante vu les satisfactions que m'avait apportées cette journée. En fait, il s'agissait surtout d'un besoin émotionnel d'être reliée à Gideon pour me rassurer, être certaine que tout allait bien.

Avant de me coucher, je posai l'écrin sur la table de chevet. Ce serait la première chose que je verrais en me réveillant après une bonne nuit de sommeil.

Avec un soupir, je drapai mon peignoir au pied du lit et me glissai entre les draps. Je me tournai et me retournai un long moment avant de trouver enfin le sommeil.

Je fus réveillée au milieu de la nuit par des halètements. Désorientée, je restai immobile, le temps de retrouver mes marques. Je me souvins soudain où j'étais et tendis l'oreille, craignant que Gideon soit en proie à un nouveau cauchemar. Mais il reposait tranquillement près de moi, la respiration profonde et régulière. Je me détendis.

À quelle heure s'était-il couché ? Après quatre jours passés loin l'un de l'autre, je trouvai inquiétant qu'il ait éprouvé le besoin d'être seul.

Je sus soudain ce qui m'avait réveillée. J'étais excitée. Violemment.

Mes seins étaient gonflés, leurs pointes dressées et dures. J'étais tout humide et palpitante entre les cuisses. Allongée dans la pénombre que baignait la clarté de la lune, je m'interrogeai : Avais-je fait un rêve érotique ? Ou la simple présence de Gideon à mes côtés avait-elle suffi à éveiller mes sens ?

Je me redressai sur les coudes et tournai la tête vers lui. Le drap ne le couvrait que jusqu'à la taille. Son bras droit était replié au-dessus de sa tête, le gauche reposait entre nous, poing fermé.

J'avais une conscience encore plus aiguë de la tension qui habitait mon corps, du fait que sa volonté hors norme exerçait sur moi un puissant attrait. Il ne pouvait exiger ma capitulation alors qu'il dormait, c'était impossible, et j'avais pourtant l'impression qu'il y parvenait, comme si une corde invisible me tirait vers lui.

La palpitation de mon entrejambe devint insupportable ; j'y pressai la main dans l'espoir de la faire cesser et obtins le résultat inverse.

Je rabattis le drap, m'assis au bord du lit. J'avais dans l'idée d'aller boire un verre de lait tiède accompagné d'un trait de cet armagnac que Gideon m'avait fait goûter dans son bureau. Je me figeai soudain, les yeux rivés sur l'écrin qu'un rayon de lune éclairait. Je songeai au bijou qu'il contenait et mon désir grimpa d'un cran. À cet instant, la pensée de Gideon me tenant en laisse m'apparaissait d'un érotisme torride.

« Parce que tu es surexcitée, c'est tout », me morigénai-je.

En thérapie, une fille avait un jour raconté de quelle façon son « maître » pouvait utiliser son corps comme et quand il souhaitait pour son seul plaisir. Je n'avais rien trouvé d'excitant à ça... jusqu'à ce que j'imagine Gideon dans le rôle du maître. J'aimais faire monter son désir. J'aimais le faire jouir. Et qu'il soit seul à jouir.

Mes doigts frôlèrent l'écrin. Je pris une inspiration tremblante, puis me décidai à l'ouvrir. L'instant d'après, je glissai l'anneau à l'annulaire de ma main droite.

— Tu l'aimes, Eva ?

La voix de Gideon, plus grave et plus suave que jamais, m'arracha un frisson. Il était réveillé. Il me regardait.

Depuis combien de temps ?

— Je l'aime.

Je t'aime.

Je me tournai vers lui et découvris qu'il était assis. Ses yeux brillaient d'une façon qui m'excita follement tout en me faisant peur. C'était un regard direct –

aussi direct que celui qui m'avait fait tomber à la renverse la première fois que nous nous étions rencontrés –, ardent et possessif. Son beau visage noyé d'ombres semblait dur, sa mâchoire crispée quand il porta ma main à ses lèvres pour embrasser la bague qu'il m'avait offerte.

Je m'agenouillai sur le lit, nouai les bras autour de son cou.

— Prends-moi. Fais-moi ce que tu veux. Tu as carte blanche.

Il referma les mains sur mes fesses et les pressa doucement.

— Qu'est-ce que tu ressens en prononçant ces mots à voix haute ?

— C'est presque aussi bon que les orgasmes que tu vas m'offrir.

— Ah, un défi !

Il agaça mes lèvres de la langue, me promettant un baiser qu'il retenait volontairement.

— Gideon !

— Allonge-toi sur le dos, mon ange, et accroche-toi des deux mains à ton oreiller. Ne le lâche sous aucun prétexte, ajouta-t-il. Compris ?

Je hochai la tête et lui obéis. J'étais si excitée que je crus que j'allais jouir sur-le-champ.

— Écarte les jambes et relève les genoux.

Mon souffle se bloqua dans ma gorge et mes seins se dressèrent. Gideon était furieusement sexy quand il assumait pleinement son rôle de dominateur. Pantelante, je tâchai d'imaginer ce qu'il avait en tête. Ma chair intime tremblait du désir d'être pénétrée.

— Eva, regarde dans quel état tu es, ronronna-t-il en glissant l'index le long de ma fente moite. C'est un travail à plein temps de satisfaire les besoins de cette petite chatte gourmande.

Mon sexe accueillit l'invasion de son doigt en se contractant. J'étais si près de la jouissance que j'en eus l'eau à la bouche. Gideon retira son doigt et le porta à sa bouche pour le lécher. Mes hanches se soulevèrent spontanément, mon corps entier tendu vers lui.

— C'est ta faute si j'ai à ce point envie de toi, haletai-je. Tu n'as rien fichu pendant des jours.

— Dans ce cas, je ferais bien de rattraper le temps perdu.

Il s'étendit à plat ventre, les épaules entre mes cuisses, et fit glisser la pointe de sa langue à l'orée de mon sexe. Encore et encore. Ignorant volontairement mon clitoris et mes supplications l'abjurant de me prendre.

— Gideon, je t'en supplie !

— Attends un peu, il faut que je te prépare.

— Je suis prête ! m'écriai-je. Je l'étais déjà avant que tu te réveilles.

— Tu aurais dû me réveiller plus tôt. Je prendrai toujours soin de toi, Eva. Je ne vis que pour cela.

Gémissante, je soulevai les hanches pour intensifier le contact avec sa langue. Il fit durer le supplice jusqu'à ce que je sois trempée de désir, jusqu'à ce que je n'aie plus aucune retenue. Alors seulement il grimpa sur moi, se positionna entre mes jambes, les avant-bras à plat sur le matelas.

Je balbutiai d'extase quand il s'enfonça en moi d'un violent coup de reins. Je ne désirais que cela depuis notre conversation dans son bureau, je n'avais pensé qu'à cela quand je m'étais servie de lui avant le dîner, et je sus que cela ne suffirait pas quand je sentis mon vagin se contracter.

— Ne jouis pas, me murmura-t-il à l'oreille tout en faisant rouler les pointes de mes seins entre ses doigts.

— Quoi ?

Il aurait suffi qu'il inspire à fond pour que je bascule dans l'abîme.

— Et ne lâche pas l'oreiller.

Il adopta un rythme d'une lenteur paresseuse.

— Tu vas avoir envie de le faire, chuchota-t-il. Tu adores me tirer les cheveux et me griffer le dos. Et quand tu es sur le point de jouir, tu me presses les fesses pour m'inciter à te posséder plus vigoureusement. Je bande encore plus quand tu fais ta tigresse, quand tu me montres à quel point tu aimes m'avoir en toi.

Le rythme de sa voix était calqué sur celui de ses va-et-vient.

— Tu triches, protestai-je, sachant qu'il me provoquait délibérément. Tu me tortures.

— Tout vient à point à qui sait attendre.

Sa langue suivit le pourtour de mon oreille avant de s'insinuer à l'intérieur à l'instant précis où il me pinçait les mamelons.

Je me cabrai sous l'assaut du plaisir. Gideon connaissait si bien mon corps, ses secrets et ses zones érogènes. Il usait de son sexe avec une habileté consommée, agaçant des zones sensibles, roulant des hanches pour en atteindre d'autres. Je me tordais d'extase et gémissais plaintivement, le souffle erratique.

Aucun homme avant lui n'avait été capable de me mener à l'orgasme uniquement en se mouvant en moi. Lui seul possédait ce talent.

— Ne jouis pas, répéta-t-il d'une voix enrouée. Fais durer.

— Je... je ne peux pas. C'est trop bon. Mon Dieu, Gideon... Je suis à toi, rien qu'à toi.

Des larmes coulèrent du coin de mes yeux. J'avais failli prononcer les mots fatals, lui dire que je l'aimais, mais je m'étais retenue, craignant de rompre le délicat équilibre que nous avions trouvé.

— Oh, Eva, souffla-t-il en frottant sa joue contre mon visage trempé de larmes. J'ai si ardemment et si souvent souhaité cet instant que tu n'avais aucune chance de m'échapper.

— Je t'en supplie, Gideon, va doucement.

Il leva la tête pour me regarder, et choisit cet instant pour me pincer de nouveau les mamelons, juste assez pour que je ressente une pointe de souffrance. Mes muscles intimes se contractèrent si violemment que la poussée suivante lui arracha un cri.

— Je t'en supplie, répétai-je, et je tâchai si fort de résister à l'orgasme qui enflait en moi que j'en tremblais. Je vais jouir si tu ne ralentis pas.

Il ne me quittait pas des yeux, son sexe s'enfonçant en moi à une cadence qui me faisait lentement mais sûrement perdre la tête.

— Tu ne veux pas jouir, Eva ? demanda-t-il de cette voix de velours qui aurait pu m'attirer en enfer le sourire aux lèvres. Je croyais que c'était ce que tu voulais...

Ses lèvres glissèrent le long de mon cou.

— Seulement quand tu me diras de le faire, articulai-je. Seulement... quand tu le diras.

— Mon ange, dit-il en écartant les mèches humides de sueur collées sur mon visage.

Il me gratifia d'un long baiser profond.

— Jouis pour moi, fit-il en accélérant le rythme de ses coups de reins. Jouis, Eva.

Sur son ordre, l'orgasme surgit, violent, brutal, bouleversant. Des vagues brûlantes se succédèrent, me tirant un son inarticulé avant que je ne crie son nom encore et encore, tandis que le va-et-vient de son sexe prolongeait l'orgasme avant d'en déclencher un autre.

— Touche-moi, ordonna-t-il. Serre-moi. Fort.

Enfin autorisée à lâcher l'oreiller, je le serrai étroitement, enroulai les jambes autour de sa taille. Il continuait de me pilonner sans relâche, la vigueur de ses poussées l'entraînant irrépressiblement vers la jouissance.

Il l'atteignit avec un cri féroce, la tête renversée en arrière. Je l'étreignis jusqu'à ce que nos souffles s'apaisent.

Il bascula sur le côté, mais ce ne fut que pour se plaquer contre mon dos en m'enlaçant.

— Dors, maintenant, chuchota-t-il.

Je ne me souviens pas d'avoir eu le temps de lui répondre.

18

Le lundi matin peut se révéler fabuleux quand il commence au côté de Gideon Cross. Dans le SUV, je m'appuyai contre lui et il laissa son bras pendre sur mon épaule afin d'entrelacer ses doigts aux miens.

Tandis qu'il jouait avec la bague qu'il m'avait offerte, j'allongeai les jambes et admirai les sandales à talons qu'il m'avait achetées en plus des quelques tenues qui me permettraient de me changer lorsque je passerais la nuit chez lui. Pour attaquer cette nouvelle semaine, j'avais choisi une robe noire moulante agrémentée d'une fine ceinture dont le bleu me rappelait la couleur de ses yeux. Il avait très bon goût, je devais l'admettre.

À moins qu'il n'ait chargé quelque jeune femme brune de sa connaissance de faire ces emplettes ?

Je m'empressai de chasser cette pensée déplaisante.

Dans les tiroirs de la salle de bains qu'il m'avait attribués, j'avais découvert les produits de beauté et le maquillage que j'utilisais habituellement. Je n'avais pas pris la peine de lui demander comment il connaissait des détails aussi personnels, car sa réponse m'aurait sans doute effrayée. En fait, j'avais décidé de voir là une preuve de sa prévenance. Il pensait vraiment à tout.

Je l'avais aidé à se préparer, et j'avais adoré cela. J'avais boutonné sa chemise, il en avait glissé les pans dans son pantalon. J'avais monté la fermeture Éclair de sa braguette, il avait noué sa cravate. Il avait enfilé son gilet impeccablement coupé et j'en avais caressé l'étoffe, stupéfaite de découvrir que l'habiller pouvait être aussi sexy que le déshabiller. C'était comme d'emballer un cadeau qui m'était destiné.

Le monde extérieur verrait l'emballage, mais j'étais la seule à savoir quel joyau d'homme il dissimulait. Ses sourires intimes, son rire, la douceur de ses caresses et la férocité de sa passion n'étaient réservés qu'à moi.

La Bentley cahota sur un nid-de-poule et Gideon me serra contre lui.

— Quels sont tes projets pour ce soir ?

— Je commence enfin les cours de krav maga, répondis-je, incapable de dissimuler mon excitation.

— Ah, oui, c'est vrai. Tu sais que je vais devoir te regarder faire tes exercices d'entraînement, ajouta-t-il avant de m'effleurer la tempe d'un baiser. Je bande rien que d'y penser.

— Il me semble que nous avons déjà établi que tout te faisait bander, répliquai-je en lui donnant un petit coup de coude.

— Tout ce qui te concerne, oui. Une chance pour nous que tu sois aussi insatiable. Tu m'enverras un texto quand ton cours sera fini et je te rejoindrai chez toi.

Je sortis mon téléphone de mon sac pour m'assurer qu'il était chargé et découvris un message de Cary. Je l'ouvris. Il s'agissait d'une vidéo accompagnée d'un SMS : *X sait-il que son frère est une ordure ? Méfie-toi de CV, baby girl. Bisous.*

Je lançai la vidéo, mais il me fallut un moment pour comprendre ce qui se déroulait sous mes yeux.

— Qu'est-ce que c'est ? s'enquit Gideon.

Il se raidit soudain et je compris qu'il regardait par-dessus mon épaule.

Cary avait pris cette vidéo à la garden-party des Vidal. Les haies taillées qu'on apercevait à l'arrière-plan indiquaient qu'il se trouvait dans le labyrinthe d'où nous l'avions vu émerger, et les feuilles encadrant l'écran révélaient qu'il s'était caché pour capturer ces images. On voyait tout d'abord un couple passionnément enlacé. Le visage de la femme était ruisselant de larmes. Des paroles hachées franchissaient ses lèvres que l'homme embrassait tout en cherchant à l'apaiser par ses caresses.

Ils parlaient de moi et de Gideon, disaient que je me servais de mon corps pour mettre la main sur ses millions.

— Ne t'en fais pas, assurait Christopher à une Magdalene défaite. Tu sais que Gideon se lasse vite.

— Il est différent avec elle. Je… je crois qu'il l'aime.

— Ce n'est pas son genre de fille, répondait Christopher avant de l'embrasser sur le front.

Je sentis les doigts de Gideon se crisper.

L'attitude de Magdalene changeait progressivement. Son cou ployait sous les caresses de Christopher, sa voix s'adoucissait, sa bouche cherchait ses baisers. Visiblement, Christopher connaissait très bien le corps de Magdalene, il savait quelles caresses lui plaisaient et les dosait savamment. Quand elle répondit à son habile numéro de séduction, il souleva sa robe et la posséda. Son regard de triomphe méprisant tandis qu'il la besognait jusqu'à ce qu'elle s'affaisse contre lui ne laissait aucune place au doute : il profitait d'elle.

Je ne reconnaissais pas le Christopher qui apparaissait à l'écran. Son visage, sa posture, sa voix... j'avais l'impression de voir quelqu'un d'autre.

Je fus soulagée quand la batterie de mon téléphone rendit l'âme et que l'écran s'éteignit brusquement. Gideon m'entoura de ses bras.

— Berk, murmurai-je en me blottissant contre lui. Quel type répugnant ! J'ai de la peine pour elle.

Gideon poussa un soupir.

— Tu viens de voir le vrai visage de Christopher.

— Quelle ordure ! Cette expression satisfaite sur son visage... Brrr, conclus-je en frissonnant.

— Je ne pensais pas qu'il s'en prendrait à Magdalene. Nos mères se connaissent depuis des années. J'ai tendance à oublier à quel point il me hait.

— Pourquoi te hait-il autant ?

Je me demandai fugitivement si les cauchemars de Gideon étaient liés à Christopher, mais chassai aussitôt cette idée. Gideon avait plusieurs années de plus que son demi-frère et il était plus solidement bâti. Il l'aurait envoyé paître sans problème.

— Il pense que j'ai concentré toute l'attention sur moi quand nous étions plus jeunes parce qu'on s'inquiétait de la façon dont j'encaissais le suicide de mon père. Depuis, il cherche à accaparer tout ce qui m'appartient.

Je me tournai vers lui et glissai les mains sous sa veste pour me rapprocher de lui. Quelque chose dans sa voix m'avait troublée. Il m'avait dit que la maison de ses parents hantait ses cauchemars et j'avais constaté qu'il était extrêmement distant avec sa famille.

Il n'avait jamais été aimé. C'était aussi simple – et aussi compliqué – que cela.

— Gideon ?

— Hmm ?

Je levai les yeux vers lui et fis courir mon index sur sa joue.

— Je t'aime.

Il pâlit.

— Il ne faut pas que ça t'effraie, m'empressai-je d'ajouter, détournant les yeux pour qu'il n'ait pas la sensation que mon regard pesait sur lui. Je n'exige rien de toi en retour. Je te l'ai dit parce que je ne voulais pas qu'une minute de plus s'écoule sans que tu saches ce que je ressens pour toi.

L'une de ses mains agrippa ma nuque tandis que l'autre se refermait presque douloureusement sur ma taille. Gideon me maintint ainsi, immobile, serrée contre lui comme s'il craignait que je ne lui échappe. Il respirait très fort et son cœur cognait furieusement. Il n'ouvrit pas la bouche durant le reste du trajet, mais ne me lâcha pas non plus.

J'avais l'intention de le lui redire un jour, mais pour une première fois, je trouvai que nous nous en étions bien tirés tous les deux.

À 10 heures pile, je fis livrer deux douzaines de roses rouges au bureau de Gideon accompagnées du message suivant :

En souvenir d'une robe rouge,
d'un trajet en limousine.

Dix minutes plus tard, un coursier de l'immeuble me remettait une enveloppe contenant la réponse de Gideon.

Il faudra recommencer. Le plus tôt possible.

À 11 heures, je fis livrer un arrangement de lys noirs et blancs à son bureau, avec le message suivant :

En hommage aux robes de cocktail noires et blanches, et aux bibliothèques où elles vous entraînent...

Dix minutes plus tard, je reçus sa réponse.

Attends un peu que je t'entraîne dans mon bureau...

À midi, j'allai faire des courses. J'entrai dans six bijouteries avant de trouver une bague qui me parut parfaite. Un anneau de platine serti de diamants noir. Une bague à l'esthétique sobre qui dégageait une impression de puissance digne d'un maître du bondage. Audacieuse et masculine. Elle coûtait les yeux de la tête et je dus l'acheter à crédit, mais j'estimai que cela en valait la peine.

J'appelai Scott et lui demandai de m'arranger une entrevue d'un quart d'heure avec Gideon dans le courant de la journée. Comme je le remerciais de son aide, il me répondit :

— Il n'y a vraiment pas de quoi. C'était un plaisir de le regarder lorsqu'il a reçu vos fleurs. Je ne crois pas l'avoir jamais vu sourire ainsi.

Une bouffée d'amour me submergea. J'avais envie de rendre Gideon heureux.

Je me remis au travail le sourire aux lèvres, et à 14 heures, je fis livrer à Gideon un bouquet de lys tigrés, suivi d'un pli par coursier.

En remerciement de ce safari sexuel.

Sa réponse ne se fit guère attendre.

Sèche le krav maga. Je me charge de te donner de l'exercice.

Sur le coup de 15 h 40, cinq minutes avant notre entrevue, je fus saisie d'un trac épouvantable. J'avais les jambes flageolantes lorsque je pris l'ascenseur, et je me rongeais les sangs. Mon cadeau allait-il plaire à Gideon ? Après tout, il ne portait aucune bague...

Était-ce présomptueux de ma part de souhaiter qu'il en porte une sous prétexte que moi, j'en avais une ?

La réceptionniste rousse m'ouvrit la porte sans hésiter et, quand Scott m'aperçut, il se leva pour m'accueillir. Il m'ouvrit la porte du bureau de Gideon et la referma derrière moi.

Je notai d'emblée le délicieux parfum qui flottait dans l'air et la façon dont les fleurs égayaient le bureau austère.

Gideon leva les yeux de son écran et haussa les sourcils.

— Eva, dit-il en se levant vivement. Quelque chose ne va pas ?

— Non, tout va bien, répondis-je en le rejoignant. Je passe juste parce que... j'ai quelque chose pour toi.

— Encore ? Aurais-je oublié une date importante ?

Je posai l'écrin au centre de son bureau, puis me détournai, affreusement gênée. Je doutais de plus en plus de la sagesse de mon élan spontané. Ce cadeau m'apparaissait soudain comme une très mauvaise idée.

Comme si je n'en avais pas déjà assez fait en lui avouant mon amour. Il devait déjà sentir la chaîne et le boulet ralentir sa fuite, et le nœud de la corde se resserrer autour de son cou...

J'entendis le couvercle de l'écrin s'ouvrir et Gideon s'exclama :

— *Eva !*

Sa voix était sourde, menaçante. Je me retournai avec précaution et la sévérité de son regard me fit tressaillir.

— J'en fais trop ? demandai-je d'une voix enrouée.

— Oui, répondit-il en posant l'écrin avant de contourner le bureau. Beaucoup trop. Je ne tiens pas en place, je ne parviens pas à me concentrer. Je n'arrive pas à te chasser de mes pensées. Je suis survolté, et ça ne m'arrive jamais quand je suis au bureau. Je suis trop occupé. Mais tu m'assièges.

Je savais mieux que quiconque combien son travail l'accaparait, pourtant je ne m'en étais pas inquiétée quand l'envie de le surprendre – encore et encore – m'avait saisie.

— Je suis désolée, Gideon. Je n'ai pas réfléchi.

— Ne t'excuse surtout pas, dit-il en s'approchant tout près de moi. C'est le plus beau jour de ma vie.

— C'est vrai ? répondis-je en le regardant passer l'anneau à son doigt. J'avais envie de te faire plaisir. Il te va ? J'ai estimé la taille au jugé...

— Il est parfait. Tu es parfaite.

Il s'empara de ma main pour embrasser ma bague ; je l'imitai.

— Si tu savais ce que je ressens pour toi, Eva... c'est douloureux.

— Comment ça ? demandai-je, mon inquiétude ressurgissant d'un coup.

— Merveilleusement douloureux.

Il prit mon visage entre ses mains pour m'embrasser avec passion. J'avais envie de plus qu'un baiser, mais je me retins, estimant que j'avais déjà assez empiété sur son temps. En outre, ma visite l'avait tellement surpris qu'il n'avait pas givré la paroi de verre pour nous garantir un minimum d'intimité.

— Redis-moi ce que tu m'as dit dans la voiture, murmura-t-il.

— Hmm... je ne sais pas.

J'avais peur de lui répéter que je l'aimais. Je n'étais pas sûre qu'il ait bien compris ce que cela signifiait pour nous. Pour lui.

— Tu sais que tu es effroyablement beau ? Chaque fois que je te vois, j'en ai le souffle coupé.

— Tu regrettes ce que tu m'as dit, n'est-ce pas ? Les fleurs, la bague...

— Elle te plaît vraiment ? coupai-je en scrutant anxieusement son visage. Je ne veux pas que tu la portes si tu la détestes.

Du bout des doigts, il suivit le contour de mon oreille.

— Elle est parfaite. Elle est le reflet de ce que tu vois en moi. Je serai fier de la porter. Si tu essaies d'adoucir le coup que tu vas me porter en revenant sur ce que tu m'as dit... enchaîna-t-il, son regard trahissant une surprenante anxiété.

— Je ne reviendrai pas dessus, Gideon. J'étais sincère.

— Je saurai te le faire redire, menaça-t-il tendrement. Te le faire crier, même.

Je souris et reculai.

— Remets-toi au travail, démon.

— Je te déposerai chez toi à 17 heures. Tu enlèveras ta culotte avant de me rejoindre dans la voiture. Je t'autorise à te toucher pour te préparer à me recevoir, mais je t'interdis de jouir, sinon je sévirai.

Je sévirai. Un petit frisson me traversa, mais il était porteur d'un degré de frayeur tolérable. J'avais confiance en Gideon pour savoir jusqu'où il pouvait aller avec moi.

— Et toi ? répondis-je. Tu seras prêt pour moi ?

— Ça m'arrive de ne pas l'être en ta présence ? répondit-il avec un sourire malicieux. Merci pour cette journée, Eva. Pour chaque minute.

Je lui soufflai un baiser et vis le désir assombrir son regard. Un regard qui m'accompagna jusqu'à la fin de la journée.

J'arrivai chez moi à 18 heures passées, échevelée après mes ébats sur la banquette arrière de la Bentley. Je savais à quoi m'attendre en allant retrouver Gideon, et je n'avais pas été surprise quand il m'avait attirée à l'intérieur du véhicule pour me faire la démonstration de ses prodigieux talents buccaux avant de me pilonner avec un vigoureux enthousiasme.

Je me félicitais d'avoir toujours entretenu ma forme physique, sans quoi l'appétit sexuel et l'endurance de Gideon m'auraient épuisée. Non pas que je m'en plaigne.

Quand je m'engouffrai dans le hall de mon immeuble, Clancy m'y attendait déjà. S'il remarqua ma robe froissée, mes joues rouges et mes cheveux emmêlés, il n'en laissa rien paraître. Je montai me changer en vitesse et nous prîmes la direction de la salle d'entraînement de Parker. J'espérais qu'il ne m'en demanderait pas trop dès le premier jour, car après deux orgasmes fulgurants, j'avais les jambes en coton.

Le temps que nous arrivâmes à l'entrepôt, j'étais impatiente de me mettre au travail. Une dizaine d'élèves s'entraînaient sous le regard de Parker qui dispensait conseils et encouragements. Il vint à ma rencontre et m'emmena à l'écart pour que nous puissions nous exercer ensemble.

— Alors... comment va la vie ? demandai-je, histoire de briser la tension qui m'habitait.

— Nerveuse ? s'enquit-il avec un sourire en coin.

— Un peu, avouai-je.

— Bon, on va commencer par tester ta force physique, ton endurance et ta vigilance. Je vais aussi t'apprendre à ne pas t'immobiliser ni à hésiter en cas d'attaque inattendue.

Après l'échauffement, Parker me démontra que je pouvais améliorer ma forme physique et mon endurance en m'initiant au « tagging », un exercice qui consistait à se placer face à face et à toucher les genoux et les épaules de son partenaire tout en l'empêchant d'en faire autant.

Parker se révéla bien sûr très doué à ce petit jeu, mais j'y pris beaucoup de plaisir. Le plus éprouvant fut la lutte au sol, car je ne savais que trop bien combien il est humiliant de se retrouver en position d'infériorité.

Si Parker remarqua la véhémence que je mettais à me défendre, il s'abstint de tout commentaire.

Quand Gideon arriva chez moi un peu plus tard dans la soirée, il me trouva en train d'apaiser mes douleurs dans la baignoire. Il sortait visiblement de la douche après son entraînement avec son coach, mais il se déshabilla pour me rejoindre Après s'être glissé derrière moi, il m'enveloppa de ses bras et de ses jambes. Je gémis quand il me berça.

— C'est bon, hein ? me taquina-t-il en me mordillant le lobe de l'oreille.

— Je n'aurais jamais cru que faire des galipettes pendant une heure avec un super mec puisse être aussi épuisant.

Cary avait dit vrai au sujet du krav maga. Des bleus commençaient déjà d'affleurer sous ma peau alors que nous n'avions abordé que les techniques de défense.

— Je pourrais être jaloux, si je ne savais pas que Parker Smith est marié et père de famille, répondit Gideon en me pressant les seins.

— Tu t'es aussi renseigné sur sa pointure et la taille de ses chapeaux ? grommelai-je.

— Pas encore, répondit-il en riant de mon grommellement exaspéré.

Il riait si rarement que je ne pus réprimer un sourire.

Il faudrait qu'on discute un jour de ce besoin obsessionnel qu'il avait de se renseigner sur tout et tout le monde, mais pas ce soir. Nous nous étions assez chamaillés ces derniers temps. À la place, je lui racontai que les collègues de mon père le taquinaient parce que sa fille sortait avec le fameux Gideon Cross.

— Je suis désolé, soupira-t-il.

— Ce n'est pas ta faute si tu es célèbre, répliquai-je en me tournant vers lui. Tu ne peux pas t'empêcher d'être incroyablement séduisant.

— Je me demande parfois si ce n'est pas une malédiction d'avoir la tête que j'ai.

— Si mon avis vaut quelque chose, sache que ta tête me plaît beaucoup.

— Ton avis est le seul qui importe, assura-t-il en déposant un baiser sur ma joue. Celui de ton père aussi, bien sûr. J'aimerais qu'il m'apprécie, Eva. Et qu'il ne pense pas qu'à cause de moi, la vie privée de sa fille est menacée.

— Je suis sûre qu'il t'appréciera. Tout ce qu'il souhaite, c'est que je sois heureuse et en sécurité.

Il se détendit et resserra son étreinte.

— Tu es heureuse avec moi ? demanda-t-il.

— Oui, répondis-je en appuyant la joue contre son torse, là où battait son cœur. J'adore être avec toi. Quand on est séparés, je ne pense qu'à te retrouver.

— Tu m'as dit que tu ne voulais plus qu'on se dispute, murmura-t-il. Ça m'a taraudé. Tu ne commences pas à en avoir marre que j'accumule les erreurs ?

— Tu n'accumules pas les erreurs, Gideon. Et j'ai fait quelques belles bourdes de mon côté, je te signale. Ce n'est pas facile de former un couple. Et tous les couples ne s'entendent pas aussi bien que nous sur le plan sexuel. Je nous classe dans la catégorie des chanceux.

Il prit de l'eau dans ses mains en coupe et la fit couler sur mon dos, encore et encore. Cette sinueuse caresse liquide m'apaisa.

— Je ne me souviens pas vraiment de mon père, dit-il à brûle-pourpoint.

— Ah bon ?

Je m'efforçais de ne pas me raidir pour ne pas trahir ma surprise. Ni mon envie désespérée d'en apprendre davantage sur lui. C'était la première fois qu'il parlait de sa famille et je ne voulais pas le presser de questions s'il n'était pas prêt à y répondre.

Son torse se souleva et il poussa un long soupir. Quelque chose dans ce soupir m'incita à lever la tête et à oublier mes bonnes résolutions.

Je fis courir ma main sur ses pectoraux.

— Tu as envie de parler du peu dont tu te souviens ? risquai-je.

— Il ne me reste que des impressions. Il n'était pas souvent là. Il travaillait beaucoup. Je tiens de lui, je suppose.

— Vous êtes peut-être des bourreaux de travail tous les deux, mais la ressemblance s'arrête là.

— Qu'est-ce que tu en sais ? répliqua-t-il d'un ton de défi.

— Je suis désolée, Gideon, dis-je en écartant ses cheveux de son front, mais ton père était un escroc qui a choisi la solution de facilité quand il s'est senti acculé. Sur ce point, tu ne lui ressembles absolument pas.

— C'est vrai, admit-il, pensif. Mais je crois qu'il n'a jamais su tisser des liens avec les autres, qu'il n'a jamais pensé qu'à satisfaire ses besoins immédiats.

— Et tu penses que cette description te correspond ?

— Je ne sais pas, avoua-t-il.

— Eh bien, moi, je sais qu'elle ne te correspond pas, déclarai-je avant de planter un baiser sur le bout de son nez. Tu es quelqu'un de responsable.

— J'ai intérêt à l'être, dit-il en me serrant dans ses bras. Je n'ose pas t'imaginer avec quelqu'un d'autre, Eva. Si je m'y risque, ça m'inspire de très mauvaises pensées.

— Ça n'arrivera pas, Gideon.

Je comprenais ce qu'il ressentait. Je n'osais pas davantage l'imaginer avec une autre femme.

— Tu as changé ma vie. Je ne supporterais pas de te perdre.

— Moi non plus, soufflai-je en l'étreignant à mon tour.

Il s'empara de ma bouche avec voracité et il devint bientôt évident que nous allions mettre de l'eau partout.

— Avant toute chose, j'ai besoin de manger, déclarai-je en m'écartant de lui. Tu es un vrai démon !

— Dit la diablesse en frottant son corps nu contre celui du démon, continua-t-il d'observer avec un sourire narquois.

— Nous allons commander de la nourriture chinoise et manger à même la boîte avec des baguettes, décrétai-je.

— Nous allons commander de la bonne nourriture chinoise et faire comme tu dis, rectifia-t-il.

19

Cary se joignit à nous pour déguster d'excellents plats chinois accompagnés de vin de prune devant la télé. Tandis que nous passions d'une chaîne à l'autre en nous esclaffant devant les titres ridicules de certains reality shows, je constatai avec bonheur que Cary et Gideon appréciaient de se détendre et de rire ensemble. Ils s'entendaient très bien, plaisantant et se lançant des piques comme seuls les hommes savent le faire. Je ne connaissais pas encore cette facette de Gideon et elle me plut beaucoup.

J'avais accaparé la moitié du canapé d'angle et les deux garçons étaient assis en tailleur devant la table basse. Tous deux portaient un bas de jogging et un tee-shirt moulant et le spectacle qu'ils offraient était loin d'être déplaisant.

Cary fit théâtralement craquer les jointures de ses doigts avant d'ouvrir son biscuit porte-bonheur.

— Voyons voir... Serai-je riche ? Célèbre ? Vais-je rencontrer un grand brun mystérieux ou une grande brune mystérieuse ? Ou faire un long voyage ? Qu'est-ce que vous avez eu comme prédiction, vous ?

— La mienne est lamentable, répondis-je. *La vérité finit toujours par éclater.* Ça, je le savais déjà !

340

— *La prospérité frappera bientôt à votre porte,* lut Gideon à voix haute.

Je ricanai franchement.

— Tu as piqué le biscuit qui m'était destiné, Cross, s'insurgea Cary avant d'ouvrir le sien. Qu'est-ce que c'est que ce délire ? s'exclama-t-il en fronçant les sourcils.

— Qu'est-ce qui est écrit ? demandai-je.

— Confucius a dit, improvisa Gideon : *Celui qui s'endort avec le cul qui gratte se réveille avec les doigts qui puent.*

Cary lui lança une moitié de son biscuit et Gideon le rattrapa au vol.

— Fais voir, dis-je en prenant la prédiction des mains de Cary.

Je la lus et éclatai de rire.

— Ce n'est pas drôle, Eva.

— Alors ? demanda Gideon.

— *Prenez un autre biscuit.*

— Mis à l'amende par un biscuit, sourit Gideon.

Cary lui lança l'autre moitié de son biscuit.

La scène me rappela certaines soirées que j'avais passées avec Cary à l'époque de la fac, et j'essayai de me représenter Gideon quand il était étudiant. J'avais lu qu'il avait fait ses études à l'université de Columbia avant de se consacrer à ses affaires.

Était-il populaire et du genre fêtard ? Il faisait toujours preuve d'une telle retenue que j'avais du mal à l'imaginer se lâchant complètement, c'était pourtant ce qu'il faisait avec Cary et moi.

Il me jeta un coup d'œil, toujours souriant, mon cœur fit un double salto. Il paraissait son âge pour une fois, jeune, très beau et tout à fait normal. En cet instant, nous formions un couple semblable à des milliers d'autres. Un couple ordinaire qui passe la soirée à la maison avec un colocataire et la télécommande. On sortait ensemble. Il était charmant, pas du tout compliqué, et je trouvai l'illusion... poignante.

La sonnerie de l'interphone retentit et Cary se leva pour aller répondre.

— C'est peut-être Trey, me dit-il avec un sourire.

Je levai la main et croisai les doigts.

Mais quand Cary ouvrit la porte, ce fut la grande blonde toute en jambes que j'avais croisée dans le hall qui entra.

— Salut, dit-elle en promenant les yeux sur ce qui restait de notre dîner.

Elle enveloppa Gideon d'un regard appréciateur quand il se redressa souplement pour la saluer, me gratifia d'une petite moue dédaigneuse, puis se fendit d'un sourire de top model aguerri en lui tendant la main.

— Tatiana Cherlin, annonça-t-elle.

— L'ami d'Eva, répondit-il en lui serrant la main.

Cette présentation me fit hausser les sourcils. Voulait-il préserver son anonymat ? Ou lui signifier qu'il n'était pas libre ? Quoi qu'il en soit, sa réponse m'avait plu.

Cary réapparut avec une bouteille de vin et deux verres.

— Tu viens ? dit-il à la blonde en lui indiquant le couloir.

Tatiana nous adressa un petit salut de la main et s'y engagea.

— Qu'est-ce que tu fous ? articulai-je silencieusement à l'intention de Cary quand elle eut le dos tourné.

— Je prends un autre biscuit, me répondit-il à voix haute avec un clin d'œil.

Gideon et moi décidâmes d'aller nous coucher peu après.

— Tu avais aussi une garçonnière quand tu étais étudiant ? risquai-je alors que nous nous déshabillions.

— Pardon ? répondit-il, sa tête émergeant de son tee-shirt.

— Une garçonnière. Comme ta chambre d'hôtel. Je me demandais si tu étais déjà aussi organisé à l'époque.

— J'ai eu autant de rapports sexuels depuis que je te connais qu'au cours de ces deux dernières années, répondit-il.

— Je ne te crois pas.

— Entre le travail et le sport, je n'ai pas vraiment le temps de me soucier de ma vie sexuelle. Il est arrivé qu'on me fasse des propositions que je n'ai pas refusées, autrement je me contentais de tirer un coup jusqu'à ce que je te rencontre.

— Tu te moques de moi, répliquai-je, incrédule.

Il me lança un coup d'œil avant de passer dans la salle de bains.

— Si tu continues à mettre ma parole en doute, Eva, il ne faudra pas te plaindre de ce qui t'arrivera.

Je lui emboîtai le pas et ne me privai pas de lorgner ses fesses.

— Quoi ? demandai-je. Tu as l'intention de me prouver que tu peux tirer un coup en me baisant encore ?

— Il faut être deux pour ça, Eva, dit-il en sortant une brosse à dents neuve de sa trousse de toilette. Tu as pris l'initiative autant que moi. Tu en as envie autant que moi.

— C'est vrai. Mais je...

— Mais tu *quoi* ? coupa-t-il en ouvrant un tiroir.

Il fronça les sourcils quand il découvrit qu'il était plein.

— Sous l'autre lavabo, indiquai-je.

Il lui semblait aller de soi qu'il aurait son tiroir chez moi, et sa réaction en ne le trouvant pas me fit sourire.

— Mais tu *quoi* ? répéta-t-il en ouvrant ledit tiroir pour y ranger ses affaires de toilette.

— Tout à l'heure, j'essayais de t'imaginer étudiant. Je crois que si je t'avais connu à l'époque, je me serais inscrite aux mêmes cours que toi rien que pour avoir le plaisir de t'observer et de rêver pendant les cours aux moyens de me glisser dans ton lit.

— Obsédée sexuelle, va. Tu sais aussi bien que moi ce qui se serait passé dès que je t'aurais vue.

Je me brossai les dents, les cheveux, et revins à la charge.

— Donc... est-ce que tu avais une garçonnière à l'époque, même si tu t'en servais rarement ?

Il captura mon regard dans le miroir.

— Non, je n'ai jamais utilisé que la chambre d'hôtel que tu connais.

— Tu n'as jamais fait l'amour ailleurs que dans cette chambre avant de me connaître ? demandai-je, éberluée.

— C'est le seul endroit où j'ai eu des rapports sexuels consentis avant de te connaître, admit-il calmement avant de se détourner.

Je m'approchai, lui entourai la taille de mes bras et frottai la joue contre son dos.

Il se retourna, me rendit mon étreinte, et nous allâmes nous coucher.

Je me blottis contre lui, le visage au creux de son épaule, et humai son odeur. J'aimais le contact de son corps, dur, viril, et pourtant si délicieusement chaud et agréable. Il me suffisait de penser à lui pour avoir envie de lui.

Je passai la jambe par-dessus ses hanches et l'enfourchai. Je ne pouvais pas le voir dans l'obscurité, mais je n'en avais pas besoin. J'avais beau adorer son visage, c'était sa façon de me toucher et de me parler – comme si personne au monde ne lui importait davantage que moi – qui m'allait droit au cœur.

— Gideon.

Je n'eus pas besoin d'en dire plus.

Il se redressa, m'enveloppa de ses bras et m'embrassa avec fougue. Puis il me renversa sur le dos et me fit l'amour avec une tendresse possessive qui me bouleversa jusqu'au tréfonds.

Je me réveillai en sursaut. Un poids m'écrasait et une voix rauque me chuchotait à l'oreille des mots affreux. La panique me saisit, me coupant le souffle.

Non ! Non... je t'en supplie...

La main de Nathan me couvrait la bouche et il m'écartait les jambes de force. Le truc dur entre ses cuisses tentait maladroitement d'entrer en moi. Mon hurlement fut étouffé par sa main, et je me révulsai intérieurement, le cœur battant si fort que je crus qu'il allait exploser. Nathan était si lourd. Si lourd et si fort. Je n'arrivais pas à le repousser, à me dégager de sous son corps.

Arrête ! Ne me touche pas. Ô mon Dieu, non... ne me fais pas ça... Ne recommence pas.

Où était maman ? *Maman !*

Je criai, mais la main de Nathan était toujours sur ma bouche ; il appuyait si fort que ma tête s'enfonçait dans l'oreiller. Plus je me débattais, plus cela l'excitait. Haletant comme un chien, il s'efforçait de me pénétrer...

— Tu vas voir ce que ça fait.

Je me figeai. Je connaissais cette voix. Ce n'était pas celle de Nathan.

Je ne rêvais pas, et pourtant je nageais en plein cauchemar.

Mon Dieu, non ! J'écarquillai les yeux dans l'obscurité. Le sang me rugissait aux oreilles. Je n'entendais plus rien.

Mais je reconnaissais l'odeur de sa peau. Je reconnaissais sa façon de me toucher, si cruelle soit-elle. Je reconnaissais son corps sur le mien, alors même qu'il tentait de me violer.

C'était le sexe en érection de Gideon qui se pressait entre mes cuisses.

Affolée, je rassemblai mes forces et me cabrai.

Sa main glissa de mon visage et je poussai un hurlement.

— Ce n'est pas aussi propre et net quand on est celui qui se fait baiser.

— Crossfire, articulai-je.

Un éclair de lumière en provenance du couloir m'éblouit et le corps de Gideon cessa de peser sur moi. Je roulai sur le flanc en sanglotant et vis à travers mes larmes Cary projeter Gideon à travers la pièce. Ce dernier heurta le mur.

— Eva ! Ça va ? demanda Cary en allumant en hâte la lampe de chevet.

Il lâcha un juron en me découvrant recroquevillée en position fœtale et tremblant de tous mes membres.

Gideon remua et Cary se rua sur lui.

— Bouge un seul putain de muscle avant l'arrivée des flics et je te réduis en bouillie ! gronda-t-il.

La gorge nouée, je me redressai en position assise. Mon regard se riva à celui de Gideon et je vis dans ses yeux le brouillard du sommeil se dissiper, cédant la place à l'horreur.

— Il dormait, parvins-je à articuler en attrapant le bras que Cary tendait vers le téléphone. Il... dormait.

Cary regarda Gideon, qui gisait nu sur le sol tel un animal blessé, et son bras retomba le long de son corps.

— Seigneur, souffla-t-il. Et dire que je me croyais atteint.

Je glissai hors du lit, les jambes tremblantes, encore en proie à un reste de terreur. Mes genoux se dérobèrent sous moi et Cary me rattrapa, puis s'accroupit avec moi sur le sol et me serra dans ses bras tandis que je fondais en larmes.

— Je vais dormir sur le canapé, décréta Cary en s'adossant au mur du couloir.

La porte de ma chambre était ouverte derrière moi et Gideon était à l'intérieur, le visage blême, le regard hanté.

— Je vais aussi installer des couvertures et des oreillers pour lui. Il ne peut pas rentrer chez lui dans cet état.

— Merci, Cary, murmurai-je, les bras étroitement croisés. Tatiana est toujours là ?

— Sûrement pas ! On ne se voit que pour tirer un coup.

— Et Trey dans tout ça ? demandai-je.

— Trey, je l'aime. Je crois que c'est la meilleure personne que j'aie jamais rencontrée, toi mise à part, déclara-t-il avant de se pencher pour m'embrasser sur le front. Et ce qu'il ignore ne peut pas lui faire de mal. Arrête de t'inquiéter pour moi et prends soin de toi.

— Je ne sais pas quoi faire, avouai-je en levant vers lui des yeux baignés de larmes.

Cary soupira et son regard se fit grave.

— Je crois qu'il faut que tu décides si tu es prête à t'embarquer dans cette histoire, baby girl. Certaines personnes sont irrécupérables. Regarde-moi : j'ai rencontré l'homme de ma vie et je tire une pétasse que je trouve odieuse.

— Cary... soufflai-je en posant la main sur son épaule.

Il l'attrapa, la serra fort.

— Je suis là si tu as besoin de moi.

Quand je retournai dans la chambre, Gideon bouclait son sac. Il leva les yeux vers moi, et la peur me mordit les entrailles. Ce n'était pas pour moi que j'avais peur, mais pour lui. Je n'avais jamais vu chez quelqu'un une expression aussi désépérée. Il semblait anéanti. Son regard était comme un puits sans fond. Il n'y avait plus aucune vie en lui. Son visage était cireux et creusé d'ombres.

— Qu'est-ce que tu fais ? murmurai-je.

Il recula, comme s'il souhaitait mettre le plus de distance possible entre nous.

— Je ne peux pas rester.

Le soulagement qui m'envahit à l'idée de me retrouver seule m'alarma.

— On était d'accord... pour ne pas chercher à fuir.

— C'était avant que je t'agresse ! répliqua-t-il dans un sursaut d'énergie – le premier depuis une heure.

— Tu n'étais pas conscient.

— Tu ne seras plus jamais une victime, Eva. Mon Dieu... ce que j'ai failli te faire...

Il me tourna le dos, et la façon dont ses épaules se voûtèrent m'effraya autant que l'agression que je venais de subir.

— Si tu t'en vas, nous perdons la partie et c'est le passé qui gagne.

Je sentis que mes paroles l'avaient atteint de plein fouet. On avait allumé toutes les lampes, comme si la lumière avait le pouvoir de dissiper les ombres qui nous habitaient.

— Si tu abandonnes maintenant, je crains que ce soit plus facile pour toi de garder tes distances et pour moi de te laisser dans ton coin. Tout sera terminé entre nous, Gideon.

— Comment pourrais-je rester ? Pourquoi le voudrais-tu ? demanda-t-il en se retournant vers moi, et son regard reflétait une telle détresse que je sentis les larmes me monter de nouveau aux yeux. Je préférerais me tuer plutôt que de te faire du mal.

C'était une de mes craintes. Je n'imaginais pas le Gideon que je connaissais – le Gideon dominateur à qui rien ne résistait – mettant fin à ses jours. Mais l'homme qui se trouvait devant moi était différent. C'était le fils d'un homme qui s'était suicidé.

— Tu ne me feras jamais de mal.

— Tu as peur de moi, dit-il d'une voix rauque. Je le vois sur ton visage. J'ai peur de moi. J'ai peur de dormir près de toi et de te faire dans mon sommeil quelque chose qui nous détruira tous les deux.

Il avait raison. J'avais peur. Plus que cela même.

Je venais de prendre la mesure de la violence explosive qui l'habitait. De la fureur qui couvait en lui. Et nous entretenions des rapports si passionnels. Je l'avais giflé à toute volée à la garden-party, alors que je n'avais jamais giflé personne de ma vie.

La confiance qui nous unissait nous mettait aussi à nu d'une façon qui nous rendait l'un et l'autre vulnérables et dangereux. Et les choses risquaient d'empirer.

— Eva, je...

— Je t'aime, Gideon.

— Mon Dieu !

Il me regarda, et il y avait dans ses yeux quelque chose qui ressemblait à du dégoût – vis-à-vis de lui-même ou de moi, je l'ignorais.

— Comment peux-tu dire une chose pareille ? articula-t-il.

— Parce que c'est la vérité.

— Tu ne vois que ça, fit-il en se désignant de la main. La façade. Tu ne vois pas qu'à l'intérieur je suis complètement bousillé.

— Parce que moi je ne le suis pas, peut-être ?

— Tu es peut-être programmée pour n'être attirée que par des gens qui te sont néfastes, répliqua-t-il d'un ton amer.

— Arrête. Je sais que tu souffres, mais te défouler sur moi ne te fera que souffrir davantage.

Je jetai un coup d'œil à la pendule ; il était 4 heures du matin. Je me dirigeai vers lui. J'avais besoin de dépasser ma peur de le toucher, ma peur qu'il me touche.

— Je rentre chez moi, Eva, dit-il en tendant la main, paume en avant, comme pour m'empêcher d'approcher.

— Dors sur le canapé. Fais-le pour moi, Gideon, s'il te plaît. Je vais être malade d'inquiétude si tu pars.

— Tu seras bien plus inquiète si je reste.

Son regard me suppliait de lui pardonner, mais il refusait mon pardon quand j'essayais de le lui offrir.

Je fis un pas en avant, lui pris la main et réprimai le sursaut d'appréhension qui me saisit à son contact. J'avais les nerfs à vif, la bouche endolorie, le souvenir de ses tentatives de pénétration – si semblables à celles de Nathan – était encore trop frais.

— On va surmonter ça, Gideon, lui promis-je d'une voix balbutiante qui me fit horreur. Tu parleras au Dr Petersen et on reconstruira tout à partir de là.

Il approcha la main de mon visage.

— Si Cary n'avait pas été là...

— Il était là, et je vais bien. Je t'aime. On va s'en sortir, assurai-je.

350

Je me blottis contre lui, glissai les mains sous son tee-shirt pour sentir sa peau nue.

— Nous ne laisserons pas le passé se mettre en travers de notre chemin.

Je ne savais pas lequel de nous deux j'essayais de convaincre.

— Eva, souffla-t-il en m'étreignant avec force, je suis désolé. Ça me tue. S'il te plaît, pardonne-moi... Je ne peux pas te perdre.

— Tu ne me perdras pas.

Je fermai les yeux et me concentrai sur son corps. Sur son odeur. Sur le souvenir de ce que je ressentais quand je n'avais pas peur de lui.

— Je suis tellement désolé, murmura-t-il en me caressant le dos d'une main tremblante. Je ferai n'importe quoi...

— Chut. Je t'aime. Tout va bien.

— Pardonne-moi, Eva, répéta-t-il avant de frôler mes lèvres des siennes. J'ai besoin de toi. J'ai peur de ce qui m'arrivera si je te perds...

— Je suis là, soufflai-je, frissonnant sous sa caresse. Je ne me sauverai plus.

Sa bouche captura la mienne, et mon corps réagit à la tendresse de son baiser. Je me cambrai spontanément contre lui, l'attirai plus près.

Ses mains se refermèrent sur mes seins, qu'il se mit à pétrir doucement. Mes mamelons durcirent contre ses paumes. Je gémis, de peur et de désir mêlés, et il tressaillit.

— Eva ?

— Je... je ne peux pas.

Le souvenir de ce que j'avais éprouvé au réveil était encore trop proche. Cela me faisait mal de le repousser, sachant qu'il avait besoin de la même chose que moi quand je lui avais parlé de Nathan – de la preuve que le désir était toujours là, que la laideur des cicatrices

351

du passé n'affectait pas ce que nous étions désormais l'un pour l'autre.

Mais je ne pouvais pas lui donner cette preuve. Pas encore. J'étais trop à vif, trop vulnérable.

— Serre-moi juste dans tes bras, Gideon. S'il te plaît.

Il resserra son étreinte.

Je l'entraînai sur le sol avec moi et me lovai contre lui, une jambe passée sur les siennes, un bras en travers de son torse. Il me serra doucement, pressa les lèvres sur mon front, et murmura encore et encore qu'il était désolé.

— Ne me laisse pas, chuchotai-je. Reste.

Il ne répondit pas, ne fit aucune promesse, mais ne me lâcha pas non plus.

Je me réveillai un peu plus tard. Les lumières étaient toujours allumées, et en dépit de la moquette qui le recouvrait, le sol était dur et inconfortable.

Gideon était allongé sur le dos. Son tee-shirt un peu remonté laissait voir son nombril et son abdomen musclé.

C'était cet homme-là que j'aimais. Celui dont le corps me donnait tant de plaisir et dont la prévenance ne cessait de m'émouvoir. Il était toujours là. Et le pli inscrit entre ses sourcils me disait qu'il souffrait toujours.

J'insinuai la main dans son pantalon. Pour la première fois, je le trouvai au repos, mais son sexe enfla rapidement sous ma caresse. Une pointe de frayeur s'attardait en dépit de mon excitation, mais j'avais encore plus peur de le perdre que de vivre avec ses démons.

Il remua, son bras se raidit dans mon dos.

— Eva... ?

— Oublions tout, murmurai-je contre ses lèvres, me sentant enfin capable de lui donner ce dont il avait désespérément besoin. Fais-nous oublier.

Il me déshabilla avec des gestes prudents, et je l'imitai, tout aussi timide. Nous nous comportions comme si nous étions fragiles l'un et l'autre. Le lien qui nous unissait était tout aussi fragile, parce que nous appréhendions l'avenir et les blessures que nous risquions de nous infliger.

Ses lèvres se refermèrent sur mon sein, et la tendre succion de sa bouche déclencha une sensation si intense que je creusai les reins. Sa main se promenait le long de mon flanc, encore et encore, apaisant les battements de mon cœur.

Il traça un chemin de baisers entre mes seins, murmurant des paroles d'excuse d'une voix brisée par les regrets et le chagrin. Sa langue lapa la pointe érigée de l'autre sein, l'agaçant amoureusement avant de la prendre en bouche pour la sucer.

Sous ses délicates attentions, le désir s'insinua dans mon esprit troublé. Mon corps lui était déjà acquis.

— N'aie pas peur de moi. Ne me repousse pas.

Il déposa un baiser au creux de mon nombril, puis descendit plus bas, ses cheveux me caressant le ventre tandis qu'il se positionnait entre mes cuisses. Il les écarta, les mains tremblantes, et entreprit de me lécher doucement, sa langue s'aventurant parfois dans mon sexe, ce qui me rendait positivement folle.

J'arquai le dos. Des supplications rauques m'échappaient. Mon corps se tendit jusqu'au point de rupture ; j'allais voler en éclats, j'en étais sûre. Il lui suffit d'un infime coup de langue pour me propulser au septième ciel.

Je criai et me tordis sous l'assaut du plaisir.

— Je ne peux pas te laisser partir, Eva, articula Gideon en se hissant sur les bras alors que je vibrais de plaisir. Je ne peux pas.

Du doigt, j'essuyai les larmes qui lui sillonnaient les joues. Son tourment faisait tellement peine à voir que mon cœur se serra de douleur.

— Je ne te laisserais pas faire si tu essayais.

Il s'empara de son sexe qu'il guida lentement en moi, avec d'infinies précautions.

Quand il m'eut entièrement pénétrée, il commença à se mouvoir à un rythme mesuré. Je fermai les yeux pour me concentrer sur la sensation. Puis il s'allongea sur moi, son ventre se pressa contre le mien, et la panique me saisit.

— Regarde-moi, Eva, dit-il d'une voix si sourde que je ne la reconnus pas.

Je lui obéis, vis l'angoisse dans son regard.

— Fais-moi l'amour, me supplia-t-il dans un souffle. Fais l'amour avec moi. Touche-moi, mon ange. Pose tes mains sur moi.

Je laissai glisser mes paumes le long de son dos, caressai ses fesses avant de les presser pour l'inciter à accélérer l'allure, à plonger plus profond en moi.

Une houle chaude prit naissance au fond de mon ventre, le va-et-vient cadencé de son sexe dur me poussant vers les rives du plaisir. J'enroulai les jambes autour de ses hanches, le souffle haletant. Le nœud au creux de mon corps se desserrait lentement. Nos regards s'aimantèrent.

Les larmes inondèrent mes tempes.

— Je t'aime, Gideon.

— Eva... souffla-t-il en fermant les paupières.

— Je t'aime, répétai-je.

D'une souple ondulation des hanches, il m'entraîna vers l'orgasme, et je me contractai autour de lui comme si je cherchais à le retenir au plus profond de ma chair.

— Jouis, Eva, m'encouragea-t-il, la bouche contre ma gorge.

Je luttai pour lui obéir, pour dépasser l'appréhension que j'éprouvais à sentir son corps peser sur moi. L'anxiété qui se mêlait au désir me laissait en équilibre au bord du gouffre.

— J'ai besoin que tu jouisses, Eva... j'ai besoin de te sentir jouir... s'il te plaît...

Ses mains enveloppèrent mes fesses, il fit basculer mes hanches en avant et caressa ce point si sensible en moi, infatigablement. Il me tisonna ainsi jusqu'à ce que mon esprit accepte de lâcher prise, de perdre le contrôle sur mon corps. Ma jouissance fut brutale, une explosion de tous les sens. Je lui mordis l'épaule pour étouffer mes cris tandis que je tremblais d'extase.

— Encore, exigea-t-il, ses poussées si profondes qu'elles étaient délicieusement douloureuses.

Qu'il nous fasse assez confiance pour introduire cette pointe de douleur balaya mes dernières réserves. Nous nous faisions confiance, et nous devions aussi apprendre à faire confiance à notre instinct.

Je jouis de nouveau, violemment, et mes orteils se recroquevillèrent au point qu'une crampe me saisit. Reconnaissant la tension familière qui s'était emparée de Gideon, j'affermis ma prise sur ses hanches pour l'inciter à se soulager en moi.

— Non !

Il se dégagea, roula sur le dos et replia le bras sur ses yeux. Il se punissait en privant son corps du plaisir dont il venait de me gratifier.

Son torse luisant de sueur se soulevait au rythme rapide de sa respiration. Son sexe reposait sur son ventre, épaisse colonne de chair parcourue de veines saillantes.

Je me redressai et refermai la main sur lui en ignorant son juron. L'avant-bras appuyé sur son torse pour
le clouer au sol, je fis aller et venir ma main serrée
le long de son sexe érigé tout en suçant avidement la
couronne sensible.

Son corps se tendit, et il enfouit les mains dans mes
cheveux en soulevant les hanches.

— Oui, Eva... suce-moi... suce-moi fort...

Sa semence jaillit si brusquement qu'elle m'emplit
la bouche d'un coup et manqua de m'étouffer. J'avalai
tout sans cesser de caresser son sexe palpitant, le faisant gicler jusqu'à ce qu'un long frisson secoue le
corps de Gideon et qu'il me supplie d'arrêter.

Je me redressai. Gideon m'imita le temps de m'enve-
lopper de ses bras, puis se rallongea en m'entraînant
avec lui. Et le visage pressé contre mon cou, il se mit
à pleurer.

Le lendemain matin, j'enfilai un chemisier à manches
longues et un pantalon ; je ressentais le besoin d'établir comme une barrière entre le monde extérieur et
moi. Dans la cuisine, Gideon prit mon visage entre ses
mains et m'embrassa avec une tendresse bouleversante.
Son regard demeurait hagard.

— On déjeune ensemble ? demandai-je.

J'avais le sentiment qu'il nous fallait nous accrocher
au lien qui nous reliait.

— J'ai un déjeuner d'affaires, répondit-il en faisant
courir ses doigts dans mes cheveux. Tu veux venir ?
Je me débrouillerai pour qu'Angus te ramène à l'heure
au bureau.

— Je viendrai volontiers. Et tu te souviens que
demain soir, nous avons un dîner caritatif au Waldorf
Astoria ?

Son regard s'adoucit. En tenue d'homme d'affaires, il apparaissait plus sombre et cependant serein. Je savais quant à moi qu'il était tout sauf serein.

— Tu n'as vraiment pas l'intention de m'abandonner ? s'enquit-il calmement.

Je levai la main droite pour lui montrer ma bague.

— Tu es lié à moi. Mieux vaut t'y faire.

Je fis le trajet en voiture jusqu'au Crossfire installée sur ses genoux, et de nouveau à midi, pour aller déjeuner chez Jean Georges. Je ne dus pas sortir plus d'une dizaine de mots durant le déjeuner, consacrant toute mon attention au plat délicieux que Gideon avait choisi pour moi.

Ma main gauche, qui reposait sur sa cuisse sous la nappe, se chargeait de lui rappeler mon engagement vis-à-vis de lui. De nous. Sa main droite s'était refermée dessus, chaude et puissante, tandis qu'il discutait d'un nouveau projet immobilier.

Au fil des heures, je sentais l'horreur de la nuit précédente se dissiper chez l'un comme chez l'autre. Ce serait une cicatrice à ajouter à la collection de Gideon, un autre souvenir amer qui ne s'effacerait jamais, un souvenir que je partagerais et redouterais avec lui, mais qui ne dirigerait pas nos vies. Parce que nous l'en empêcherions.

À la fin de la journée, Angus me ramena chez moi. Gideon devait travailler tard et se rendrait directement à son rendez-vous avec Petersen. Je profitai du trajet pour me préparer mentalement à affronter mon deuxième cours avec Parker. J'envisageai de ne pas y aller, puis finis par décider que me plier à une certaine routine était important. Ma vie semblait tellement échapper à mon contrôle ces derniers temps.

M'astreindre à suivre un programme faisait partie des rares choses qui étaient en mon pouvoir.

Après une heure et demie d'attaques et de parades suivies d'un travail au sol avec Parker, je fus soulagée quand Clancy me déposa devant chez moi. J'étais fière aussi de ne pas avoir renoncé.

Dans le hall, je tombai sur Trey en train de parler au réceptionniste.

— Bonsoir, le saluai-je. Tu montes avec moi ?

— Cary n'est pas là, apparemment, m'apprit-il. Ils viennent d'appeler.

— Viens l'attendre avec moi, je n'ai pas prévu de ressortir.

— Si tu es sûre que ça ne te dérange pas, fit-il en me rejoignant. J'ai quelque chose pour lui.

— Ça ne me dérange pas du tout, au contraire, assurai-je.

Nous nous dirigeâmes vers l'ascenseur.

— Tu as fait du sport ? s'enquit-il en jetant un coup d'œil à mon pantalon de yoga.

— Oui. Mais j'ai été obligée de me faire violence pour y aller, si tu vois ce que je veux dire.

— Je vois tout à fait, répliqua-t-il en riant tandis que nous entrions dans la cabine.

L'ascenseur démarra et un silence pesant s'installa entre nous.

— Et toi ? Quoi de neuf ? demandai-je.

— Pas grand-chose, fit-il en ajustant les bretelles de son sac à dos. En fait, je suis un peu inquiet. Cary me semble un peu ailleurs depuis quelques jours.

— Ah bon ? Comment ça ?

— Je ne sais pas. C'est difficile à expliquer... J'ai l'impression qu'il y a un truc qui le tracasse, mais je n'arrive pas à mettre le doigt dessus.

Je repensai à la blonde Tatiana et grimaçai intérieurement.

— Peut-être qu'il est stressé à cause de ce contrat avec Grey Isles, et qu'il ne veut pas t'embêter avec ça. Entre ton travail et tes études, il sait que tu as de quoi faire.

La tension qui lui raidissait les épaules parut se relâcher.

— Oui, c'est possible. Tu as sans doute raison. Merci, Eva.

Nous pénétrâmes dans l'appartement un instant plus tard, et je l'invitai à faire comme chez lui. Tandis qu'il allait déposer son sac à dos dans la chambre de Cary, je me dirigeai vers le téléphone pour consulter la messagerie.

Le cri qui s'éleva au bout du couloir me fit décrocher en hâte le combiné pour appeler non pas la messagerie mais les secours, car je crus que des cambrioleurs s'étaient introduits dans l'appartement. D'autres cris suivirent, et je reconnus nettement la voix de Cary.

Je laissai échapper un soupir de soulagement, raccrochai et allai voir ce qui se passait. Tatiana déboucha du couloir au moment où je m'y engageais, manquant de me renverser.

— Oups ! s'exclama-t-elle avec un sourire insolent tout en continuant de boutonner son chemisier. À plus ! ajouta-t-elle en agitant les doigts.

Trey criait si fort que je n'entendis pas la porte se refermer.

— Va te faire foutre, Cary ! On en a parlé ! Tu m'avais juré !

— Tu dramatises, aboya Cary. Ce n'est pas ce que tu crois.

Trey sortit de la chambre et fonça si rageusement dans le couloir que je dus me plaquer contre le mur pour lui céder le passage. Cary surgit à son tour, un drap noué autour de la taille. Quand il passa devant moi, je le regardai en plissant les yeux, ce qui me valut un doigt d'honneur.

Je me réfugiai dans la salle de bains pour prendre une douche. J'étais en colère contre Cary. Chaque fois qu'il lui arrivait quelque chose de bien, il s'ingéniait à tout gâcher. J'aurais aimé qu'il sorte de ce cycle infernal, mais il en semblait incapable.

Quand je gagnai la cuisine une demi-heure plus tard, un silence absolu régnait dans l'appartement. Je décidai de préparer l'un des menus préférés de Cary – rôti de porc accompagné de pommes de terre nouvelles et d'asperges – au cas où il dînerait à la maison et aurait besoin d'un remontant.

Je m'apprêtais à mettre le rôti au four quand Trey passa dans le couloir. D'abord surprise, je me sentis soudain très triste. Le voir partir ainsi, les joues rouges, débraillé et en larmes, me serra le cœur. Ma compassion céda la place à la déception quand Cary apparut dans la cuisine, empestant la sueur et le sexe. Il me foudroya du regard alors qu'il me contournait pour sortir une bouteille de la cave à vin.

Je lui fis face, les bras croisés.

— Baiser ton amant qui a le cœur brisé dans le lit où il t'a surpris en train de le tromper ne risque pas d'arranger les choses, Cary.

— La ferme, Eva.

— À l'heure qu'il est, il doit se mépriser de t'avoir cédé.

— Je t'ai dit de la fermer.

— Très bien.

Je lui tournai le dos et entrepris d'assaisonner le rôti et les pommes de terre. Je l'entendis prendre des verres.

— Je sens que tu me juges, Eva, déclara-t-il. Arrête. Il n'aurait pas fait autant d'histoires si j'avais été avec un mec.

— Donc c'est sa faute, c'est ça ?

— J'ai un scoop pour toi, Eva : ta vie sentimentale n'est pas parfaite non plus.

— C'est bas, Cary. Très bas. Tu te sers de moi comme d'un punching-ball parce que tu refuses d'admettre que tu as merdé. Que tu as doublement merdé. Le seul responsable, c'est toi.

— Pas la peine de monter sur tes grands chevaux, Eva. Tu couches avec un type qui finira tôt ou tard par te violer.

— Tu ne sais pas de quoi tu parles !

Il ricana, ses beaux yeux verts pleins de souffrance et de colère.

— Si tu l'excuses sous prétexte qu'il t'a agressée dans son sommeil, va jusqu'au bout de ton raisonnement : excuse aussi les violeurs qui agissent sous l'emprise de l'alcool ou de la drogue. Eux non plus ne se rendent pas compte de ce qu'ils font.

Je fus choquée par la justesse de son raisonnement et par la hargne qu'il mettait à me blesser.

— On peut arrêter de boire, répliquai-je cependant. Mais on ne peut pas se passer de sommeil.

Il ouvrit la bouteille de vin, en remplit deux verres et en fit glisser un vers moi.

— Si quelqu'un sait ce que signifie s'impliquer dans une relation destructrice, c'est bien moi. Tu l'aimes. Tu veux le sauver. Mais qui est-ce qui te sauvera, Eva ? Je ne serai pas toujours là quand tu le verras. Ce type est une bombe à retardement.

— Tu veux vraiment qu'on aborde le chapitre des relations destructrices, Cary ? rétorquai-je. Pourquoi as-tu baisé Trey tout à l'heure ? Pour te protéger ? Parce que tu préfères te débarrasser de lui avant qu'il risque de te décevoir ?

La bouche de Cary forma un pli amer. Il entrechoqua son verre avec le mien, toujours posé sur le comptoir.

— À la santé des éclopés. Nous deux, au moins, on est là l'un pour l'autre.

Il quitta la pièce à grands pas et je m'effondrai. Je l'avais senti venir – tout allait trop bien. Le bonheur n'avait place dans ma vie qu'à de rares moments, et il était illusoire.

Il y avait toujours quelque chose qui attendait dans l'ombre et surgissait pour tout gâcher.

20

Gideon arriva alors que je venais de sortir le dîner du four. Il avait une housse à vêtement dans une main et une sacoche d'ordinateur portable dans l'autre. J'avais craint qu'il ne décide de rentrer chez lui après sa séance avec Petersen, et le coup de téléphone qu'il m'avait passé pour me prévenir de son arrivée m'avait soulagée. Pourtant, quand je lui ouvris la porte, je ressentis un vague malaise.

— Bonsoir, dit-il avant de me suivre dans la cuisine. Hmm, ça sent délicieusement bon, ici.

— J'espère que tu as faim. J'ai fait dix fois trop à manger et je doute que Cary se joigne à nous.

Gideon déposa ses affaires sur le comptoir et s'approcha de moi d'un pas prudent tout en scrutant mon visage.

— J'ai apporté quelques affaires au cas où je passerais la nuit ici, mais je rentrerai chez moi si tu préfères. Il te suffira de me le dire.

Je soupirai, déterminée à ne pas laisser la peur me dicter mes actes.

— Je veux que tu restes.

— J'ai envie de rester, dit-il en s'immobilisant devant moi. Je peux te prendre dans mes bras ?

— S'il te plaît, répondis-je en me blottissant contre lui.

Il pressa sa joue contre la mienne et m'enlaça, mais nos gestes n'étaient plus aussi naturels. Une sorte de méfiance s'était insinuée entre nous.

— Comment vas-tu ? murmura-t-il.

— Mieux, maintenant que tu es là.

— Mais toujours nerveuse... Je le suis aussi. Je ne sais pas si nous arriverons de nouveau à nous endormir l'un à côté de l'autre.

Je partageais cette crainte et les paroles blessantes de Cary ne m'aidaient pas. *Ce type est une bombe à retardement.*

— On trouvera bien un moyen, répondis-je en m'écartant pour le regarder.

Il demeura silencieux un long moment, puis :

— Nathan a-t-il déjà essayé de reprendre contact avec toi ?

La crainte de revoir un jour Nathan, que ce soit accidentellement ou délibérément, était enracinée en moi. Je savais qu'il se promenait en liberté quelque part, qu'il respirait le même air que moi...

— Non, répondis-je. Pourquoi ?

— Ça m'a tracassé toute la journée.

— Pourquoi ? répétai-je, troublée par son expression tourmentée.

— Parce que nous traînons beaucoup de bagages, toi et moi.

— Trop, selon toi ?

— Je refuse de le croire, répondit-il en secouant la tête.

Je n'étais pas en mesure de lui assurer que tout irait bien et je préférai garder le silence.

— À quoi penses-tu ? demanda-t-il.

— À manger. Je meurs de faim. Tu veux bien aller voir si Cary est disposé à passer à table ?

Gideon trouva Cary profondément endormi. Il prit une douche rapide et nous dînâmes aux chandelles sur la table de la salle à manger. Il y avait quelque chose d'incongru à partager un dîner aussi formel alors que nous avions tous deux enfilé des tenues décontractées. J'étais inquiète au sujet de Cary, mais savourer un moment paisible en tête à tête était exactement ce dont nous avions besoin.

— J'ai déjeuné avec Magdalene, hier, dans mon bureau, dit Gideon après quelques bouchées.

— Oh ?

Magdalene avait donc partagé un moment d'intimité avec mon homme pendant que je lui achetais une bague ?

— Ne le prends pas ainsi. Mon bureau était rempli de tes fleurs et tu m'envoyais des baisers depuis mon bureau. Tu étais aussi présente qu'elle.

— Désolée. Réaction impulsive.

Il porta ma main à ses lèvres.

— Ça me rassure que tu sois toujours aussi jalouse.

— Tu lui as parlé de Christopher ? demandai-je.

— C'était le but de ce déjeuner. Je lui ai montré la vidéo.

Je me rappelais très bien que la batterie de mon portable avait lâché quand nous étions dans sa voiture.

— Comment as-tu fait ?

— J'ai emporté ton téléphone à mon bureau et j'ai récupéré la vidéo via une clef USB. Tu n'as pas remarqué que je te l'avais rapporté chargé, hier soir ?

— Non, dis-je en reposant lentement mes couverts.

Dominateur ou pas, Gideon allait devoir mieux cerner les limites au-delà desquelles il empiétait sur mon espace privé.

— Tu ne peux pas pirater mon portable à ta guise, Gideon.

— Je ne l'ai pas piraté ; tu n'as pas encore installé de mot de passe.

— Là n'est pas la question ! Tu as fouillé dans mes affaires ! Tu apprécierais que j'en fasse autant ?

Pourquoi personne dans ma vie ne comprenait-il pas qu'il y avait des limites à ne pas dépasser ?

— Je n'ai rien à cacher, répondit-il en sortant son téléphone de sa poche pour me le tendre. Et toi non plus.

Je n'avais pas envie de me disputer avec lui – notre relation était déjà assez chancelante comme cela –, mais je n'avais que trop attendu pour faire valoir mon point de vue.

— Le problème n'est pas que je te cache ou non des choses. Le problème, c'est que j'ai le droit d'avoir un espace personnel et une vie privée. Tu dois me demander l'autorisation avant d'utiliser ce qui m'appartient.

— Cette vidéo n'avait rien de privé, riposta-t-il, le front plissé. Tu me l'as montrée toi-même.

— J'ai l'impression d'entendre ma mère ! m'écriai-je. Qu'est-ce qui ne tourne pas rond chez vous ?

La véhémence de ma réaction le surprit visiblement.

— D'accord. Je suis désolé.

Je bus une gorgée de vin, m'efforçant de dominer ma colère et mon malaise.

— De quoi es-tu désolé ? De m'avoir mise en colère ? Ou d'avoir fait ce que tu as fait ?

— Je suis désolé de t'avoir mise en colère, répondit-il au bout de quelques secondes.

Il ne comprenait vraiment pas.

— Tu ne vois pas à quel point c'est malsain ?

— Eva, soupira-t-il en fourrageant dans ses cheveux, je passe le quart de mon temps à l'intérieur de toi. Quand tu poses des limites en dehors, je ne peux pas m'empêcher de les trouver arbitraires.

— À tort. Elles n'ont rien d'arbitraire. Elles sont essentielles à mes yeux. Si tu veux savoir quelque chose, il te suffit de me le demander.

— D'accord.

— Ne refais jamais ça, l'avertis-je. Je ne plaisante pas, Gideon.

— D'accord, j'ai compris, répondit-il, la mâchoire crispée.

— Comment a réagi Magdalene devant la vidéo ? enchaînai-je, parce que je n'avais vraiment pas envie de me disputer avec lui.

Il se détendit visiblement.

— Ça n'a pas été facile, tu t'en doutes. D'autant moins facile qu'elle savait que je l'avais vue.

— Elle nous a bien surpris dans la bibliothèque.

— Nous n'en avons pas parlé ouvertement, mais qu'y avait-il à dire ? Je n'allais pas m'excuser auprès d'elle de t'avoir fait l'amour derrière une porte close.

Il s'adossa à son siège et exhala un long soupir.

— Voir le visage de Christopher à l'écran – voir en quelle piètre estime il la tient – lui a fait vraiment mal. Ce n'est pas agréable de se voir utilisé de cette façon. Surtout quand il s'agit de quelqu'un que vous croyez connaître et qui prétend se soucier de vous.

Je remplis nos verres pour dissimuler ma réaction. Il semblait parler d'expérience. Que lui avait-on fait exactement ?

— Et toi ? demandai-je. Qu'est-ce que ça t'inspire ?

— Que veux-tu que ça m'inspire ? Au fil des ans, j'ai tout essayé avec Christopher. Je lui ai donné de l'argent. Je l'ai menacé. Il n'a jamais manifesté la moindre intention de changer. J'ai compris depuis longtemps que je ne peux que limiter les dégâts. Et faire en sorte que tu restes le plus loin possible de lui.

— Je ne risque pas de l'approcher, ne t'inquiète pas.

Il prit une gorgée de vin et m'observa par-dessus le bord de son verre.

— Tu ne me demandes pas comment s'est passé mon rendez-vous avec Petersen ?

— Ça ne me regarde pas. À moins que tu n'aies envie de m'en parler.

Je soutins son regard, ne désirant que cela.

— Je suis disposée à t'écouter si tu as besoin d'une oreille attentive, mais je ne serai pas indiscrète. Quand tu te sentiras prêt à partager, tu le feras. Cela dit, j'aimerais bien savoir ce que tu as pensé de lui.

— Du bien, répondit-il en souriant. Il a réussi à me faire parler, ce dont peu de gens peuvent se vanter.

— Oui, j'aime bien sa façon de reprendre tes mots pour t'obliger à envisager les choses sous un angle différent, si bien que tu en arrives à te demander pourquoi tu n'avais pas vu les choses ainsi.

— Il m'a prescrit quelque chose à prendre avant de me coucher, dit Gideon en suivant le bord de son verre du bout de l'index. Je suis passé à la pharmacie avant de venir.

— Que ressens-tu à l'idée de prendre des médicaments ?

— Je pense que c'est indispensable, répondit-il en me regardant droit dans les yeux. J'ai besoin d'être avec toi et je veux à tout prix garantir ta sécurité. Petersen dit que les médicaments associés à la thérapie ont guéri de nombreux patients atteints de « troubles parasomniaques atypiques », comme il les appelle. Je dois le croire.

Je lui pressai la main. Accepter de prendre un traitement constituait un énorme pas en avant, surtout pour quelqu'un qui avait longtemps nié ses problèmes.

— Merci, Gideon.

Il retint ma main.

— Il semblerait qu'il y ait suffisamment de personnes atteintes de ce genre de trouble pour qu'on ait réalisé des études. Il m'a parlé du cas d'un homme qui a violé sa femme dans son sommeil pendant douze années avant qu'ils se décident à consulter.

— Douze années ?

— S'ils ont attendu aussi longtemps, c'était en partie parce que la femme préférait ce que son mari lui faisait quand il dormait, ajouta-t-il, pince-sans-rire. Je n'ose pas imaginer le coup qu'une telle révélation a dû porter à l'ego du mari.

— Quelle histoire ! soufflai-je.

— N'est-ce pas ?

Son sourire narquois disparut.

— Mais je ne veux pas que tu te sentes obligée de partager ton lit avec moi, Eva. Il n'existe pas de remède miracle. Je peux dormir sur le canapé ou rentrer chez moi – à tout prendre, je préférerais le canapé. Je n'aime rien tant que commencer la journée avec toi.

— Moi aussi.

— Je n'imaginais pas que je pourrais connaître ça un jour, reprit-il en m'embrassant de nouveau la main. Quelqu'un qui sache ce que tu sais de moi... Qui puisse parler au dîner de mes problèmes parce qu'il m'accepte tel que je suis de toute façon... Je t'en suis infiniment reconnaissant, Eva.

Mon cœur se serra aussi douloureusement que délicieusement. Il savait trouver les mots pour dire exactement ce qu'il fallait.

— Je ressens la même chose vis-à-vis de toi, murmurai-je.

Plus profondément, peut-être, parce que je l'aimais. Mais je gardai cela pour moi. Il me rejoindrait sur ce terrain-là un jour ou l'autre. Je n'avais pas l'intention de baisser les bras tant qu'il ne m'appartiendrait pas complètement, irrévocablement.

Les pieds nus en appui sur la table basse et son portable sur les genoux, Gideon semblait si à l'aise, si détendu, que je n'arrêtais pas de détacher les yeux de la télé pour le contempler.

« Comment en sommes-nous arrivés là ? me demandai-je. Cet homme incroyablement séduisant et moi ? »

— Je sais que tu me regardes, dit-il sans quitter son portable des yeux.

Je lui tirai la langue.

— S'agirait-il d'une proposition d'ordre sexuel, mademoiselle Tramell ?

— Comment arrives-tu à me voir alors que tu fixes ton écran ?

Il leva la tête et son regard captura le mien.

— Je te vois tout le temps, mon ange. Depuis que tu m'as trouvé, je ne vois plus que toi.

Le mercredi, ce fut le sexe de Gideon me pénétrant par-derrière qui me réveilla – une nouveauté en passe de devenir ma préférée.

Tandis que je me frottais les yeux, le bras qu'il avait glissé autour de ma taille m'incita à plaquer les fesses contre lui.

— Tu m'as l'air d'humeur bien folâtre ce matin, commentai-je d'une voix ensommeillée.

— Tu es affolante tous les matins, murmura-t-il en me mordillant l'épaule. J'adore me réveiller en toi.

Nous fêtâmes tendrement cette nuit de sommeil ininterrompu.

Ce jour-là, je déjeunai avec Mark et Steven dans un adorable restaurant mexicain.

— Si tu reviens ici un jour avec ton homme, me glissa Steven, demande-lui de t'offrir une margarita à la grenade.

— C'est une spécialité de la maison ?

— Une *dangereuse* spécialité de la maison, acquiesça-t-il.

La serveuse chargée de prendre notre commande flirta ouvertement avec Mark, qui se prêta volontiers à son jeu. Au fil du déjeuner, cette rousse exubérante dont le badge nous apprit qu'elle se prénommait Shawna se montra de plus en plus audacieuse, effleurant les épaules et la nuque de Mark chaque fois qu'elle passait derrière lui. En retour, les plaisanteries de Mark se firent plus suggestives. Du coin de l'œil, je constatai que Steven fronçait furieusement les sourcils. Je me tortillai sur mon siège, mal à l'aise, et commençai à compter les minutes nous séparant de la fin de ce déjeuner plus que tendu.

— On sort ensemble, ce soir ? proposa Shawna à Mark en lui remettant l'addition. Une seule nuit avec moi te guérira à tout jamais.

J'en restai un instant bouche bée. Cette fille était franchement gonflée.

— À 19 heures, ça te va ? ronronna Mark. Mais je te préviens, tu ne t'en remettras jamais, ma belle.

Je bus une gorgée d'eau, avalai de travers et me mis à tousser.

Steven se leva en hâte et fit le tour de la table pour me taper dans le dos.

— Remets-toi, Eva ! s'esclaffa-t-il. C'était une blague. Ne meurs pas, je t'en supplie !

— Quoi ? m'exclamai-je, les yeux embués de larmes.

Il m'entoura les épaules du bras et prit Shawna par la taille de l'autre.

371

— Eva, je te présente ma sœur, Shawna. Shawna, Eva, qui s'ingénie avec talent à rendre la vie de Mark plus facile.

— Heureusement, répliqua-t-elle, parce que toi, tu t'ingénies à la lui compliquer !

— C'est pour ça qu'il me garde près de lui, riposta Steven en me décochant un clin d'œil.

En voyant Steven et Shawna côte à côte, je remarquai la ressemblance qui m'avait échappé. Je me laissai aller contre le dossier de ma chaise et adressai un regard noir à Mark.

— J'ai vraiment cru que Steven allait exploser, moi !

— C'est lui qui a eu l'idée, se défendit Mark. Quand je te disais que c'était une tragédienne refoulée !

— Ne l'écoute pas, Eva. Tu sais bien que Mark est le cerveau de notre couple. Je ne pourrais jamais concevoir un plan aussi tordu.

Shawna sortit une carte du restaurant de sa poche et me la tendit.

— Mon numéro est inscrit au verso. Appelle-moi quand tu veux. Je connais des tas d'histoires croustillantes sur ces deux-là et je me ferai un plaisir de t'aider à te venger.

— Traîtresse ! s'exclama Steven.

— Simple solidarité féminine, rectifia sa sœur avec un haussement d'épaules.

Après le travail, Angus nous déposa, Gideon et moi, devant le CrossTrainer. C'était l'heure d'affluence et le vestiaire était bondé. Je me dépêchai de me mettre en tenue pour rejoindre Gideon dans le hall.

Je saluai Daniel de loin – un petit signe de la main qui me valut une claque sur les fesses de la part de Gideon.

— Hé ! Bas les pattes ! me rebiffai-je en écartant sa main.

Il attrapa ma queue-de-cheval et m'incita en douceur à rejeter la tête en arrière pour me gratifier d'un baiser sensuel, histoire de marquer son territoire.

— Si c'est censé être dissuasif, murmurai-je contre ses lèvres, je préfère t'avertir que c'est plus incitatif qu'autre chose.

— Oh, mais je suis disposé à déployer des moyens plus puissants ! répliqua-t-il. À ta place, je m'abstiendrais de tester mes limites de cette façon-là, Eva.

— Ne t'inquiète pas, je connais d'autres façons de les tester.

Gideon attaqua la séance par le tapis de course, et j'eus ainsi le plaisir d'admirer son corps en sueur... en public. J'avais beau l'avoir vu en privé plus souvent qu'à mon tour, je ne m'en lassais pas.

De même que je ne me lassais pas de regarder ses muscles puissants jouer sous sa peau hâlée. Voir un homme aussi élégant tomber le costume et révéler son côté animal me mettait littéralement en transe.

Je ne pouvais m'empêcher de le dévorer des yeux, et j'étais heureuse d'en avoir le droit parce qu'il m'appartenait. Cela dit, les autres femmes ne s'en privaient pas non plus et le suivaient des yeux chaque fois qu'il passait d'une machine à l'autre.

Lorsqu'il me surprit à le lorgner, je lui adressai un regard suggestif tout en me passant la langue sur les lèvres. Son sourire complice tempéré d'un haussement de sourcils faussement réprobateur fit courir un frisson sur ma peau. Je ne m'étais encore jamais sentie aussi motivée pour m'entraîner et le temps passa très vite.

Quand nous nous retrouvâmes sur la banquette de la Bentley, en route vers son appartement, je me trémoussai en coulant des regards d'invite à Gideon.

— Tu vas devoir te montrer patiente, annonça-t-il en me prenant la main.

— Quoi ? répliquai-je, stupéfaite.

— Tu m'as entendu, répondit-il avec un sourire malicieux. Une récompense se mérite, mon ange.

— Pourquoi attendre ? m'insurgeai-je.

— Imagine dans quel état nous serons à l'issue de ce dîner.

— Ma récompense est garantie, que ce soit avant ou après le dîner. Je la veux avant, chuchotai-je afin de ne pas être entendue d'Angus.

Gideon fut inflexible, préférant nous soumettre à la torture. Une fois à la maison, nous nous déshabillâmes l'un l'autre avant de passer sous la douche. Nos mains s'attardèrent langoureusement sur nos corps respectifs, mais il ne céda pas.

Il opta pour un smoking noir, et choisit de porter sa chemise le col ouvert. Il avait sélectionné pour moi une robe de cocktail Vera Wang en soie champagne avec bustier sans bretelles et jupe à volants superposés qui m'arrivait juste au-dessus du genou.

Je souris en la découvrant. Me regarder dans cette robe toute la soirée sans pouvoir me toucher allait le rendre fou. Elle était superbe et je l'adorais, mais ce modèle était davantage conçu pour des mannequins ultra minces et élancés que pour des femmes plus petites et tout en courbes. Dans un sursaut de pudeur, j'avais arrangé mes cheveux de façon qu'ils couvrent un tant soit peu mon décolleté, mais à en juger par l'expression de Gideon, cela ne changeait pas grand-chose.

— Mon Dieu, Eva, souffla-t-il en rajustant son pantalon. J'ai changé d'avis. Je crois que tu ne devrais pas porter cette robe en public.

— Il est trop tard pour changer d'avis.

— Je la croyais plus... couvrante.

— Que veux-tu que je te dise ? C'est toi qui l'as ache-
tée, lui rappelai-je avec un grand sourire.

— J'ai des remords, subitement. Combien de temps
te faudrait-il pour te changer ?

— Je ne sais pas, répondis-je en m'humectant les
lèvres. Pourquoi ne vérifies-tu pas par toi-même.

Son regard s'assombrit.

— Si je m'y risque, nous ne sortirons pas d'ici.

— Je ne m'en plaindrai pas.

— Tu pourrais peut-être enfiler quelque chose par-
dessus ? Une veste ? Une parka ? Un trench-coat, je
ne sais pas...

J'attrapai ma pochette en riant.

— Ne t'inquiète pas. Tout le monde sera trop occupé
à te regarder pour faire attention à moi.

Il fronça les sourcils tandis que je l'entraînais hors
de la chambre.

— Sérieusement, Eva. Tes seins ont grossi ou quoi ?
On a l'impression qu'ils vont déborder de ce truc.

— J'ai vingt-quatre ans, Gideon. Ma poitrine a cessé
de se développer depuis des années. Ce que tu vois
c'est ce que tu connais déjà.

— Justement. Moi seul suis autorisé à la *voir*.

Une fois dans l'ascenseur, il se tourna vers moi et
s'efforça de remonter le bustier de ma robe.

— Si tu continues, c'est mon entrejambe que tu vas
découvrir, le taquinai-je.

Il étouffa un juron.

— Détends-toi, Gideon, on va s'amuser. Je me ferai
passer pour la blonde écervelée qui espère mettre la
main sur tes millions, et toi, tu n'auras qu'à jouer ton
propre rôle, celui du play-boy milliardaire qui exhibe
son nouveau jouet. Il te suffira d'arborer une expression d'ennui profond mâtinée d'indulgence quand je
me frotterai contre toi en te susurrant que tu es le
plus beau et le plus intelligent.

— Ce n'est pas drôle, Eva, se renfrogna-t-il. Que dirais-tu de mettre une étole ? ajouta-t-il avec un sourire plein d'espoir.

Une fois qu'on eut vérifié nos invitations à ce dîner de gala dont les bénéfices financeraient des abris pour mères célibataires, nous fûmes dirigés vers le point de presse et ma crainte de l'exposition médiatique ressurgit. Je décidai de concentrer toute mon attention sur Gideon, car lui seul avait le pouvoir de la canaliser. Et c'est ainsi que j'assistai en temps réel à la métamorphose de l'homme privé en homme public.

Le masque glissa sur son visage en une fraction de seconde. Le bleu de ses iris se fit glacial et le pli sensuel de sa bouche se durcit. Le champ magnétique de son énergie nous enveloppa soudain de façon presque palpable. Par la seule force de sa volonté, il venait de dresser un bouclier entre nous et le reste du monde. Je savais que tant que Gideon ne donnerait pas une sorte de signal, personne ne s'aviserait de m'approcher ou de m'adresser la parole.

Ce bouclier n'était cependant pas en mesure d'arrêter les regards. Quand nous traversâmes la salle de réception, toutes les têtes se retournèrent et je sentis les regards le suivre. Si cela me rendait nerveuse, Gideon, lui, y semblait parfaitement insensible.

Si j'avais voulu mettre ma menace à exécution et me frotter contre lui en lui susurrant des compliments à l'oreille, j'aurais dû prendre place au bout d'une longue file d'attente, car un véritable essaim de personnes désireuses d'attirer son attention se forma autour de lui dès que nous nous immobilisâmes. Je leur cédai la place et me mis en quête d'une coupe de champagne. Waters, Field & Leaman avaient offert la pub pour le gala, et j'aperçus quelques personnes que je connaissais.

Je venais tout juste de rafler une coupe sur un plateau quand j'entendis quelqu'un m'appeler. Je pivotai sur mes talons. Martin, le neveu de Stanton, me rejoignit, un grand sourire aux lèvres. Brun aux yeux verts, il avait à peu près mon âge, et je le connaissais pour l'avoir croisé pendant les vacances. Je fus ravie de le revoir.

— Martin ! m'exclamai-je en ouvrant les bras pour l'étreindre brièvement. Comment vas-tu ? Tu as une mine splendide !

— J'allais te dire la même chose, répliqua-t-il en me détaillant d'un regard admiratif. Je savais que tu avais emménagé à New York et j'avais l'intention de te contacter. Quand es-tu arrivée ?

— Il n'y a que quelques semaines.

— Finis ta coupe, je t'invite à danser.

Les bulles du champagne pétillaient encore dans ma gorge quand nous nous élançâmes sur la piste de danse sur *Summertime*.

— Alors ? Il paraît que tu as trouvé du travail ?

Je lui parlai de mon job, puis lui demandai ce qu'il devenait. Je ne fus pas surprise d'apprendre qu'il travaillait pour l'un des fonds d'investissement de Stanton et qu'il s'en sortait bien.

— J'aimerais t'inviter à déjeuner un de ces jours, dit-il.

— Quand tu veux, répondis-je.

Je m'écartai de lui alors que la chanson s'achevait et heurtai quelqu'un qui se tenait juste derrière moi. Des mains se refermèrent sur ma taille pour m'éviter de perdre l'équilibre et comme je jetais un coup d'œil par-dessus mon épaule, je découvris Gideon.

— Tu me présentes ? demanda-t-il, braquant son regard glacial sur Martin.

— Gideon, Martin Stanton, le neveu de mon beau-père. Martin, enchaînai-je après avoir pris une profonde inspiration, je te présente l'homme qui compte dans ma vie, Gideon Cross.

— Cross, le salua Martin avec un grand sourire en tendant la main. J'ai entendu parler de vous, évidemment. C'est un plaisir de faire votre connaissance. Si tout se passe bien, peut-être aurons-nous l'occasion de nous rencontrer prochainement lors d'une réunion de famille.

— C'est plus que probable, répondit Gideon qui passa le bras sur mes épaules.

Quelqu'un héla Martin, et il se pencha pour m'embrasser sur la joue.

— Je t'appelle pour ce déjeuner. La semaine prochaine, peut-être ?

— D'accord.

Je sentis Gideon vibrer de jalousie près de moi mais, quand je levai les yeux vers lui, son visage était parfaitement impassible. Il m'entraîna sur la piste au son de *What a Wonderful World*, interprété par Louis Armstrong.

— Je ne suis pas certain de l'apprécier, marmonna-t-il.

— Martin est adorable.

— Du moment qu'il sait que tu es à moi.

Il pressa sa joue contre ma tempe, sa main plaquée dans mon dos, peau contre peau. Quand il me tenait ainsi, personne n'aurait pu douter un instant que je lui appartenais.

Je me laissai aller au plaisir d'être aussi proche de lui en public et me détendis entre ses bras.

— Hmm, j'aime ça, soufflai-je.

— C'est le but de la manœuvre.

Mon bonheur se prolongea jusqu'à la fin de la danse.

Alors que nous quittions la piste, j'aperçus Magdalene sur le bord. Je ne la reconnus pas immédiatement parce qu'elle avait changé de coiffure, adoptant une coupe au carré qui mettait en valeur ses traits fins. Vêtue d'une robe de cocktail noire toute simple, elle était plus élégante que jamais, mais sa beauté était éclipsée par celle de la brune éblouissante avec qui elle s'entretenait.

Gideon ralentit le pas une seconde, et je baissai instinctivement les yeux, pensant qu'il avait évité un obstacle sur le sol.

— J'aimerais te présenter à quelqu'un, murmura-t-il.

Je notai que la femme qui discutait avec Magdalene avait repéré Gideon et s'était tournée pour lui faire face. À l'instant où leurs regards se croisèrent, je sentis son bras se crisper sous mes doigts.

Et je compris pourquoi.

Cette femme était profondément éprise de Gideon. Cela se voyait sur son visage et dans ses yeux d'un bleu incroyablement clair. Sa beauté était si pure, si exquise qu'elle avait quelque chose d'irréel. Sa chevelure d'un noir d'encre lui descendait jusqu'à la taille. Sa robe était du même bleu glacier que ses yeux, sa peau, dorée par le soleil, et sa silhouette, irréprochable.

— Corinne, la salua Gideon, la voix plus rauque que d'ordinaire.

Il me lâcha pour lui prendre les mains.

— Tu ne m'as pas prévenu que tu rentrais, continua-t-il. Je serais venu te chercher.

— J'ai laissé des messages sur le répondeur de ton appartement, répondit-elle d'une voix douce et raffinée.

— Ah, je n'ai pas été souvent chez moi, ces derniers temps.

Il se tourna vers moi comme s'il se souvenait subitement de ma présence, lui lâcha les mains et m'attira contre lui.

— Corinne, voici Eva Tramell. Eva, je te présente Corinne Giroux, une vieille amie.

Je lui serrai la main.

— Les amis de Gideon sont mes amis, déclara-t-elle avec un sourire chaleureux.

— J'espère que cette formule s'applique aussi aux petites amies.

— Surtout aux petites amies, répondit-elle avec un regard entendu. Si vous voulez bien me le céder un instant, j'aimerais le présenter à l'un de mes associés.

— Je vous en prie, répondis-je le plus calmement du monde alors que je rageais intérieurement.

Gideon déposa un baiser négligent sur ma tempe avant d'offrir le bras à Corinne, me laissant en compagnie de Magdalene. Elle semblait si abattue que j'eus pitié d'elle.

— Votre nouvelle coupe est très flatteuse, Magdalene.

Elle me jeta un coup d'œil, la bouche pincée, puis laissa échapper un soupir résigné.

— Merci. J'avais besoin de changement. D'un tas de changements, je suppose. Et puis essayer de lui ressembler ne rimait plus à rien maintenant qu'elle est revenue.

— Je suis perdue, là, avouai-je.

— Je parle de Corinne.

Elle scruta mon visage.

— Il ne vous a rien dit, poursuivit-elle. Gideon et Corinne ont été fiancés pendant plus d'un an. Elle a rompu leurs fiançailles, s'est mariée avec un riche Français et est partie vivre en Europe. Le mariage n'a pas tenu, ils sont en plein divorce, et elle est revenue à New York.

Fiancés. Je me sentis pâlir et tournai les yeux vers l'homme que j'aimais. Il se tenait près de la femme qu'il devait avoir aimée autrefois et sa main s'était posée spontanément au creux de ses reins quand elle s'était inclinée vers lui en riant.

Tandis que mon estomac se tordait de jalousie et de peur, je pris conscience que j'avais jusqu'alors tenu pour acquis que Gideon n'avait jamais eu aucune relation sentimentale sérieuse avant moi. Quelle idiote ! Avec le physique qu'il avait, c'était humainement impossible.

— Vous êtes toute pâle, Eva, vous devriez vous asseoir, suggéra Magdalene.

— Oui, vous avez raison, murmurai-je, le souffle court et le cœur battant à un rythme dangereusement rapide.

Je m'assis sur la chaise la plus proche et Magdalene prit place à côté de moi.

— Vous l'aimez, lâcha-t-elle abruptement. Je ne m'en étais pas rendu compte, je suis désolée. Et je m'en veux de ce que je vous ai dit la dernière fois.

— Vous l'aimez aussi, répondis-je stoïquement sans quitter Gideon et Corinne des yeux. Je ne l'aimais pas à ce moment-là. Pas encore.

— Ça n'excuse pas ce que je vous ai dit, insista-t-elle.

Un serveur s'approcha avec un plateau, et je m'emparai avec gratitude d'une coupe de champagne. J'en pris aussi une pour Magdalene avant qu'il s'éloigne. Nous trinquâmes d'un même élan désabusé. J'avais envie de partir, de me lever et de quitter la salle. Je voulais que Gideon s'en aperçoive et soit obligé de se lancer à ma poursuite. Je voulais qu'il ressente ce que je ressentais. Un rêve stupide, immature, douloureux qui me fit réaliser mon impuissance.

La silencieuse commisération de Magdalene me réconfortait. Elle savait ce que l'on éprouvait à aimer

Gideon, à trop le désirer. Sa détresse perceptible –
reflet de la mienne – confirmait la menace que représentait Corinne.

S'était-il langui d'elle depuis tout ce temps ? Était-
ce à cause d'elle qu'il ne s'était autorisé aucune relation sentimentale ?

— Ah, te voilà !

Je levai les yeux. Gideon était planté devant moi,
Corinne toujours à son bras, et la vision du couple
qu'ils formaient me frappa de plein fouet. Ils étaient
tout bonnement sublimes. Indubitablement faits l'un
pour l'autre.

Corinne s'assit à côté de moi et Gideon m'effleura
la joue d'une caresse.

— Je dois voir quelqu'un, me dit-il. Veux-tu que je
te rapporte quelque chose ?

— Vodka cranberry, répondis-je. Double.

— Entendu, acquiesça-t-il avant de s'éclipser.

— Je suis si heureuse de vous rencontrer, Eva, me
dit Corinne. Gideon m'a tellement parlé de vous.

— N'exagérons rien, répliquai-je. Vous ne vous êtes
éloignés que quelques minutes.

— On se parle presque tous les jours, expliqua-t-elle
avec un sourire dont la franchise me prit de court.
Et notre amitié remonte à des années.

— Une relation qui allait au-delà de l'amitié, crut
bon de souligner Magdalene.

Corinne la gratifia d'un froncement de sourcils et
je compris que je n'étais pas censée le savoir. Était-
ce elle ou Gideon qui avait décidé de ne rien me dire
de leurs fiançailles ? Et pourquoi agir ainsi s'il n'y
avait rien à cacher ?

— Oui, c'est vrai, admit-elle à contrecœur. Mais c'est
de l'histoire ancienne.

— Vous l'aimez encore, dis-je en me tournant vers
elle.

— Vous ne pouvez pas me le reprocher. N'importe quelle femme amenée à le côtoyer ne peut que tomber amoureuse de lui. Il est à la fois beau et intouchable. Une combinaison irrésistible.

Un sourire retroussa ses lèvres, et elle ajouta :

— Il m'a dit que vous l'aviez incité à s'ouvrir, et je vous en suis infiniment reconnaissante.

J'étais sur le point de riposter que je ne l'avais pas fait pour elle quand un doute affreux s'insinua dans mon esprit. Et si je l'avais fait pour elle sans le savoir ?

— Il allait vous épouser, dis-je en tripotant le pied de ma coupe vide.

— Rompre avec lui a été la plus grosse erreur de ma vie, avoua-t-elle en portant la main à sa gorge, ses doigts fuselés s'agitant comme s'ils avaient l'habitude de jouer avec un collier qui aurait dû se trouver là. J'étais jeune et il m'effrayait par certains côtés. Il était si possessif. Ce n'est qu'après mon mariage que j'ai compris que la possessivité est préférable à l'indifférence. Pour moi, en tout cas.

Je détournai les yeux en luttant contre la nausée qui me soulevait l'estomac.

— Vous êtes bien silencieuse, observa Corinne au bout d'un moment.

— Qu'y a-t-il à ajouter ? lança Magdalene.

Nous l'aimions toutes les trois. Nous étions à sa disposition. Un jour, Gideon choisirait l'une d'entre nous.

— Eva, il faut que vous sachiez qu'il m'a dit à quel point vous comptiez pour lui, reprit Corinne en me fixant de son regard d'aigue-marine. Il m'a fallu du temps pour trouver le courage de revenir. J'ai même annulé le premier vol que j'avais réservé il y a deux semaines. Finalement, je l'ai appelé, l'interrompant au beau milieu d'un dîner de bienfaisance où il venait de faire un discours, pour lui annoncer mon arrivée et lui demander de m'aider à m'installer.

Je me pétrifiai. Je me sentais soudain aussi friable que du verre craquelé. Elle faisait allusion au dîner de bienfaisance auquel nous avions assisté, Gideon et moi, le soir où nous avions baptisé sa Bentley. Le soir où il s'était montré si atrocement froid et distant. Le soir où il m'avait plantée là après avoir reçu un coup de téléphone...

— Quand il m'a rappelée, poursuivit-elle, il m'a appris qu'il avait rencontré quelqu'un. Il voulait que je fasse votre connaissance quand je serais en ville. Finalement, je me suis défilée. C'était la première fois qu'il me proposait une chose pareille.

Je n'arrivais pas à le croire. Ce soir-là, Gideon était parti en coup de vent à cause d'elle. À cause de Corinne.

21

Je m'excusai et me levai.

Je partis à la recherche de Gideon, le repérai près du bar. Il se retournait, un verre dans chaque main, quand je le rejoignis. Je pris celui qui m'était destiné et le descendis d'un trait, les glaçons heurtant douloureusement mes dents.

— Eva... commença-t-il d'un ton de reproche.

— Je m'en vais, le coupai-je en reposant mon verre sur le comptoir. Je ne considère pas que je m'enfuis parce que je te préviens et que je te laisse le choix de partir avec moi.

Il soupira. De toute évidence, il avait deviné que je savais.

— Je ne peux pas partir.

Je pivotai sur mes talons.

Il m'attrapa le bras.

— Tu sais que je ne peux pas rester si tu t'en vas. Tu fais des histoires pour rien, Eva.

— Pour rien ? répétai-je en fixant la main qu'il avait refermée sur mon bras. Je t'ai prévenu que j'étais jalouse. Cette fois, tu m'as donné de bonnes raisons de l'être.

— Me prévenir est censé te servir d'excuse quand tu te comportes de façon ridicule ? demanda-t-il.

Sa voix était on ne peut plus calme, et son visage détendu.

De loin, personne n'aurait pu deviner quelle tension régnait entre nous, mais elle était là, dans ses yeux. Désir brûlant et fureur glaciale. Il excellait à mêler les deux.

— Qui de nous deux est le plus ridicule ? répliquai-je. Tu as vu comment tu as réagi avec Daniel, un pauvre coach ? Ou avec Martin, un membre de ma belle-famille ? Je n'ai couché ni avec l'un ni avec l'autre, ajoutai-je dans un murmure en me penchant vers lui, je n'ai pas accepté de me marier avec eux, et je ne leur téléphone pas tous les jours !

Il passa brusquement le bras autour de ma taille et m'attira contre lui.

— Je sais ce qu'il te faut, me souffla-t-il à l'oreille. J'aurais dû te le donner avant de venir.

— Tu as peut-être préféré te réserver au cas où une de tes anciennes conquêtes ressurgirait ! rétorquai-je, cinglante.

Gideon avala son verre, affermit l'étreinte de son bras autour de ma taille et m'entraîna vers la sortie. Il sortit son téléphone de sa poche pour demander sa limousine. Quand nous atteignîmes le trottoir, elle était déjà là. Gideon me poussa vers la portière qu'Angus tenait ouverte.

— Roulez jusqu'à ce que je vous dise d'arrêter, lui ordonna-t-il avant de s'engouffrer derrière moi.

Je voulus me réfugier sur le siège opposé, déterminée à lui échapper...

— Arrête, dit-il sèchement.

Je tombai à genoux sur le sol de la limousine, à bout de souffle. Fuir ne servait à rien. Je pourrais aller au bout du monde, je n'échapperais pas au fait que Corinne Giroux valait mieux que moi pour Gideon. Elle était calme et douce, sa présence avait quelque chose d'apaisant, même pour moi, alors qu'elle incarnait mon pire cauchemar.

Gideon m'immobilisa en m'attrapant par les cheveux. Ses jambes écartées pressées contre les miennes, il me fit renverser la tête en arrière jusqu'à ce qu'elle touche son épaule.

— Je vais te donner ce dont nous avons tous les deux besoin, Eva. Je vais prendre le temps qu'il faudra pour nous calmer avant le dîner. Et tu vas cesser de t'inquiéter à cause de Corinne parce que pendant qu'elle sera dans la salle de réception, moi, je serai en toi.

— Oui, soufflai-je en passant la langue sur mes lèvres desséchées.

— Tu as oublié qui se soumet, Eva, reprit-il d'une voix rude. J'ai baissé ma garde pour toi. Je me suis adapté à tes exigences. Je ferai tout pour te garder et te rendre heureuse. Mais je ne me laisserai pas dompter ni dominer. Ne prends pas mon indulgence pour de la faiblesse.

Je déglutis avec difficulté. Le sang bouillonnait dans mes veines à la pensée de ce qui allait suivre.

— Accroche-toi des deux mains à la poignée au-dessus de la vitre. Ne la lâche pas avant que je t'en donne l'ordre. Compris ?

J'obéis et saisis la courroie de cuir. Le désir me traversa de part en part, fulgurant. Gideon avait raison, c'était de cela que j'avais besoin. Il me connaissait si bien, mon amant.

Il glissa les mains dans mon bustier et malaxa mes seins lourds. Quand il en pinça les pointes, ma tête dodelina contre son épaule, et la tension qui m'habitait s'évanouit. Ses lèvres m'effleurèrent la tempe.

— C'est tellement bon quand tu te donnes à moi de cette façon... d'un seul coup, comme si c'était un immense soulagement.

— Baise-moi, le suppliai-je, impatiente de le sentir en moi.

Il fourra les mains sous ma robe et baissa ma culotte sur mes cuisses. Sa veste de smoking atterrit près de moi sur la banquette, puis sa main glissa sur mon ventre avant de s'insérer entre mes jambes. Un son rauque lui échappa quand il découvrit que j'étais déjà trempée.

— Tu es faite pour moi, Eva. Tu as besoin que je te prenne sinon tu deviens folle.

Il frottait ma fente, y répandait l'essence de mon désir. Il inséra deux doigts en moi et les écarta pour me préparer à la poussée de son sexe.

— Tu as envie de moi, Gideon ? demandai-je d'une voix enrouée, éperdue de désir.

— Plus que tout au monde, Eva.

Ses lèvres et sa langue couraient sur mon cou et mes épaules, douces, chaudes, humides, me tirant des frissons irrépressibles.

— Moi aussi, je deviens fou quand je ne peux pas te posséder. Tu es ma drogue... mon obsession...

Comme il me mordait doucement, un grognement animal monta dans sa gorge. Durant tout ce temps, ses doigts n'avaient cessé de me caresser, et il avait insinué sa main libre sous ma jupe pour masser mon clitoris, une double stimulation qui me faisait jouir encore et encore.

— Gideon, haletai-je quand mes mains moites commencèrent à glisser sur la courroie de cuir.

Presque aussitôt, j'entendis le crissement de sa fermeture Éclair.

— Allonge-toi sur le dos, cuisses écartées, m'ordonna-t-il.

Je m'exécutai sans me faire prier et m'offris à lui, frémissante d'impatience.

— N'aie pas peur, dit-il en me regardant droit dans les yeux avant de s'installer entre mes jambes avec une lenteur insoutenable.

— Je suis trop excitée pour avoir peur, soufflai-je en m'emparant de son sexe érigé, le dos cambré. Prends-moi.

Je le sentis contre ma chair échauffée, puis il me pénétra d'une flexion des hanches, et le contact brûlant nous tira un même gémissement d'extase. Mon corps s'amollit sous lui, mes doigts agrippant à peine ses hanches étroites.

— Je t'aime, murmurai-je sans quitter son visage des yeux alors qu'il entamait un lent va-et-vient. J'ai besoin de toi, Gideon.

— Je suis à toi. Je ne pourrais pas t'appartenir davantage.

Mon bassin se soulevait au rythme de ses poussées, et l'orgasme ne mit pas longtemps à me rattraper. Un cri m'échappa quand la vague du plaisir me balaya. Au comble du bonheur, je me contractai spasmodiquement autour de ce sexe qui m'empalait sans relâche.

Avec un cri rauque, Gideon accéléra la cadence. J'ondulais sous lui, l'incitant à me pilonner plus vite encore, ma tête roulait de droite à gauche, je gémissais comme une folle. J'adorais être possédée avec cette implacable férocité. J'adorais cet accouplement primaire, animal, cela m'excitait si violemment que j'avais l'impression que j'allais mourir.

— Tu es tellement doué, Gideon. C'est si bon avec toi...

Il m'agrippa les fesses, me souleva et me pénétra jusqu'à la garde. J'entrai en éruption, mes muscles intimes l'enserrant puissamment. Un soupir lui échappa et il jouit brutalement, m'inondant de sa chaleur, me plaquant les hanches sur la banquette tandis qu'il continuait de se frotter contre moi.

Quand il eut fini, il prit une inspiration tremblante, écarta mes cheveux dans ses mains et embrassa ma gorge moite de sueur.

— J'aimerais pouvoir te dire ce que tu me fais, Eva. Trouver les mots pour que tu comprennes.

— Je suis folle de toi, Gideon, articulai-je, pantelante, je n'y peux rien. C'est trop fort. C'est...

— ... incontrôlable.

Il recommença à se mouvoir en moi, lentement, tranquillement, comme si nous avions tout notre temps, son sexe durcissant et s'allongeant à chaque poussée.

— Et tu as besoin de contrôle, murmurai-je.

— J'ai besoin de toi, Eva, dit-il en me dévorant du regard. De toi.

Gideon ne me quitta pas et ne m'autorisa pas à le quitter durant le reste de la soirée. Sa main ne lâcha pas la mienne du dîner.

Corinne, qui s'était assise à sa gauche, le regarda d'un air intrigué.

— Je croyais que tu étais droitier, s'étonna-t-elle.

— Je le suis toujours, dit-il en soulevant nos mains jointes au-dessus de la table.

Il m'embrassa les doigts, et je me sentis bête et puérile sous le regard de Corinne.

Hélas, ce geste romantique n'empêcha pas Gideon de parler avec elle pendant tout le dîner, ce qui me rendit à la fois nerveuse et malheureuse. Je voyais davantage le dos de Gideon que son visage.

— Au moins, ce n'est pas du poulet.

Je tournai la tête vers mon voisin de droite. J'essayais si désespérément de capter les propos échangés par

Corinne et Gideon que je n'avais prêté aucune attention aux autres convives.

— J'aime bien le poulet, répondis-je.

Et j'avais aussi aimé le tilapia qu'on nous avait servi.

— Moi aussi. Quand il n'est pas caoutchouteux.

Il me sourit et parut soudain beaucoup plus jeune que ses cheveux blancs ne le laissaient supposer.

— Ah ! murmura-t-il. Enfin un sourire. Et charmant, qui plus est.

— Merci, dis-je avant de me présenter.

— Dr Terrence Lucas, m'apprit-il. Mais je préfère Terry.

— Dr Terry. Ravie de vous rencontrer.

— Terry tout court, je vous en prie, Eva.

Au cours de cet échange, j'en étais venue à penser que le Dr Lucas ne devait pas être beaucoup plus âgé que moi. Ses cheveux blancs mis à part, son visage aux traits réguliers n'avait pas la moindre ride, et ses yeux verts pétillaient d'intelligence.

— Vous avez l'air de vous ennuyer autant que moi, dit-il. Ces dîners permettent certes de récolter des sommes considérables pour des causes justes, mais ils sont épouvantablement rasoir. Que diriez-vous de m'accompagner au bar ? Je vous offre un verre.

Sous la table, je cherchai à libérer ma main, mais Gideon resserra sa prise.

— Qu'est-ce que tu fais ?

Je lui jetai un coup d'œil et vis qu'il m'observait. Son regard se durcit quand il passa au Dr Lucas, qui s'était levé et se tenait derrière moi.

— Elle va adoucir l'ennui que l'on ressent à être ignoré, Cross, en passant du temps en compagnie de quelqu'un qui sera plus qu'heureux d'accorder son attention à une aussi belle femme, répondit Terry en posant les mains sur le dossier de ma chaise.

L'animosité entre les deux hommes était si palpable que je me sentis aussitôt mal à l'aise. Je tirai sur ma main, mais Gideon refusa de la lâcher.

— Partez, Terry, dit-il d'un ton d'avertissement.

— Vous étiez si captivé par Mlle Giroux que vous n'avez même pas remarqué que je m'étais assis à votre table, répliqua Terry avec un sourire crispé. Vous venez, Eva ?

— Ne bouge pas, Eva, articula Gideon.

Son ton glacial me fit frémir.

— Tu ne peux pas lui reprocher d'avoir raison, répliquai-je, piquée au vif par son attitude.

Sa main serra douloureusement la mienne.

— Ce n'est pas le moment.

— Ne le laissez pas vous parler sur ce ton, me dit Terry. Tout l'argent du monde n'autorise personne à vous donner des ordres.

Furieuse et affreusement gênée, je regardai Gideon.

— Crossfire.

Il lâcha aussitôt ma main comme si elle l'avait brûlé. Je reculai ma chaise et lançai ma serviette sur mon assiette.

— Si vous voulez bien m'excuser, dis-je en me levant. L'un et l'autre.

J'attrapai ma pochette et me dirigeai vers les toilettes où je comptais rafraîchir mon maquillage et rassembler mes esprits mais, quand j'aperçus le voyant lumineux signalant la sortie, je cédai à mon envie de quitter les lieux.

Une fois sur le trottoir, j'envoyai un **SMS** à Gideon.

Je ne m'enfuis pas. Je rentre, c'est tout.

Je hélai un taxi et rentrai chez moi ruminer ma colère.

Le temps que j'atteigne mon appartement, je rêvais d'un bain chaud avec une bouteille de vin. J'insérai la clef dans la serrure, ouvris la porte et me retrouvai au beau milieu d'un film porno.

Avant que mon cerveau analyse ce que je voyais, je restai pétrifiée sur le seuil, la musique techno qui s'échappait à plein volume des enceintes du salon se déversant sur le palier. Il y avait tellement de corps imbriqués les uns dans les autres que j'eus le temps de claquer la porte derrière moi avant de comprendre comment ils s'agençaient les uns par rapport aux autres. Une femme était allongée par terre, les jambes largement écartées. Le visage d'une autre femme disparaissait entre ses cuisses. Et Cary la pénétrait par-derrière tandis qu'un autre homme le sodomisait.

Je rejetai la tête en arrière et hurlai à pleins poumons – parce que j'en avais ma claque de tous ces gens qui me pourrissaient la vie, mais aussi pour couvrir le bruit de la musique. J'ôtai une de mes chaussures et la lançai sur la chaîne hi-fi. Le CD s'arrêta brutalement, et les quatre individus qui partouzaient dans mon salon s'aperçurent de ma présence.

— Dehors ! hurlai-je. Tout de suite !

— C'est qui celle-là ? demanda la rousse allongée par terre. C'est ta femme ?

Une lueur coupable et gênée s'alluma brièvement dans le regard de Cary avant qu'il me décoche un sourire effronté.

— C'est ma coloc. Il y a encore de la place, baby girl.

— Cary Taylor, ne me cherche pas. Ce n'est vraiment, vraiment pas le bon jour !

Le brun se retira de Cary, se redressa et s'avança vers moi d'un pas guilleret. Tandis qu'il s'approchait, je vis que ses pupilles étaient anormalement dilatées et qu'une veine palpitait violemment à la base de son cou.

— Je peux arranger ça, proposa-t-il d'un air salace.

— Barre-toi, sifflai-je en carrant les épaules.

— Laisse-la tranquille, Ian, aboya Cary en se relevant.

— Allons, baby girl, insista Ian – et l'entendre utiliser le surnom que Cary me réservait me rendit malade –, tu as besoin de te détendre. Laisse-moi t'aider.

Il n'était plus qu'à quelques centimètres de moi quand je le vis soudain s'envoler vers le canapé en poussant un hurlement. Gideon s'interposa entre moi et les autres.

— Emmène-le dans ta chambre, Cary, ordonna-t-il. Emmène-le où tu veux, je ne veux plus le voir ici.

Ian sanglotait sur le canapé, un flot de sang s'échappait entre ses doigts plaqués sur son nez. Cary ramassa son jean qui traînait par terre.

— Arrête de te prendre pour ma putain de mère, Eva, cracha-t-il.

Je contournai Gideon avant de répliquer :

— Bousiller ton histoire avec Trey ne t'a pas servi de leçon, espèce d'abruti ?

— Qu'est-ce que tu racontes ? Ça n'a rien à voir avec Trey !

— C'est qui, Trey ? demanda la blonde en se levant.

Son regard tomba sur Gideon et elle prit spontanément une pose suggestive. Ses efforts lui valurent un regard de mépris souverain ; elle eut la bonne grâce de rougir et de se couvrir la poitrine avec la robe en lamé or qu'elle venait de récupérer sur le sol.

— Ne le prends pas mal, dis-je à la fille. Il préfère les brunes.

Gideon me foudroya du regard. Je ne l'avais encore jamais vu en proie à une telle fureur. Il vibrait littéralement de violence contenue.

Comme je reculais, il lâcha un juron. Une lassitude sans nom s'empara soudain de moi. J'étais si atrocement déçue par les hommes de ma vie que je tournai abruptement les talons et fonçai dans le couloir qui menait à ma chambre.

— Vire ce bordel de chez moi, Cary, lançai-je par-dessus mon épaule.

J'avais ôté ma robe avant même d'avoir atteint ma salle de bains et filai sous la douche. Trop épuisée pour rester debout, je m'assis dans le bac, repliai les bras autour de mes jambes et fermai les yeux.

— Eva.

La voix de Gideon me fit sursauter ; je me recroquevillai davantage.

— Bon Dieu, personne ne m'a jamais énervé autant que toi !

Je le regardai à travers mes cheveux mouillés. Il arpentait la salle de bains, les pans de sa chemise sortis du pantalon.

— Rentre chez toi, Gideon.

Il s'immobilisa et me jeta un regard incrédule.

— Il n'est pas question que je te laisse ici ! Cary a perdu la boule ! L'autre taré allait te toucher quand je suis arrivé.

— Cary ne l'aurait pas laissé faire. De toute façon, je ne peux pas m'occuper de vous deux en même temps.

Je ne voulais avoir affaire ni à l'un ni à l'autre, en fait. Je voulais être seule.

— Tu n'as qu'à t'occuper de moi, dans ce cas.

J'écartai rageusement mes cheveux de mon visage.

— Oh ? Parce que je suis censée te donner la priorité ?

Il eut un mouvement de recul comme si je l'avais frappé.

— Je croyais que nous étions chacun la priorité de l'autre.

— Je le croyais aussi, figure-toi. Jusqu'à ce soir.

— Tu ne vas pas me refaire une scène à cause de Corinne ? Je suis là, non ? ajouta-t-il en écartant les bras. Je lui ai à peine dit au revoir pour te courir après. Une fois de plus.

— Dégage, Gideon. Je ne veux pas de tes faveurs.

Il entra dans la douche d'un bond – tout habillé –, me remit debout d'un geste brusque et m'embrassa. Durement. Sa bouche dévora la mienne tandis qu'il m'agrippait les bras pour m'empêcher de bouger.

Son baiser fut loin de me faire fondre. Je ne cédai pas, pas même quand il s'efforça de m'amadouer avec de suaves caresses de la langue.

— Pourquoi ? marmonna-t-il en m'embrassant dans le cou. Pourquoi est-ce que tu me rends fou ?

— Je ne sais pas quel est ton problème avec le Dr Lucas et je m'en contrefous. Mais il avait raison. Corinne a eu droit à toute ton attention, ce soir. Tu m'as quasiment ignorée durant tout le dîner.

— Je ne peux pas t'ignorer, Eva. C'est impossible. Quand tu es dans la même pièce que moi, je ne vois que toi.

— C'est amusant parce que chaque fois que je te regardais, c'était sur elle que tu avais les yeux rivés.

— C'est ridicule, dit-il en me lâchant. Tu sais ce que je ressens pour toi.

— Vraiment ? Tu as envie de moi. Tu as besoin de moi. Mais est-ce que tu aimes Corinne ?

— Oh, nom de Dieu ! *Non !*

Il coupa l'eau et m'emprisonna de ses bras contre la paroi vitrée.

— Tu veux que je te dise que je t'aime, Eva ? C'est ça que tu veux ?

Mon ventre se contracta comme s'il m'avait donné un coup de poing. C'était la première fois que je ressentais une douleur pareille ; je n'imaginais même pas que ça puisse exister. Les yeux brûlants, je me faufilai sous son bras avant de me ridiculiser en fondant en larmes.

— Rentre chez toi, Gideon, articulai-je, le dos tourné. S'il te plaît.

— Je suis chez moi.

Il m'encercla de ses bras par-derrière.

— Je suis avec toi, souffla-t-il en enfouissant le visage dans mes cheveux mouillés.

Je luttai pour me dégager, mais j'étais à bout de forces. Physiquement. Émotionnellement. Les larmes jaillirent et je fus incapable de les retenir.

— Va-t'en, Gideon. Je t'en supplie.

— Je t'aime, Eva. C'est évident.

Cette fois, je ruai carrément, prête à tout pour échapper à celui qui n'était plus pour moi qu'une source de souffrance et de malheur.

— Je ne veux pas de ta pitié. Tout ce que je veux, c'est que tu partes !

— Je ne peux pas. Tu sais que je ne peux pas. Arrête de me repousser, Eva. Écoute-moi.

— Toutes tes paroles me blessent, Gideon.

— Ce n'est pas le mot juste, Eva, s'entêta-t-il. C'est pour ça que je ne te l'ai pas dit. Il ne convient pas pour exprimer ce que je ressens pour toi.

— Tais-toi. Si tu te soucies un tant soit peu de moi, tais-toi et va-t'en.

— J'ai été aimé – par Corinne, par d'autres femmes... Mais que savaient-elles de moi ? Qui croyaient-elles aimer alors qu'elles ignoraient à quel point je suis atteint ? Si c'est cela aimer, ce n'est rien comparé à ce que j'éprouve pour toi.

Tremblant de la tête aux pieds, je vis dans le miroir mon visage maculé de mascara, et à côté celui de Gideon, ravagé par l'émotion. Nous n'étions pas faits l'un pour l'autre.

Je comprenais pourtant l'aliénation qu'on ressent à être entouré de personnes qui ne peuvent ou ne veulent pas vous voir tel que vous êtes. Je connaissais le dégoût de soi qui accompagne la certitude d'être un imposteur, quand on projette l'image de ce qu'on aimerait être, mais qu'on n'est pas. J'avais vécu dans la crainte que les gens que j'aimais se détournent de moi s'ils découvraient qui j'étais en réalité.

— Gideon...

— J'ai cru que je t'aimais à l'instant où je t'ai vue. Et puis on a fait l'amour, et c'est devenu autre chose. Quelque chose de bien plus fort.

— Ne dis pas n'importe quoi. Tu t'es complètement désintéressé de moi après notre première fois, et tu m'as plantée là pour aller t'occuper de Corinne. Comment as-tu pu, Gideon ?

Il ne me lâcha que le temps d'attraper mon peignoir accroché derrière la porte. Il m'en enveloppa, me fit asseoir au bord de la baignoire, alla chercher des cotons à démaquiller, puis s'agenouilla devant moi pour me débarbouiller.

— Quand Corinne m'a appelé ce soir-là, on venait de faire l'amour dans la voiture, et je n'avais pas les idées claires. Je lui ai dit que j'étais occupé, et que j'avais rencontré quelqu'un. Quand j'ai entendu dans sa voix que ça la faisait souffrir, j'ai su que je devais mettre les choses au point avec elle si je voulais aller de l'avant avec toi.

— Je ne comprends pas. Tu m'as laissée pour elle. En quoi ça te permettait-il d'aller de l'avant avec moi ?

— J'ai tout gâché avec Corinne, avoua-t-il en me faisant lever le menton pour nettoyer mes yeux de raton laveur. Je l'ai connue durant ma première année à Columbia. Je l'ai immédiatement remarquée, bien sûr. Elle est belle et douce, elle ne médit jamais de personne. Elle m'a poursuivi et je me suis laissé attraper. J'ai connu avec elle ma première expérience sexuelle consentie.

— Je la hais.

Une ombre de sourire flotta sur ses lèvres.

— Je ne plaisante pas, Gideon. Je suis vraiment malade de jalousie.

— C'était strictement sexuel avec elle, mon ange. Toi et moi, on fait toujours l'amour. Chaque fois, depuis la première fois. Même quand c'est violent. Tu es la seule femme avec qui j'aie jamais vécu cela.

— D'accord, soupirai-je. Disons que je suis un tout petit peu moins jalouse.

Il m'embrassa.

— Notre relation était exclusive sur le plan sexuel, et je pense qu'on pourrait dire que nous sortions ensemble. Quand elle m'a avoué qu'elle m'aimait, j'ai été surpris. Flatté aussi. Elle comptait pour moi et j'appréciais sa compagnie.

— C'est toujours le cas, apparemment.

— Écoute-moi jusqu'au bout, tu veux, fit-il en me tapant sur le nez du bout de l'index. Je pensais que je pourrais l'aimer aussi, à ma façon... la seule que je connaisse. Je ne voulais pas qu'elle soit avec un autre. Du coup, j'ai dit oui quand elle m'a demandé de l'épouser.

— C'est elle qui t'a demandé en mariage ?

— N'aie pas l'air si choqué, pense à mon ego.

Le flot de soulagement qui m'inonda fut si soudain que la tête me tourna. J'enlaçai spontanément Gideon et le serrai aussi fort que je pus.

— Hé ! fit-il en me rendant mon étreinte. Ça va ?

— Oui. Oui, ça va mieux, répondis-je en m'écartant pour lui caresser la joue. Continue ton histoire.

— J'ai dit oui pour de mauvaises raisons. Au bout de deux ans, nous n'avions pas passé une seule nuit ensemble. Nous n'avions jamais abordé les sujets dont nous parlons, toi et moi. Elle ne me connaissait pas, pas vraiment, et malgré cela je me suis persuadé qu'être aimé d'elle était précieux. Qui d'autre qu'elle aurait pu m'aimer ? Je crois qu'elle espérait que des fiançailles feraient évoluer notre relation. Que je m'ouvrirais à elle. Qu'on arriverait peut-être à passer une nuit entière à l'hôtel – qu'elle trouvait romantique, soit dit en passant – au lieu de se séparer chaque soir sous prétexte que nous avions cours le lendemain matin. Je ne sais pas.

Je trouvais son histoire terriblement triste. Pauvre Gideon. Il s'était senti si seul pendant si longtemps. Toute sa vie, sans doute.

— Peut-être qu'elle a rompu pour nous sortir de l'impasse. Qu'elle espérait que je me battrais pour la garder. Mais, en fait, j'ai été soulagé parce que je commençai à comprendre que je ne pourrais jamais partager ma vie avec elle. Quelle excuse aurais-je pu invoquer pour faire chambre à part ?

— Tu n'as jamais envisagé de lui parler de tes problèmes ?

— Non. Jusqu'à ce que je te rencontre, je n'ai jamais considéré mon passé comme un problème. Je savais que ça affectait certains aspects de mon comportement, mais j'avais l'impression que tout était à sa place et que je n'étais pas malheureux. En fait, je trouvais que j'avais une existence confortable et dénuée de complications.

Je plissai le nez.

— Ravie de vous connaître, monsieur Confortable. Je suis Mlle Compliquée.

— Au moins, on est sûrs de ne jamais s'ennuyer, commenta-t-il avec un grand sourire.

22

Gideon attrapa une serviette qu'il lança sur la flaque qui s'était formée à ses pieds, puis retira ses chaussures. Pour mon plus grand plaisir, il entreprit ensuite de se déshabiller.

— Tu te sens coupable parce qu'elle t'aime toujours, dis-je en le dévorant des yeux.

— Oui. Je connaissais son mari. C'était quelqu'un de très bien et il était fou d'elle, jusqu'à ce qu'il réalise que Corinne, elle, n'éprouvait pas la même chose. À partir de là, leur couple s'est délité.

Il ôta sa chemise en me regardant.

— Je ne comprenais pas pourquoi ça l'affectait autant. Il était marié avec la femme qu'il aimait, ils vivaient à l'étranger, loin de moi, alors où était le problème ? Maintenant, je comprends. Si tu aimais quelqu'un d'autre, Eva, ça me bousillerait. Ça m'anéantirait, même si tu étais avec moi. Mais contrairement à Giroux, je ne te laisserais pas partir. Tu ne m'appartiendrais pas complètement, mais tu serais quand même à moi et je prendrais ce que je pourrais avoir.

— C'est ce qui me fait peur, Gideon, dis-je en croisant les mains sur mes genoux. Tu n'as pas conscience de ta valeur.

— Détrompe-toi. Je vaux douze mill...

— Tais-toi.

La tête me tournait et je pressai le bout de mes doigts sur mes paupières.

— Ça ne devrait pas t'apparaître aussi mystérieux que des femmes puissent tomber amoureuses de toi et ne jamais cesser de t'aimer. Est-ce que tu savais que Magdalene portait les cheveux longs dans l'espoir que ça te rappellerait Corinne ?

— Pourquoi ? s'étonna-t-il tout en se débarrassant de son pantalon.

Sa candeur me tira un soupir.

— Parce qu'elle pense que Corinne est la femme que tu veux.

— Ce qui prouve qu'elle n'est pas très attentive.

— Crois-tu ? Corinne m'a dit qu'elle te parlait presque tous les jours.

— C'est une exagération. Je ne suis pas souvent joignable – tu sais à quel point je suis occupé.

À la flamme si familière qui s'alluma dans son regard, je sus qu'il pensait aux fois où il était occupé avec moi.

— C'est dingue, Gideon. Si elle t'appelle presque chaque jour, c'est du harcèlement.

Corinne m'avait dit qu'il était très possessif avec elle – autant qu'il l'était avec moi ? Cela me tracassait plus que je ne l'aurais voulu.

— Où veux-tu en venir ? demanda-t-il d'un ton vaguement amusé.

— Tu ne comprends donc pas ? Toutes les femmes rêvent de faire ta conquête. Tu représentes le gros lot, le jackpot ! Si une femme ne peut pas t'avoir, elle devra se rabattre sur un lot de consolation. Du coup, elles sont prêtes à toutes les folies pour t'avoir.

— Sauf la femme que je veux, répliqua-t-il, pince-sans-rire. Celle-là passe son temps à me fuir.

Il était nu, à présent, et je le contemplais sans vergogne.

— J'aimerais que tu répondes à une question, Gideon. Pourquoi moi alors que tu pourrais avoir la femme la plus parfaite qui soit ? Je ne cherche pas les compliments, ni que tu me rassures. C'est une vraie question.

Il me souleva dans ses bras, me porta dans la chambre, puis, après m'avoir installée sur une chaise, ouvrit un tiroir de ma commode.

— Eva, si tu persistes à voir notre relation comme temporaire, je vais être obligé de te coucher en travers de mes genoux et je te garantis que tu aimeras beaucoup ce que je te ferai.

Il avait sorti du tiroir des sous-vêtements, un pantalon de yoga et un tee-shirt qu'il me tendit.

— Aurais-tu oublié que je dors nue lorsque je suis avec toi ?

— On ne passe pas la nuit ici. Cary pourrait ramener d'autres tordus, et une fois que j'aurai pris les médicaments que m'a prescrits Petersen, je ne pourrai peut-être plus te protéger. On va chez moi.

Je baissai les yeux en songeant que je risquais aussi d'avoir besoin d'être protégée de Gideon lui-même.

— Ce n'est pas la première fois que ça lui arrive. Je ne peux pas me terrer chez toi en espérant qu'il s'en sortira tout seul. Il a plus que jamais besoin de moi.

— Eva, dit-il en s'accroupissant devant moi, je comprends que tu veuilles soutenir Cary. On va réfléchir à une solution demain.

— Merci, murmurai-je.

— Moi aussi, j'ai besoin de toi, me rappela-t-il calmement.

— Nous avons besoin l'un de l'autre.

Il se redressa et alla se chercher des vêtements dans la commode.

— Écoute, Gideon, dis-je en commençant à m'habiller, je me sens beaucoup mieux maintenant que tu m'as raconté ce qui s'était passé avec Corinne, mais elle n'en demeure pas moins un problème, en ce qui me concerne. Tu vas devoir tuer ses espoirs dans l'œuf au plus vite. Oublier ta culpabilité et te débarrasser d'elle.

Il s'assit au bord du lit pour enfiler ses chaussettes.

— C'est une amie, Eva. Elle traverse une passe difficile. Ce serait cruel de l'envoyer promener dans un moment pareil.

— Réfléchis bien, Gideon. Moi aussi, j'ai des ex. Ce que tu feras déterminera le comportement que j'aurai avec eux. Je prendrai exemple sur toi.

— Tu me menaces ? dit-il en se redressant.

— Je préfère appeler ça une mesure de coercition. Une relation ne fonctionne pas à sens unique. Tu n'es pas le seul ami de Corinne. Elle peut trouver quelqu'un d'autre sur qui s'appuyer.

Une fois habillés, nous regagnâmes le salon. La vision d'un soutien-gorge bleu sous la table basse et des taches de sang qui maculaient le canapé me fit regretter que Cary ne soit plus là. Je l'aurais giflé de bon cœur pour lui apprendre à vivre.

— Il va m'entendre demain, marmonnai-je, furieuse. J'aurais dû lui voler dans les plumes quand je l'avais sous la main. Et l'enfermer dans sa chambre jusqu'à ce que ses neurones fonctionnent de nouveau.

Gideon me poussa doucement vers la porte.

— Il vaut mieux que tu le coinces demain quand il sera seul avec sa gueule de bois. Ce sera bien plus efficace.

Angus nous attendait près de la voiture. J'étais sur le point de grimper à l'arrière quand Gideon lâcha un juron.

— Qu'y a-t-il ? demandai-je en m'immobilisant.

— J'ai oublié quelque chose.

— Je te passe mes clefs, dis-je en fouillant dans mon sac.

— Pas la peine, j'ai un double. Je l'ai fait faire avant de te les rendre, expliqua-t-il avec un sourire.

— Tu es sérieux ?

— Si tu étais un peu plus attentive, dit-il en s'éloignant à reculons, tu aurais remarqué que j'avais ajouté la clef de mon appartement sur ton trousseau avant de te le rendre.

Il se retourna et s'engouffra dans l'immeuble. Je me souvins du chagrin que j'avais ressenti lorsqu'il m'avait renvoyé mes clefs.

Or, tout le temps qu'avait duré notre séparation, j'avais la clef de chez lui !

Je secouai la tête et laissai échapper un soupir.

Un long travail nous attendait, Gideon et moi. Rien ne garantissait que notre amour survivrait à nos blessures respectives. Mais nous étions capables de communiquer, nous étions honnêtes l'un envers l'autre, et Dieu savait que nous étions trop têtus l'un et l'autre pour accepter la défaite sans combattre.

Gideon réapparut en même temps que deux élégants caniches arborant la même coiffure que leur maîtresse. Je montai dans la voiture et, dès que la portière eut claqué, Gideon m'attira sur ses genoux.

— Cette soirée n'aura pas été de tout repos, mais nous y avons survécu.

— Oui, et c'est l'essentiel.

Je rejetai la tête en arrière et lui offris ma bouche. Il me gratifia d'un baiser plein d'une douceur qui ne faisait que réaffirmer le lien précieux, complexe, exaspérant et nécessaire qui nous unissait.

La main sur sa nuque, je lui murmurai :

— Je suis impatiente de te retrouver au lit.

En réponse, il se lança à l'assaut de mon cou, qu'il mordilla et embrassa avec enthousiasme, bannissant nos démons et leurs ombres.

Au moins provisoirement...

Remerciements

Ma plus profonde gratitude et mon plus grand respect vont à Cindy Hwang, mon éditrice. Elle voulait ce livre et a bataillé ferme pour l'avoir. Je lui suis reconnaissante de son enthousiasme et de sa ténacité.

Je ne remercierai jamais assez mon agent, Kimberly Whalen, pour son soutien et ses encouragements.

Cindy et Kim ont été épaulées par les dynamiques équipes de Berkley et de Trident Media Group. Dans chaque département, à chaque niveau, l'engouement pour cette série a été extraordinaire. J'en ai été infiniment touchée.

Je tiens à exprimer ma profonde gratitude à mon éditrice, Hilary Sares, qui m'a accompagnée dans cette aventure. Son exigence et son sens du détail m'ont obligée à travailler et à travailler encore ce roman. Sans elle, *Dévoile-moi* ne serait pas ce qu'il est aujourd'hui.

À Martha Trachtenberg, correctrice hors pair. Ce livre était important pour moi, et elle l'a compris.

À Victoria Colotta, pour le soin qu'elle a apporté à la fabrication du livre.

À Tera Kleinfelter, qui a lu la première moitié de *Dévoile-moi* et m'a dit qu'elle adorait.

À toutes celles qui sont passées par Cross Creek à un moment donné de leur adolescence. Puissent tous vos rêves se réaliser. Vous le méritez.

Et à Alistair et à Jessica, héros de *Seven Years to Sin*, qui m'ont inspiré l'histoire de Gideon et d'Eva.

Sylvia Day

Auteure de renommée internationale, classée n° 1 sur les listes des best-sellers du *New York Times*, Sylvia Day a écrit au-delà d'une douzaine de romans primés, traduits dans plus de trente-six langues.

Elle a été sélectionnée pour le prix Goodreads du meilleur auteur et son œuvre a été sacrée par Amazon « Meilleur livre de l'année dans la catégorie Romance ». Elle a également reçu le prix des critiques du *Romantic Times Book Reviews* et a été en nomination à deux reprises pour le prestigieux prix RITA des auteurs de romance américains (Romance Writers of America).

Rendez-lui visite et suivez-la :
- site officiel : www.sylviaday.com
- page Facebook : facebook.com/authorsylviaday
- Twitter : twitter.com/sylday

À suivre dans le tome 2
de la trilogie *CROSSFIRE*

Regarde-moi

Mot de l'auteur

« Est-il possible à deux êtres qui ont été abusés d'entretenir une relation amoureuse durable ? » – Eva Tramell

La question d'Eva est au cœur de la trilogie *Crossfire*. La réponse qu'elle reçoit (« Oui, absolument. ») lui donne l'espoir qu'elle peut trouver sa place aux côtés de Gideon. J'espère que l'aventure qu'ils vivent vous touchera autant que moi. Nous méritons tous un dénouement heureux.

Ce qu'ils en disent...
Dévoile-moi

« Quand il s'agit de créer une synergie sexuelle malicieusement jouissive, Sylvia Day a peu de rivaux littéraires. » **American Library Association**

« *Dévoile-moi* éclipse toute compétition. [...] Unique et inoubliable » *Joyfully Reviewed*

« Si je devais recommander un livre aujourd'hui aux lecteurs qui ont aimé *Fifty Shades of Grey*, ce serait lui que je proposerais. [...] Les scènes d'amour sont torrides. » *Dear Author*

« Un récit érotique qu'il ne faut pas manquer »
Romance Novel News

« Chaud [...] chaud à en perdre le fil. » *Darhk Portal*